KAÏKEN

Né en 1961 à Paris, Jean-Christophe Grangé découvre le monde en devenant journaliste. C'est lors d'un reportage sur les oiseaux migrateurs que naît l'idée de son premier roman, *Le Vol des cigognes*. Son deuxième thriller, *Les Rivières pourpres*, est adapté à l'écran par Mathieu Kassovitz ; le film, comme le roman, connaît un immense succès en France mais aussi dans le reste du monde. Devenue culte, l'œuvre de Grangé est traduite en plus de trente langues. La plupart de ses thrillers ont été adaptés ou sont en cours d'adaptation au cinéma.

JEAN-CHRISTOPHE GRANGÉ

Kaïken

ROMAN

ALBIN MICHEL

© Éditions Albin Michel, 2012.
ISBN : 978-2-253-17916-0 – 1re publication LGF

I
CRAINDRE

1

La pluie.

Le mois de juin le plus merdique de tous les temps.

Depuis plusieurs semaines, la même rengaine, grise, trempée, glaciale. Et c'était pire encore la nuit. Le commandant Olivier Passan fit claquer la culasse de son Px4 Storm SD et le posa sur ses genoux, cran de sûreté levé. Il reprit le volant de la main gauche et saisit de l'autre son Iphone. Le programme GPS tournait sur l'écran tactile, éclairant son visage par en dessous, façon vampire.

— On est où ? grogna Fifi. Putain, on est où, là ?

Passan ne répondit pas. Ils roulaient lentement, phares éteints, distinguant à peine le décor. Un labyrinthe circulaire, à la Borges. Des murs courbes tapissés de briques et d'enduit rosâtre, multipliant les entrées, les allées, les détours, mais repoussant toujours l'intrus vers l'extérieur, à la manière d'une muraille de Chine qui tournerait sur elle-même, protégeant un centre mystérieux.

Le labyrinthe n'était qu'une cité classée ZFU : zone franche urbaine. Le Clos-Saint-Lazare, à Stains.

— On a pas le droit d'être là, marmonna Fifi. Si le SRPJ du 9-3 apprend que…

— Ta gueule.

Passan lui avait demandé de se vêtir sobrement pour ne pas attirer l'attention. Et voilà le tableau : le flic arborait une chemise hawaiienne et un short rouge de skateur. Olivier préférait ne pas savoir ce qu'il s'était envoyé avant de le rejoindre. Vodka, amphètes, coke… Sans doute les trois.

Tenant toujours le volant, il attrapa sur la banquette arrière un gilet balistique – il portait le même sous sa veste :

— Enfile ça.

— Pas besoin.

— Fous ça, j'te dis : avec ta chemise, on dirait un travelo à la Gay Pride.

Fifi, alias Philippe Delluc, s'exécuta. Olivier l'observa en douce. Tignasse oxygénée, cicatrices d'acnée, piercings au coin des lèvres. Son col ouvert laissait entrevoir la gueule d'un dragon fiévreux qui lui dévorait le bras et l'épaule gauches. Aujourd'hui encore, après trois ans d'équipe, Passan se demandait comment un tel lascar avait pu survivre aux dix-huit mois réglementaires de l'ENSOP, aux entretiens de motivation, aux visites médicales…

Mais le résultat était là. Un flic capable d'atteindre une cible au .9 mm à plus de cinquante mètres en utilisant indifféremment la main droite ou la gauche, comme de passer plusieurs nuits successives à éplucher des fadettes sans manquer une ligne. Un lieutenant à peine âgé de trente ans qui avait déjà essuyé le feu au moins cinq fois sans reculer. Le meilleur second qu'il ait jamais eu.

— Refile-moi l'adresse.

Fifi arracha le Post-it collé au tableau de bord :

— 134, rue Sadi-Carnot.

Selon le GPS, ils étaient tout près mais ils ne cessaient de croiser d'autres noms : rue Nelson-Mandela, square Molière, avenue Pablo-Picasso… Tous les dix mètres, un dos-d'âne secouait la voiture. Ces bosses à répétition commençaient à lui filer la gerbe.

Passan avait pris le temps d'imprimer un plan du quartier. Le Clos-Saint-Lazare est une des plus grandes cités de la Seine-Saint-Denis. Près de dix mille habitants vivent dans ces logements sociaux dont la pièce maîtresse est une barre d'immeubles courbe qui serpente à travers un parc boisé. Autour, des blocs rectilignes, hiératiques, semblent monter la garde comme des sentinelles.

— Merde, siffla Fifi entre ses dents.

À cent mètres de là, sous un porche, des Noirs s'acharnaient sur un homme à terre. Passan freina, se mit au point mort et se laissa glisser en roue libre vers le groupe. Un tabassage en règle. Aux pieds des agresseurs, la victime tentait de se protéger le visage.

Les coups pleuvaient et surprenaient le gars chaque fois selon un angle différent, imprévu. Un des tortionnaires, jeans coupés et casquette Kangol, lui écrasa son pied dans la bouche, lui faisant bouffer ses dents brisées :

— Lèche mes pompes, enculé de Feuj ! Lèche-les, bâtard ! (Le Black enfonça plus profondément sa basket entre les gencives meurtries.) LÈCHE, ENFOIRÉ !

Fifi attrapa son CZ 85 et ouvrit sa portière. Passan l'arrêta.

— On bouge pas. Tu vas tout faire foirer.

Une clameur s'éleva. La victime s'était redressée d'un bond, avait monté les marches et filé à l'intérieur du bâtiment. Les Blacks s'esclaffèrent, sans le poursuivre.

Passan enclencha la première et les dépassa. Fifi referma sa portière en douceur. Nouveau dos-d'âne. La Subaru ne faisait pas plus de bruit qu'un sous-marin sillonnant des grands fonds. Coup d'œil à l'Iphone.

— Rue Sadi-Carnot…, murmura-t-il. C'est là…

— Où tu vois une rue ?

Une artère se dessinait à droite, dissimulée par des palissades de chantier. Le quartier faisait l'objet de rénovations. Un panneau publicitaire évoquait, sans ironie : « Parc des Félins ». Au fond, entre ruines et matériaux de construction, des bâtiments, carrés, impersonnels. Ce genre de module qui, en banlieue, peut aussi bien être une école qu'un entrepôt.

— 128… 130… 132…, compta Passan à mi-voix. Là-bas.

Leurs regards convergèrent vers la porte d'un bloc. Passan coupa le contact, éteignit son Iphone. On apercevait seulement des flaques noires et grasses, piquées de pluie.

— Qu'est-ce qu'on fait ? demanda Fifi.

— On y va.

— T'es sûr de ton coup ?

— Je suis sûr de rien. On y va, c'est tout.

Un cri de femme retentit. Plissant les yeux, ils cherchèrent d'où venait le hurlement. Des lascars arrivaient. Ils poussaient une adolescente qui tentait de freiner sa marche à travers ses sanglots. L'un lui bottait le derrière, l'autre lui envoyait des claques sur la nuque. Ils se dirigeaient vers une caravane de chantier.

Fifi ouvrit de nouveau sa portière. Passan lui saisit le bras :

— Laisse filer. On est pas là pour ça. Pigé ?

Le punk lui lança un regard furieux :

— Je suis flic pour ça, OK ?

Olivier hésita. Un nouveau cri retentit.

— Putain…, capitula-t-il.

Ils sortirent de la Subaru dans le même mouvement, calibre au poing. Ils coururent à couvert des quelques bagnoles stationnées puis bondirent sur les voyous. Pas de sommation ni d'avertissement. Passan expédia un coup de tête au premier qui s'écrasa dans un tas de sable. Fifi balaya les jambes du second, le retourna sur le ventre, chercha ses pinces. Le troisième s'enfuit, hurlant des injures en verlan, à la manière d'un démon.

Dans la même seconde, la fille, cheveux fous, ombre tremblante, disparut. Les flics se regardèrent. L'affaire tournait court. Ils n'avaient plus de victime, plus d'agression, plus rien. Profitant de l'hésitation, le type à terre balança son bras dans le .9 mm de Fifi et sauta sur ses pieds.

Un coup de feu partit. Les menottes valsèrent quelque part, produisant un cliquetis furtif. Le voyou s'était déjà dissous dans la nuit.

— Merde ! cracha Passan.

Par réflexe, il jeta un coup d'œil vers le hangar : la porte venait de s'ouvrir. Il distingua le crâne chauve, la silhouette trapue, les gants de chirurgien bleu pâle. Il avait imaginé tant de fois ce moment. Dans son esprit, le flag était toujours net, précis, millimétré.

Il braqua son .45 et hurla :

— On bouge plus !

L'homme s'immobilisa. Sur son crâne mouillé de pluie se reflétaient des éclairs provenant de la porte entrebâillée. Ça brûlait à l'intérieur. Ils arrivaient trop tard. Au même instant, un déclic se fit dans son cerveau. Il pivota et découvrit le dernier violeur qui s'enfuyait vers la cité circulaire.

Fifi le mit en joue, doigt sur la détente. Passan lui abaissa le bras :

— Ça va pas, non ?

Nouveau volte-face : le chauve démarrait lui aussi au pas de charge, dans la direction opposée. Son ciré noir virevoltait sous la pluie. Le fiasco atteignait des proportions inégalées. Coup d'œil à Fifi. Il avait repris sa position de tir, visant tour à tour l'un et l'autre fugitif.

— Laisse tomber le caille ! hurla Passan. Rattrape Guillard !

Le lieutenant s'élança en direction du chantier. Passan courut vers l'entrepôt. Rengainant son Beretta, il enfila maladroitement des gants et fit coulisser la porte montée sur rail.

Il savait ce qui l'attendait.

Ce fut pire encore.

Dans un atelier d'environ cent mètres carrés, encombré de moteurs, de chaînes, d'outils, de pièces détachées, une jeune femme était attachée contre une citerne, à plus d'un mètre cinquante du sol. Bras et jambes écartés, liés par des courroies de distribution. Une Maghrébine, vêtue d'un ensemble de sport Adidas. Pantalon et culotte baissés aux chevilles, tee-shirt relevé.

On lui avait ouvert le ventre du sternum au pubis et ses intestins se déroulaient jusqu'au sol. Devant elle, dans une flaque embrasée, brûlait un fœtus. *Le modus operandi habituel.* Quelques secondes, quelques siècles passèrent. Passan ne bougeait plus. Les chairs rougeoyaient dans la fumée asphyxiante. Le bébé paraissait l'observer de ses yeux rongés de feu.

Enfin, le flic s'arracha à sa propre fascination et slaloma parmi les pneus, les arbres de transmission, les pots d'échappement. Il attrapa un tapis de sol et couvrit le corps minuscule, s'y reprenant à plusieurs fois pour l'éteindre. Il trouva une échelle modulable. D'une pression, il activa le mécanisme et grimpa à hauteur de la femme ligotée. Il savait qu'elle était morte. Deux doigts sur sa gorge pour confirmation. Son Iphone sonna. Il fouilla dans ses poches, manqua de se casser la gueule de son perchoir.

La voix essoufflée de Fifi :

— Qu'est-ce que tu fous ?

— Tu l'as eu ?

— Des queues. Y s'est barré !

— T'es où ?

— J'sais pas !

— J'arrive.

Passan sauta à terre et s'élança vers la porte, calibre en main. Il se faufila entre des bétonneuses, trébucha parmi des parpaings, des sacs de plâtre, des tiges d'acier. Il n'y voyait rien.

Au bout de quelques mètres, il s'étala de tout son long. Il se releva et chercha d'un œil mauvais l'obstacle qui l'avait fait chuter : Fifi, le pied coincé sous une palette de placoplâtre.

— J'suis tombé, Passan… J'suis tombé…

Olivier n'aurait su dire s'il riait ou pleurait. Il se pencha pour l'aider mais l'autre cria :

— Oublie ! Retrouve l'enculé !

— Où il est ?

— Le mur !

Passan se retourna et découvrit, à cent mètres de là, un mur aveugle qui se déployait sur plusieurs centaines de mètres. Au-delà, un halo de lumière frémissait : la nationale. Beretta à la main, il reprit sa course, trouva un talus, l'escalada, enjamba la muraille. Il bascula de l'autre côté, se ramassant comme il put.

De la terre noire, sur plusieurs hectares. Au loin, des voitures qui filaient. À la faveur des phares, la silhouette de Patrick Guillard se découpait. Il titubait parmi les sillons de glaise, avançant péniblement en direction de la route.

Passan chargea. Il haletait sous son gilet de kevlar. Ses pieds s'enfonçaient dans la boue. Il parvenait à peine à arracher ses pas des mottes visqueuses.

Pourtant, il gagnait du terrain.

Guillard atteignait la nationale en surplomb. Passan allongea encore ses foulées. L'autre allait franchir la glissière de sécurité quand il l'attrapa aux jambes, lui faisant redescendre la pente. Le tueur tenta de s'accrocher aux touffes d'herbe. Passan l'empoigna par le col, le retourna et lui frappa plusieurs fois le crâne contre une rigole de ciment.

— Putain d'enculé…

Guillard tenta de le repousser. Le flic le cognait maintenant avec sa crosse, sentant le sang inonder ses doigts, ses yeux, ses nerfs. Le sol vibrait au passage des bagnoles à quelques mètres au-dessus d'eux.

Soudain, Passan s'arrêta. Les yeux hors de la tête, il se mit debout, rengaina, monta le remblai en tirant le corps de son adversaire jusqu'à la chaussée.

Des phares explosèrent dans l'obscurité. Un poids lourd arrivait à vive allure.

D'un coup de pied, le flic projeta Guillard dans l'axe des roues. Un talon sur son torse, il le maintint en place. Le semi-remorque n'était plus qu'à quelques mètres.

Il ferma les yeux.

Il était la Loi.

Il était la Justice.

Il était le Glaive et la Sentence...

Une seconde avant que le bahut n'écrase le crâne du meurtrier, il eut un sursaut. Il attrapa Guillard et le releva. Ils basculèrent ensemble par-dessus la glissière et roulèrent au bas du versant. Le camion passa dans une gigantesque convulsion, pleins phares et klaxon hurlant, à quelques mètres de leurs corps enlacés.

2

— Ça va chier. Je te jure que ça va chier !

Passan considéra le capitaine de la BAC sans répondre. Un petit râblé qui s'agitait dans son blouson de jean, Sig Sauer bien en vue. Le logo de sa brigade était cousu sur sa manche : une barre d'immeubles dans le viseur d'une arme. Un hélicoptère survolait la zone, balayant les toits trempés de son phare ultra-puissant. Passan avait suffisamment sillonné ce genre de cités pour savoir ce que cherchait la patrouille : des groupes de lascars en planque, prêts pour un assaut à coups de bouteilles, de bougies d'allumage, de caillasses. Des CRS étaient déjà descendus dans les caves en quête de caddies remplis de pierres.

Olivier se frotta le visage comme pour abraser sa peau puis fit quelques pas, loin de l'attroupement. Ce climat de démence guerrière ne l'atteignait pas. Il se remettait de sa propre crise de folie. La lumière aveuglante du camion. La tête du tueur sur le billot de bitume. Sa pulsion meurtrière déguisée en intention de justice.

Il revint vers Tom Pouce.

— C'était une urgence, admit-il enfin.

— Et tu débarques comme ça, sur mon territoire, sans prévenir personne ?

— On a eu le tuyau à la dernière minute.

— L'article 59, t'en as entendu parler ?

— C'était un flag, putain. On devait agir vite. Et en toute discrétion.

L'OPJ éclata d'un rire mauvais :

— Pour la discrétion, tu repasseras !

Autour d'eux, c'était un tourbillon de gyrophares, de Rubalise, d'uniformes, de combinaisons blanches. Flics de la BAC, policiers municipaux, agents de sécurité, CRS, PTS : tout le monde était là. Des dizaines de gamins, noyés dans des tee-shirts trop larges ou des vestes à capuche, se pressaient contre les rubans jaunes.

— T'es sûr que c'est l'Accoucheur, au moins ?

Olivier désigna la porte de l'atelier :

— Ça te suffit pas ?

La levée du corps était en route. Deux hommes des pompes funèbres poussaient un brancard – la victime était glissée dans une housse de plastique. Sur leurs pas, un autre tenait une glacière frappée d'une croix rouge. Le fœtus calciné.

L'OPJ rajusta son brassard :

— Vous avez mis tout le quartier en danger, bordel.

— C'est ton quartier le danger.

— C'est ma faute, p't'être ?

Passan capta dans son regard une lueur d'épuisement. D'un coup, sa colère, son mépris retombèrent. Ce flic était simplement à cran, usé par des années de guérilla urbaine inutile. Il contempla à nouveau le décor éclairé par intermittences. Les familles aux fenêtres, les cailles groupés autour du périmètre de sécurité, les mômes qui piaffaient en pyjama sur les seuils de la cité circulaire – et les forces de l'ordre, casques antiémeutes et flash-balls, prêtes à tirer dans le tas.

Quelques flics « ethniques » – noirs, maghrébins, exhibant des sigles « Police » – tentaient de calmer le jeu. Passan songea aux pisteurs de l'Ouest américain, des Indiens qui ouvraient la voie aux Blancs dans un monde occulte, hostile. Ces flics aussi étaient des éclaireurs.

Tournant les talons, il se dirigea vers sa voiture et revit en accéléré les évènements qui l'avaient mené jusqu'à la porte des Enfers. La disparition l'avant-veille de Leïla Moujawad, vingt-huit ans, enceinte de huit mois et demi. L'information, livrée quelques heures auparavant par la Brigade financière, selon laquelle la holding dirigée par le principal suspect, Patrick Guillard, abritait une société offshore, elle-même propriétaire d'un atelier à Stains, au 134, rue Sadi-Carnot. Un hangar dont personne n'avait jamais entendu parler, situé à moins de trois kilomètres des lieux de dépose des trois premiers corps.

Il avait appelé Fifi. Ils avaient foncé. Ils étaient arrivés trop tard. Les vies de Leïla et de son enfant s'étaient jouées à quelques minutes… Passan en avait trop vu dans sa carrière pour se révolter face à cette énième injustice.

Soudain, un hurlement déchira le brouhaha général. Un jeune homme bouscula les CRS et courut vers le fourgon des pompes funèbres. Passan le reconnut aussitôt. Mohamed Moujawad. Trente et un ans. Le mari de Leïla. Il l'avait auditionné la veille, dans les locaux du SRPJ de Saint-Denis.

Il avait sa dose pour cette nuit. Le procureur n'allait pas tarder. Un nouveau magistrat serait saisi – il se démerderait avec Ivo Calvini, le juge chargé de la série de meurtres. Dans tous les cas, lui n'obtiendrait pas l'enquête. Pas tout de suite quoi qu'il en soit. Il devrait d'abord payer ses fautes. Perquisition illégale. Flagrant délit manqué. Violation de l'injonction lui interdisant d'approcher Guillard à moins de deux cents mètres. Violences sur un suspect bénéficiant de la présomption d'innocence. Les avocats du salopard allaient lui dévorer le cœur.

— On se casse ?

Fifi fumait une cigarette, assis dans la Subaru. Ses jambes poilues, dont l'une avait été soignée et bandée par les urgentistes, dépassaient de la portière ouverte.

— Donne-moi une seconde.

Passan retourna dans l'antre du crime. Il n'aurait pas de sitôt l'occasion de glaner des éléments sur l'affaire. Plusieurs techniciens de l'Identité judiciaire s'y activaient. Les flashs d'un photographe éclaboussaient les murs. Les poudres, les pinceaux, les sachets à scellés circulaient de main en main. Spectacle mille fois vu, rabâché jusqu'à l'écœurement.

Il repéra Isabelle Zacchary, la coordinatrice des opérations, qu'il avait personnellement appelée. Enfouie dans sa combinaison blanche, elle se tenait debout près des traces noires laissées par les viscères de la victime.

— Qu'est-ce que t'as pour l'instant ?

— T'es saisi ?

— Tu sais bien que non.

— Je sais pas si…

— Je te demande juste un premier bilan.

Zacchary tira sur sa capuche : elle paraissait étouffer. Avec son masque à filtres latéraux autour du cou, on aurait dit une créature mutante. Chaque fois qu'elle bougeait, elle provoquait un bruit de papier froissé. Elle avait conservé ses lunettes, qui lui donnaient d'ordinaire un air distancié et sexy. Pas ce soir.

— Je peux rien te dire pour le moment. On envoie tout au labo.

Passan balaya l'espace d'un regard. La citerne ensanglantée, les liens suspendus, les instruments chirurgicaux sur le comptoir, brunis de sang. Les miasmes de chair grillée planaient encore.

Un doute le frappa tout à coup :

— On a ses empreintes ?

— Partout. Mais c'est son garage, non ?

Il fallait les trouver sur la victime elle-même. Sur les lames qui avaient servi à la mutiler. Sur le bidon d'essence utilisé pour brûler l'enfant. Ou encore des fragments de sa peau sous les ongles de la victime. N'importe quoi d'organique qui puisse relier le garagiste à ses proies.

— Envoie-moi les constates par mail.

— Écoute, c'est vraiment pas réglo, je…

— C'est mon enquête, tu piges ?

Zacchary hocha la tête. Passan savait qu'elle le ferait – huit ans de collaboration, une ou deux nuits à flirter ensemble, une ambiguïté sexuelle qui n'avait jamais cessé entre eux, il fallait bien que ça serve à quelque chose.

En ressortant il n'éprouva aucun soulagement : il faisait aussi mauvais dehors que dedans. L'averse avait repris. La bousculade débordait le cordon de CRS. Tout ça allait mal finir. Seul coup de chance : pas de médias à l'horizon. Par miracle, aucun journaliste, aucun photographe ni cameraman n'était encore sur les lieux.

Contournant sa bagnole pour prendre le volant, il aperçut une nouvelle civière qu'on poussait vers une ambulance. Patrick Guillard, enfoui sous une couverture de survie argentée. Il portait une minerve et respirait dans un masque à oxygène. La coque de PVC transparent déformait ses traits et lui rendait son vrai visage – un monstre pelé et blanc, aux traits hideux.

Les infirmiers ouvrirent les portes du véhicule et engagèrent avec précaution le brancard. Les gyrophares bleus ricochaient sur les plis de la couverture moirée, donnant l'impression que le bourreau émergeait d'un cocon de paillettes turquoise.

Leurs regards se croisèrent.

Ce qu'il vit dans les pupilles du tueur, au-dessus de l'encolure du masque, lui fit comprendre qu'il n'avait pas gagné la guerre.

Peut-être même pas cette bataille.

3

Une heure plus tard, Olivier Passan fermait les yeux sous les rais de la douche de ses nouveaux bureaux. Cette eau lui semblait chargée d'un pouvoir. Elle éliminait non seulement la crasse, la sueur, mais aussi les odeurs de corps brûlés, les images de chairs torturées, les pulsions de mort et de destruction qui le hantaient encore. Il baissa la tête sous le crépitement. La température était fraîche, presque froide. Le jet lui lacérait la peau, faisait rougir son épiderme, lui frappait le crâne.

Enfin, il se sécha. Il se sentait régénéré. L'impression était accentuée par les locaux de la Direction centrale de la Police judiciaire, rue des Trois-Fontanot, à Nanterre. Un lieu high-tech, spacieux et neutre, qui n'avait rien à voir avec le labyrinthe obscur du Quai des Orfèvres. On avait installé ici plusieurs brigades en attendant que le chantier du nouveau 36 commence. Mais la rumeur disait qu'ils allaient bientôt tous rentrer au bercail, faute de fonds pour les travaux.

Torse nu, il s'observa dans les miroirs au-dessus des lavabos. Visage émacié, mâchoire carrée, coupe en brosse : plus soldat-commando que flic. Sous la calotte des cheveux ras, ses traits étaient plutôt fins et réguliers. Il baissa les yeux sur sa poitrine. Muscles saillants, lignes dures. Ce tableau valait bien les heures passées en salle. Passan ne travaillait pas son corps dans un souci de forme physique. Encore moins pour l'esthétique. Il le faisait à titre de pièce à conviction – pour démontrer sa pure volonté.

Il regagna les vestiaires, enfila ses fringues sales et emprunta l'ascenseur. Deuxième étage. Structure d'acier. Murs de verre. Moquette grise. Il aimait cette monotonie, cette froideur.

Fifi, douché, peigné, s'agitait face à la machine à café.

— Ça marche pas ?

Le punk décocha un violent coup de pied dans le distributeur :

— Ça marche.

Il attrapa le gobelet fumant et le tendit à son supérieur. Il s'en commanda un autre, frappant de nouveau l'appareil. Sa peau trouée paraissait plus violemment meurtrie encore sous sa tignasse mouillée.

Ils burent en silence. En un regard, ils se comprirent. Parler d'autre chose. Évacuer à tout prix la pression. Mais le silence s'éternisait. Hormis leur boulot de flic, ils n'avaient qu'un sujet en commun : le marasme de leur vie privée.

C'est Fifi qui se décida :

— T'en es où avec Naoko ?

— On divorce. C'est officiel.

— Et pour la baraque, vous faites comment ? Vous vendez ?

— Pas question. C'est pas le moment. On la garde.

25

L'adjoint paraissait sceptique. Il savait que la conjoncture immobilière n'avait rien à voir avec la résolution de Passan.

— Qui va y rester ? hasarda-t-il.

— Tous les deux. On va alterner.

— Comment ça ?

Passan écrasa son gobelet et l'expédia dans la poubelle :

— On y vivra à tour de rôle. Chacun une semaine.

— Et les mômes ?

— Ils ne bougent pas. Ils ne changent pas d'école. On a bien réfléchi : pour eux, c'est le moins traumatisant.

Fifi conserva le silence, manifestant une nouvelle fois ses doutes.

— Tout le monde fait ça maintenant, ajouta Passan, comme pour mieux se convaincre. C'est une organisation très courante.

Le lieutenant se débarrassa à son tour de son gobelet :

— C'est une idée à la con, ouais. Bientôt, ce sont eux qui vous recevront dans leur maison. Vous allez devenir des touristes sous votre propre toit.

Passan se crispa. Des semaines qu'il soupesait cette décision, qu'il tentait de se persuader que c'était la seule et unique solution. Des semaines qu'il écartait toutes les objections possibles.

— C'est ça ou je continue à vivre dans ma cave.

Depuis six mois, il habitait le sous-sol de la villa. Un espace éclairé par des soupiraux en rez-de-jardin, où il se planquait comme dans la crainte d'un bombardement.

— Et pis quoi ? reprit l'autre. Tu vas amener tes gonzesses chez toi ? Naoko retrouvera leurs culottes dans les draps ? Elle dormira dans le même lit ?

— On commence ce soir, fit Passan pour couper court. Naoko reste cette semaine. Je vais m'installer dans le studio que j'ai loué à Puteaux.

Le punk secoua la tête avec consternation. Passan lui asséna son revers :

— Et toi ? Aurélie ?

Fifi ricana, en se commandant un nouveau jus :

— Avant-hier, elle s'est endormie pendant qu'on baisait.

Il attrapa le gobelet et demanda, en soufflant sur son café :

— C'est bon signe, tu crois ?

Ils éclatèrent de rire. Tout valait mieux que se remémorer le sillage d'horreur de l'Accoucheur.

4

À travers le rythme des essuie-glaces, Passan écoutait distraitement les nouvelles à la radio. Il roulait
vers Suresnes – ses dernières heures au foyer avant sa
migration vers Puteaux. Il ne savait pas encore s'il
allait dormir, continuer à faire ses cartons ou rédiger
son rapport. Côté news, le lundi 20 juin 2011 n'était
pas à marquer d'une pierre blanche. Le seul fait qui
retint son attention était l'histoire d'un mec divorcé
qui entamait une grève de la faim pour contester la
prestation compensatoire qu'il devait verser à son
épouse. L'idée le fit sourire.

Avec Naoko, il n'aurait pas ce genre de problèmes.
Un seul avocat, la garde alternée, pas de prime de
départ – elle gagnait beaucoup mieux sa vie que lui –
et ils n'avaient qu'un seul bien à partager : leur maison.

Il filait sur le quai de Dion-Bouton en direction du
pont de Suresnes. Il frissonnait mais se refusait à
mettre le chauffage. On était en juin, merde. Cette
météo lui foutait les nerfs à vif. Un sale petit temps
crispé, frileux, mesquin, qui n'avait rien à voir avec

28

la générosité de l'été, et réveillait ses douleurs dans le dos.

De Nanterre-Préfecture, il aurait pu rejoindre le Mont-Valérien par l'intérieur de la ville mais il avait besoin d'amplitude – ciel et fleuve sous le soleil levant. En réalité, il ne distinguait pas grand-chose. La Seine, à gauche, était en contrebas et des arbres à droite occultaient la ville. Au-dessus de lui, le ciel gris était gorgé comme une éponge. On aurait pu être n'importe où sur la Terre.

Il se revoyait, le pied sur le torse de Guillard, prêt à lui broyer la tête sous les roues d'un semi-remorque. Un jour, on fermerait la porte de la cellule et il ne serait pas du bon côté. Son divorce était une des dernières choses qui le rattachaient à une existence normale – et c'était une rupture.

Il braqua sur la droite, empruntant le boulevard Henri-Sellier. Tourna avenue Charles-de-Gaulle, puis prit la direction du Mont-Valérien. Au fil de la montée, des signes familiers apparurent. Les pavillons perchés à flanc de coteau. Les murs couverts de lierre. Les cafés qui ouvraient l'un après l'autre…

Il s'arrêta dans une boulangerie déjà éclairée. Croissants. Baguette. Chupa Chups. De nouveau, un sentiment d'irréalité l'envahit. Quel lien entre ces gestes anodins et le cauchemar de Stains ? Pouvait-il prétendre réintégrer le monde ordinaire, comme ça, en claquant des doigts ?

Il reprit sa voiture et grimpa encore. Le sommet du Mont-Valérien, avec ses vastes pelouses, évoquait un parcours de golf. On y retrouvait l'atmosphère d'un plateau d'altitude. Symétrie des lignes, absence de relief… L'usine de traitement des eaux, ses canalisations précises et nettes. Le stade Jean-Moulin et ses terrains au cordeau. Le cimetière américain et ses enfilades de croix blanches.

Le jour peinait à se lever mais la vue sur Paris était impressionnante. C'était la distance, surtout, qui le réconfortait. À ses yeux, ces milliers de réverbères qui s'éteignaient, ce foisonnement de tours et d'immeubles qui baignaient dans une brume de pluie étaient le théâtre tragique d'une guerre primitive. La vallée de toutes les violences. Sur ces hauteurs, il se sentait en sécurité. Il avait rejoint son sanctuaire. Son ermitage.

Arrivé rue Cluseret, il ralentit face au portail. Télécommande. Il s'engagea dans l'allée, roulant le plus lentement possible, pour profiter du spectacle. La première image était celle d'un bloc blanc sur fond vert. À l'échelle du quartier, son jardin était immense – près de deux mille mètres carrés de pelouse. Ces glacis de gazon lui coûtaient un max mais le résultat en valait la peine.

Volontairement, il n'avait rien planté ici, ou presque. Seulement organisé un petit jardin zen sur la gauche, à l'ombre de quelques pins. Il se glissa à droite et coupa le contact. La villa ne possédait pas de parking et il n'avait pas voulu briser la cohérence de l'architecture. Bâti dans les années 20, l'édifice était un parallélépipède rectangulaire tout droit issu du Mouvement moderne, coiffé d'un toit-terrasse. Charpente en acier. Piliers en béton armé, soutenant une galerie ouverte. Fenêtres alignées en série. Du sobre. Du solide. Du fonctionnel. Un sourire de fierté lui échappa.

Croissants à la main, il déverrouilla la porte et pénétra dans le vestibule. Il repéra les cabans de Shinji et

Hiroki accrochés aux portemanteaux et glissa dans leur poche une Chupa Chups. *Petite surprise de papa.* Puis il retira ses chaussures avant d'entrer dans le salon.

Cette maison avait d'abord été une bonne affaire. Suite au décès de Jean-Paul Queyrau, dernier représentant d'une famille de marchands d'art, la villa avait été mise aux enchères en mars 2005. Passan avait été le premier sur le coup pour une raison simple : c'était lui qui, en tant qu'OPJ de la Crime, avait constaté le décès de Queyrau, fin de race criblé de dettes, suicidé d'une balle dans la gorge.

Alors que le cadavre reposait à ses pieds, le flic était tombé amoureux des lieux. Il avait visité chaque pièce, ne s'attardant pas sur leur état de délabrement – l'héritier était devenu un clochard squattant sa propre baraque. Il avait imaginé ce qu'il pourrait en faire, lui.

Naoko avait rendu possible l'acquisition. Depuis un an, elle occupait un poste important dans une boîte d'audit financier. De plus, ses années de mannequinat lui avaient permis d'économiser un petit capital et ses parents, propriétaires fonciers à Tokyo, lui avaient fait une donation. Bien que son apport ait été largement supérieur à celui de Passan, elle avait signé une copropriété à cinquante-cinquante. En échange, il devait assurer personnellement le maximum de travaux.

Il s'était mis au boulot. Avec l'impression de travailler à la solidité de son propre foyer. De renforcer, physiquement, ses bases. Il protégeait leur histoire d'amour des attaques extérieures, de l'usure, de l'érosion… La méthode n'avait pas fonctionné. La villa avait résisté à tous les assauts mais n'avait pas su les protéger, eux.

Il s'orienta vers la cuisine. Une secousse manqua de le faire tomber. Diego venait à sa rencontre. Un montagne des Pyrénées, gris et énorme, qui aurait été plus à son aise à flanc de pâturage, auprès d'un troupeau de moutons. Il se livra aux habituelles effusions. Quand Naoko avait voulu acheter ce chien, Passan avait d'abord refusé. Le toutou indispensable à la famille bourgeoise standard... Aujourd'hui, Diego était devenu le seul sujet à faire l'unanimité.

— La ferme, Diego, chuchota-t-il, tu vas réveiller tout le monde...

Il attrapa une corbeille à pain pour ses croissants, posa la baguette en évidence sur la table. Dans la foulée, il sortit les sets à carreaux, les bols des enfants, portant leur prénom calligraphié en japonais, la tasse laquée dans laquelle Naoko buvait son thé au lait. Confiture, céréales, jus d'orange. Ces gestes solitaires ne l'attristaient pas : il y avait longtemps qu'il ne partageait plus ses petits déjeuners avec son épouse et ses gosses.

Il allait quitter la cuisine quand, malgré lui, il s'arrêta devant les photos fixées au mur. Allumant pour mieux les voir, il tomba sur un tirage qui les représentait, Naoko et lui, huit ans auparavant, sur la terrasse du temple Kiyomizu-dera, au-dessus de Kyoto. Il arborait son sourire emprunté, aussi raide qu'un cric, alors que Naoko offrait son meilleur trois quarts – réflexe professionnel du mannequin. Malgré la pose, le cliché respirait encore le bonheur. Et surtout une estime réciproque, la fierté d'être ensemble...

Il passa à une autre photo. 2009. Portrait de groupe à Shibuya, quartier branché de Tokyo. Il tenait dans ses bras Hiroki, quatre ans, coiffé d'un bonnet de

Totoro, personnage célèbre de Miyazaki. Naoko portait Shinji, six ans, qui faisait des deux mains le V de la victoire. Tout le monde riait mais on discernait le malaise, la crispation des adultes. Lassitude et frustration : les métastases du temps en marche…

Juste à gauche, 2002, une plage d'Okinawa. Leur voyage de noces. Passan avait oublié les détails du périple. Il revoyait seulement Naoko face au comptoir d'enregistrement de Roissy, sortant avec excitation sa carte Flying Blue pour enregistrer ses miles. Naoko était une adepte des cartes de réduction, une accro des ventes privées. Il se souvenait qu'à cet instant, dans l'aéroport, il s'était juré de protéger toujours cette gamine, qui croyait pouvoir « assurer ».

Avait-il tenu sa promesse ?

Il éteignit la lumière, traversa le salon et s'engagea dans son escalier de béton.

Il était temps de rentrer dans ses appartements. Le palais souterrain du Rat souverain.

5

Un couloir de briques peintes. À gauche, une remise et une buanderie abritant le lave-linge et son séchoir. À droite, un réduit dans lequel il avait ouvert une arrivée d'eau pour se ménager une salle de bains. Au fond, une pièce qu'il avait équipée en chambre-bureau.

Il se déshabilla dans la salle des machines et fourra les fringues dans le tambour avant de lancer le lavage. Depuis des mois, il vivait ainsi, en complète autonomie, bouffant ses *bento* derrière son bureau, dormant seul. Nu, il considéra ses frusques tachées de sang qui tournaient dans l'eau mousseuse. *Une broyeuse de cauchemars.*

Il attrapa dans un panier un tee-shirt et un caleçon qui embaumaient l'adoucissant. Il les enfila puis passa dans sa chambre. Un rectangle de vingt mètres carrés aux murs de béton brut, surmonté de soupiraux. D'un côté, un lit de camp. De l'autre, sous les ouvertures, une planche posée sur deux tréteaux. Au fond, un établi sur lequel il démontait et bricolait ses armes. D'une certaine façon, ce bunker lui correspondait mieux que les grands espaces du haut. Ici, il était en planque.

Sur les murs, Passan avait fixé les portraits de ses idoles. Yukio Mishima, suicidé par seppuku en 1970, à quarante-cinq ans. Rentaro Taki, le « Mozart japonais », mort de la tuberculose en 1903, à vingt-quatre ans. Akira Kurosawa, réalisateur de *Rashomon* et de beaucoup d'autres chefs-d'œuvre, qui avait survécu de justesse à sa tentative de suicide en 1971, après l'échec de son premier film en couleur, *Dodes'kaden*. Pas vraiment une troupe de comiques...

Il mit en marche son Ipod, branché sur un haut-parleur, et régla le volume en sourdine. L'églogue pour koto et orchestre d'Akira Ifukube. Une œuvre bouleversante qu'il était sans doute le seul à écouter en France. Passan était passionné par la musique symphonique japonaise du XXᵉ siècle, complètement inconnue en Occident, et à peine plus diffusée au Japon.

L'heure du thé. Il avait acheté jadis à Tokyo une machine qui conservait en permanence de l'eau à quatre-vingt-dix degrés. Il remplit sa théière puis répandit cinq grammes de *hoji-cha* – du thé vert grillé. En attendant l'infusion (trente secondes exactement), il alluma un bâton d'encens dont il attisa l'extrémité incandescente en agitant la main – jamais il n'aurait soufflé dessus, la bouche étant impure dans la religion bouddhiste.

Tasse en main, il s'allongea sur son lit et ferma les yeux. Le koto, une sorte de harpe horizontale, produisait un vibrato très sec, à la fois mélancolique et amer. À chaque note, Passan avait l'impression qu'on lui pinçait directement les nerfs. Sa gorge se serrait et, en même temps, une force apaisante se libérait au fond de sa poitrine. Une respiration du cœur, un soulagement de l'esprit…

Le Japon.

En le découvrant, il s'était découvert lui-même. Son premier voyage avait instantanément remis de l'ordre dans son existence. Il était né à Katmandou, en 1968. Ses parents, allumés du chilom, l'avaient conçu au pied d'un bouddha, en pleine montée de trip. Son géniteur était mort l'année suivante d'avoir trop vendu son sang pour acheter de l'opium. Sa mère avait disparu sans laisser d'adresse quelques mois plus tard. L'ambassade de France au Népal avait fait le nécessaire. On l'avait rapatrié. Il était devenu pupille de la Nation.

Durant quinze années, il avait été un orphelin ballotté de foyers en familles d'accueil, croisant tour à tour des êtres bienveillants, des salopards, des gens de bonne et de mauvaise influence… Après une scolarité décousue, des points de chute alternant entre le 9-2 et le 9-3, il avait résolument pris le mauvais chemin. Vols de voitures, trafics de faux papiers, rackets… Il avait réussi à survivre tout en évitant les problèmes avec la flicaille.

À vingt ans, il s'était réveillé. Il avait quitté sa banlieue ouest – Nanterre, Puteaux, Gennevilliers – et, tapant dans sa cagnotte de malfrat, s'était loué une chambre de bonne dans le 5ᵉ arrondissement, rue Descartes. Il s'était inscrit en droit à la Sorbonne, à quelques centaines de mètres.

Pendant trois ans, il avait vécu enfermé dans sept mètres carrés, à potasser, bouffer des McDo, réciter ses cours à voix haute, le nez pointé vers le plafond. Il s'était aussi passionné pour l'art, la philosophie, la musique classique. Une vraie cure de détox. Tout son fric y était passé. Il avait ensuite migré dans une chambre universitaire du CROUS, sans jamais repiquer aux combines.

Après sa licence, il avait choisi l'ENSOP. C'était, à bien y réfléchir, la seule voie qui pouvait le canaliser tout en lui offrant, plus ou moins, le même univers que jadis. La nuit, l'adrénaline, la marge.

Comme lui avait dit un jour un de ses pères de substitution, un ouvrier retraité des usines Chausson à Gennevilliers : « Un flic, c'est jamais qu'un voyou qu'a raté sa vocation. »

Il avait décidé de réussir son ratage. Une raison intime s'ajoutait à son choix : devenir OPJ, c'était servir son pays. Or, il avait une dette de ce côté-là. Après tout, c'était l'État français qui l'avait sauvé, nourri, élevé.

Dix-huit mois d'école sans moufter. Les meilleurs résultats dans chaque matière. Au moment de choisir sa promotion, une idée bizarre. Plutôt qu'une fonction stratégique au ministère de l'Intérieur ou un poste prometteur dans une brigade prestigieuse, il s'était enquis des places disponibles à l'étranger – agents de liaison, formateurs, officiers de renseignements… Sans avoir jamais mis les pieds hors de France, il avait opté pour ce qu'il y avait de plus éloigné. Un poste de stagiaire auprès de l'officier de liaison de Tokyo.

Quand il avait atterri à Narita, sa vie avait basculé à jamais.

Le Japon serait désormais une terre d'élection pour ses attentes, ses désirs, ses espoirs. Chaque trait de ce nouveau monde avait réveillé en lui des aspirations confuses, parfois même ignorées jusqu'ici.

Il était entré en résonance totale avec cette culture. Il était fait pour être japonais.

Il avait aussitôt idéalisé le pays, mêlant réalité et fiction. Il savourait la politesse innée. La propreté des rues, des lieux publics, des toilettes. Le raffinement de la nourriture. La rigueur des règles, du protocole. Il y ajoutait des traditions disparues. Le code d'honneur des samouraïs. La fascination pour la mort volontaire. La beauté des femmes de la peinture *ukiyo-e*.

Il occultait le reste. Le matérialisme enragé. L'obsession technologique. L'abrutissement d'une population qui travaille dix heures par jour. Un sens de la communauté qui confine à l'aliénation. Il tournait aussi le dos à l'esthétique des mangas, qu'il détestait, cette obsession de gros yeux noirs alors qu'il n'aimait que les paupières en amande. Il oubliait la course aux gadgets, le *pachinko*, les sitcoms, les jeux vidéo...

Surtout, Passan niait la décadence de l'archipel. Depuis son premier voyage, la situation n'avait cessé d'empirer. Crise économique. Endettement chronique. Désœuvrement des jeunes générations... Il cherchait toujours Toshiro Mifune, l'acteur fétiche de Kurosawa, et son sabre dans les rues, sans voir les androgynes efféminés, les geeks absorbés dans leurs mangas, les salariés ensommeillés dans le métro... Ces générations qui n'avaient pas hérité de la force de leurs ancêtres mais au contraire d'une fatigue accumulée, écrasante. Une société qui se relâchait enfin, gangrenée par la déliquescence occidentale.

Au fil des années, et bien qu'il ait épousé une Japonaise plus-que-moderne, Passan continuait à rêver d'un Japon intemporel, dans lequel il puisait calme et équilibre. Curieusement, il n'avait jamais touché aux arts martiaux, s'en tenant aux techniques de combat de l'école de police, ni jamais compris les méthodes de méditation zen. Il avait créé ce monde de rigueur et d'esthétique pour tenir le coup face à son boulot. Une Terre promise où il finirait par s'installer quand la corde casserait pour de bon. Et lorsqu'il sortait d'une nuit comme celle de Stains, il lui restait toujours l'églogue d'Ifukube et le regard mélancolique de Rentaro Taki.

À cette idée, il rouvrit les yeux et chercha près de son lit de camp son recueil de haïkus. Il feuilleta l'ouvrage et trouva les mots dont il avait besoin.

Au clair de lune
Je laisse ma barque
Pour entrer dans le ciel...

Il tourna encore les pages en quête d'un autre poème mais n'acheva pas son geste. Il s'était endormi comme on meurt d'une balle en plein front, ses rêves formant au-dessus de lui une lourde sépulture de pierre.

6

Hirsute, chiffonnée, mal réveillée, Naoko observait son mari.

Elle se tenait immobile sur le seuil du repaire de l'ogre. Ce qu'elle voyait était une épave. Non pas d'homme, encore moins de flic – Passan était le meilleur flic du monde –, mais une épave de mari. Sur ce terrain, il avait complètement échoué et elle ne pouvait lui en vouloir : elle avait atteint le même point de non-retour.

Elle se demandait toujours comment ils en étaient arrivés là. La lumière qui les avait tant irradiés s'était éteinte. Et leur amour, à la manière d'un bronzage, avait progressivement disparu, sans que personne ne s'en rende compte. Mais pourquoi cette haine sourde à la place ? Cette indifférence irritée ? Elle avait son idée là-dessus : à cause du sexe. Plus précisément, du manque de sexe.

À Tokyo, les jeunes filles se répètent à voix basse un chiffre magique. Selon un sondage célèbre, les Français, tous sans exception, font trois à quatre fois l'amour par semaine. Une cadence qui enthousiasme les Japonaises, habituées aux libidos en berne de leurs mâles. La France, pays du romantisme et paradis du sexe !

Avant de migrer à Paris, Naoko ignorait un fait crucial : la vanité des Français. Maintenant qu'elle les connaissait, elle les imaginait parfaitement décrire leurs prouesses imaginaires, sourire en coin, l'œil égrillard.

Au moins deux années que Passan ne l'avait pas touchée. Il n'était plus question du moindre contact entre eux. De la lassitude, ils étaient passés à l'agacement, puis à la haine, et enfin à une sorte de distance asexuée, comme celle qui unit les membres d'une même famille – ce qu'ils étaient après tout.

Leurs amis les avaient regardés sombrer avec incrédulité. Olive et Naoko : le modèle, l'histoire parfaite, la fusion sans frontière ! L'exemple qui rendait jaloux les autres mais qui redonnait aussi de l'espoir. Puis les premiers signes étaient apparus, inexorables. Les éclats de voix, les réflexions acerbes dans les dîners, les absences… Et les confidences, du bout des lèvres : « Ça ne va plus entre nous. On pense à divorcer… »

Autour d'eux, on avait naïvement attribué leur naufrage à leurs différences culturelles. C'était le contraire qui s'était produit : ces différences n'avaient pas suffi, justement, à les sauver de l'ennui.

Naoko avait suivi l'évolution du désastre à la manière d'une scientifique, notant chaque étape, chaque détail. Quand ils s'étaient connus, Passan était tourné vers elle comme un tournesol vers le soleil. À cette époque, elle était son sang, sa lumière. Elle n'avait jamais été aussi hautaine, parce qu'elle était satisfaite, épanouie, et tellement fière… Puis il s'était nourri ailleurs. Ou simplement en lui-même. Il était revenu, comme il disait, à ses fondamentaux : son travail de flic, ses valeurs patriotiques, et plus tard ses enfants. Mais aussi, elle le savait, à la nuit, à la violence, au vice… Pas de place pour elle dans ce monde en noir et blanc, composé uniquement de vainqueurs et de vaincus, d'alliés et d'ennemis.

Elle croyait avoir touché le fond. Elle se trompait. Le curseur était descendu plus bas encore. Pour son mari, elle était devenue un obstacle, une entrave à sa liberté. Mais qu'en aurait-il fait au juste ? N'était-il pas déjà libre ? Si elle lui avait posé la question, il n'aurait pas su répondre. Il ne s'interrogeait pas. Il refusait d'admettre leur naufrage, se concentrant sur les travaux de la maison, son boulot, le culte obsessionnel qu'il vouait à ses enfants. Il s'y consacrait les dents serrées, sourd aux hurlements de son corps. Face à elle, il se contentait d'être irritable, hostile.

Elle s'était durcie à son tour, tant l'amour se nourrit du sentiment de l'autre. Sans entraînement, le cœur se dessèche. On perd toute faculté à partager. On finit par se protéger en se refermant sur ce qu'on a de plus triste : sa solitude…

Sans faire de bruit, elle se glissa dans la chambre de Passan – elle l'avait toujours appelé à la japonaise : par son nom de famille. Elle tira les rideaux, coupa la musique, rangea le livre. Sans un regard pour son mari, ces attentions n'étant rien d'autre que des réflexes domestiques.

Elle remonta. Dans la cuisine, elle découvrit les croissants dans la corbeille à pain, la table mise et ne put s'empêcher de sourire. Le chasseur de tueurs, meurtrier lui-même, était aussi un ange gardien…

Elle se prépara un café et contempla distraitement les photos aux murs. Combien de fois les avait-elle observées ? Aujourd'hui, elle ne les voyait plus. En filigrane, elle discernait autre chose.

Son destin solitaire. Sa quête intime.

Car Naoko avait toujours été seule.

7

Née sous le signe du lapin, Naoko Akutagawa avait d'abord traversé l'enfer ordinaire des enfants japonais. Une éducation à la dure, fondée sur les coups de ceinture, les douches glacées, les privations de sommeil et de nourriture… *La terreur*.

Son père, né en 1944, avait lui-même subi ce traitement. En Europe, on aurait glosé sur l'héritage de la violence, le fait qu'un enfant battu devient souvent lui-même un parent violent. Au Japon, on se disait simplement que les taloches, ça marche. Son père, éminent professeur d'histoire à Tokyo, en était la preuve vivante.

Au cauchemar de la maison s'ajoutait celui du système scolaire. Il fallait à la fois être la meilleure au lycée et préparer le concours pour la faculté, deux filières sans aucun lien. Cela signifiait que tout en étudiant avec acharnement la journée, Naoko devait aussi se taper les cours du soir, du week-end et des vacances. Chaque trimestre, elle recevait le classement national. Au fil de l'année, elle savait donc qu'elle était encore la 3 220e de la liste – et que tout était déjà perdu pour telle ou telle université. Pas vraiment motivant.

Mais Naoko cravachait. Encore et encore. Sans le moindre jour de vacances. Ni la moindre heure de temps libre.

Parce qu'il fallait caser en plus les cours d'arts martiaux, de calligraphie, les heures de danse classique, les corvées domestiques à l'école… Tout en se récitant mentalement les milliers de kanji, ces caractères d'origine chinoise qui possèdent chacun plusieurs significations et plusieurs prononciations. Et en se perfectionnant toujours, moralement, physiquement, grâce à une autodiscipline de fer.

Parallèlement, et c'est un des innombrables paradoxes du Japon, Naoko était choyée par sa mère. Elle avait dormi avec elle jusqu'à l'âge de huit ans. À quinze ans, elle refusait encore de passer une nuit hors du toit familial. À dix-huit, elle n'aurait jamais pris la moindre décision sans en parler à *mama-san*.

Finalement, après des études secondaires dans une école privée protestante, à Yokohama, Naoko avait intégré une faculté de bon niveau, dans la même ville. Durant ces années, elle avait si souvent effectué le trajet Tokyo-Yokohama qu'elle se disait que cet itinéraire était à jamais inscrit dans son sang. Une empreinte génétique dont ses enfants hériteraient, avec le nom de chaque station en guise de chromosomes.

Pas assez brillante pour viser médecine mais suffisamment têtue pour refuser de faire du droit, comme le voulait son père, elle avait opté pour une formation hybride : expertise comptable, langues, histoire de l'art.

1995, nouveau virage. Un photographe l'aborde dans le métro et lui propose de faire des tests. Naoko en reste bouche bée. Elle a vingt ans. Personne n'a jamais évoqué sa beauté. Au Japon, aucun parent n'aurait l'idée de féliciter son enfant à ce sujet. Mais Naoko est belle. Vraiment belle. À partir de ce premier essai, elle en a la confirmation chaque jour. Elle réussit ses premiers castings et gagne des sommes qui lui paraissent exorbitantes. Elle n'en parle pas à ses parents et poursuit ses études, économisant en secret pour s'éloigner du père. Fuir, à jamais.

D'ailleurs, elle a déjà compris qu'elle doit s'exporter si elle veut faire carrière. Son physique ne correspond pas aux critères du marché asiatique. Au Japon, on aime les Eurasiennes, qui n'ont pas les yeux bridés. Des filles du pays, mais avec un petit quelque chose en plus, une touche d'exotisme qui émoustille…

À vingt-trois ans, diplômes en poche, elle s'envole vers les États-Unis puis l'Europe : Allemagne, Italie, France… Elle possède le physique parfait de la Japonaise fantasmée en Occident. Cheveux lisses et noirs, pommettes hautes, nez bref, légèrement busqué…

Quant à ses yeux, un photographe de Milan lui dit un jour : « Tes paupières ont la douceur du pinceau, la cruauté du cutter. »

Elle ne comprend pas ce que ça veut dire mais elle s'en fout : les boulots s'enchaînent, l'argent coule à flots. Elle se fixe finalement à Paris, pour des raisons purement commerciales. Elle réalise un rêve, mais pas le sien : celui de sa mère. Oka-san est une pure francophile. Elle regarde les films de la Nouvelle Vague, écoute Adamo, lit Flaubert et Balzac. Naoko a fait ses devoirs au son de « Tombe la neige », a dû se farcir vingt fois *Le Mépris* de Jean-Luc Godard et connaît sur le bout des lèvres « Le pont Mirabeau ».

Le contraste entre le Paris idéalisé de sa mère et la ville hostile qu'elle découvre est stupéfiant. Elle ne reconnaît rien. Se perd dans des rues sales. Se fait arnaquer par les chauffeurs de taxi. Surtout, elle est choquée par l'arrogance des Français. Ils se moquent ouvertement de son accent, ne cherchent jamais à l'aider, lui coupent la parole, s'exprimant haut et fort, surtout quand ils sont contre. Or, les Français sont toujours *contre*.

À l'hôpital Sainte-Anne, un service s'est spécialisé dans le *Paris shokogun* (le syndrome de Paris). Chaque année, une centaine de Japonais sont si déçus par la ville qu'ils sombrent dans la dépression ou la paranoïa. Ils sont internés, soignés, rapatriés. Naoko n'en est pas là. Elle a le cœur dur – *merci, papa* – et n'a placé, a priori, aucun espoir romantique ici.

Au bout de deux années, quand son français est devenu acceptable, elle lâche le mannequinat – un métier et un milieu qu'elle exècre – pour devenir ce qu'elle est vraiment : une femme de chiffres. Elle décroche d'abord des missions ponctuelles d'audit, toujours liées à des boîtes japonaises ou allemandes. Puis elle entre dans une importante société nommée ASSECO. Son avenir, enfin, est assuré.

La seule difficulté demeure le sexe. Son principal combat n'est pas de coucher pour réussir mais de réussir sans coucher. Elle a déjà connu ça dans le cercle de la mode. Dans l'univers terne des audits et des expertises fiscales, c'est encore pire. Avec son visage pâle et ses cheveux d'encre, elle fait figure de créature fantastique. Elle a les qualités pour le job mais l'employeur veut toujours plus. Parfois, elle refuse net. D'autres fois, elle joue la séduction sans céder. Ces jeux l'épuisent et le résultat est invariable : quand le prédateur comprend qu'il n'obtiendra pas ce qu'il veut, il la saque.

La menace dépasse le cadre du travail. Un jour, on lui vole son sac – au Japon, le vol n'existe pas. Elle se rend au commissariat. On ne retrouve pas son Gucci mais elle a un mal fou à se débarrasser du lieutenant chargé de l'enquête…

Tout change avec Passan.

Le coup de foudre est immédiat. Aucune ombre au tableau. Aucune réserve au programme. Ce nouveau tournant passe par son frère. Quand Naoko arrive à Paris, Shigeru, son aîné de trois ans, est déjà sur place. Alcoolique à quinze ans, héroïnomane à dix-sept, Shigeru a quitté le foyer pour poursuivre sa carrière de guitariste rock en Europe. Il a brûlé quelques années à Londres puis échoué à Paris. La famille n'en entend plus parler pendant des mois. Il réapparaît en 1997, sevré, épanoui, avec dix kilos de plus. Il parle désormais le français à la perfection. Il a même décroché un poste de maître-assistant à l'INALCO, l'Institut des langues orientales de Paris.

Naoko n'est pas très proche de son frère. Leur seul lien est un faisceau de souvenirs atroces – les tannées du père, ses injures, ses humiliations. Personne n'a envie de revoir celui ou celle qui vous a connu pantalon baissé, ou sanglotant sur le seuil de votre propre maison, un soir d'hiver. Elle lui fait pourtant signe à Paris. Il l'aide à s'installer. Ils déjeunent ensemble. Parfois, elle vient le chercher à la sortie de son cours, rue de Lille, dans le 7ᵉ arrondissement.

C'est là qu'elle croise Passan, trente-deux ans, fonctionnaire de police passionné par le Japon et habitué des cours du soir de Shigeru. Dès le premier dîner, un certain 4 novembre, elle comprend que ce flic mal dégrossi est celui qu'elle a toujours cherché. Un mâle qui n'a rien à voir avec le pseudo-romantisme français ni les « hommes-soja » qui hantent le quartier de Shibuya.

Cette rencontre lui apprend d'ailleurs beaucoup sur elle-même. Mystérieusement, la ferveur de Passan pour le Japon traditionnel la séduit. Pourtant, elle a tourné le dos à ces vieilles histoires de samouraïs et de bushidô depuis longtemps. Même si elle regrette que tout ça se soit perdu avec l'essor économique du pays et les générations exsangues qui en sont sorties.

Et voilà qu'elle retrouve ces valeurs incarnées dans un Français costaud et bourru. Un athlète à la voix grave, serré dans son costume de mauvaise coupe, dont les coutures craquent à chaque éclat de rire. À sa façon, Passan est un samouraï. Un homme fidèle à la République comme les guerriers anciens l'étaient au shogun. Ses mots, sa présence, tout révèle en lui une droiture, une morale qui inspirent instantanément confiance.

Tout cela était si loin…

Aujourd'hui, elle divorçait. Elle n'était plus protégée mais elle était libre. On racontait qu'à la grande époque du cinéma japonais, dans les années 50, il n'y avait pas de cascadeurs. Pour une raison simple : jamais un acteur n'aurait refusé de jouer une scène d'action, sous peine de perdre la face.

Elle était prête à jouer sa vie sans doublure.

Elle regarda l'horloge de la cuisine : 7 h 40. Il fallait réveiller les enfants.

8

— J'veux le dernier. J'veux le dernier croissant de papa !

— Trop tard, tu t'es lavé les dents.

Hiroki s'était exprimé en français, Naoko lui avait répondu en japonais. Elle boutonnait le caban du petit garçon, un genou au sol, dans le vestibule. Elle voulait, absolument, que ses deux fils possèdent la double culture. Mais l'influence de l'école, des copains, de la télévision faisait toujours pencher la balance en faveur du français. Elle vivait avec cette contrariété permanente.

— Et mon sac de piscine ?

Elle se tourna vers Shinji qui se tenait les deux pouces coincés sous les bretelles de son sac à dos. On était lundi. Le jour de la piscine. *Merde.* Sans répondre, elle se releva et monta à l'étage. La main sur la rampe de pierre, elle effectua un virage trop serré dans le couloir et se prit l'arête dans la hanche. Nouveau juron. Elle détesta, d'un coup, cette baraque pleine d'angles, entièrement construite en béton.

Dans la chambre des enfants, elle regroupa un maillot, le bonnet de bain obligatoire, une serviette éponge, une trousse de toilette contenant peigne, shampooing, savon. Elle fourra le tout dans un sac de toile imperméable et ressortit de la pièce en consultant sa montre. 8 h 15. Ils auraient déjà dû se trouver devant la porte de l'école. Elle étouffait de chaleur. Un voile de sueur poissait ses traits. Elle songea à son maquillage. On verrait ça plus tard…

8 h 32. Naoko ralentit devant le collège Jean-Macé, rue Carnot. Elle avait roulé comme une cinglée, pris des risques absurdes, sentant ses nerfs vibrer sous sa peau. Elle repéra un bateau le long du trottoir mais un autre véhicule, plus rapide, la doubla et s'y glissa.

— Connard ! hurla-t-elle.

Shinji montra sa tête entre les deux sièges avant :

— T'as dit un gros mot, maman.

— Je m'excuse.

Elle stoppa un peu plus loin, en double file, coupa le contact, alluma ses warnings. Elle bondit pour ouvrir la portière arrière. *Chaleur*.

— Allez, ouste ! Tout le monde dehors ! fit-elle en japonais.

Un petit gars dans chaque main, elle courut jusqu'au portail. D'autres mères arrivaient du même pas affolé. À cet instant, elle aperçut le bâton d'une sucette qui dépassait de la poche de poitrine de Hiroki :

— Qu'est-ce que c'est que ça ?

— Un cadeau de papa ! fit le garçon sur un ton de provocation.

— Tu en as une, toi aussi ? demanda-t-elle à Shinji.

L'aîné acquiesça, plus effronté encore.

— Donnez-les-moi, ordonna-t-elle en tendant la main.

51

Les enfants s'exécutèrent, l'air boudeur. Elle fourra les Chupa Chups dans sa poche :

— Pas de bonbon ni de sucette : c'est la règle.

— T'as qu'à le dire à papa, grogna Shinji.

Naoko les embrassa avec un pincement au cœur et les laissa s'envoler vers la porte. La vision des deux cartables qui bringuebalaient sur les petites épaules la bouleversa encore. Elle se posa une fois de plus la question qui la hantait jour et nuit : pourquoi tout foutre en l'air avec ce divorce ? Ces deux anges ne valaient-ils pas la peine de passer au-dessus de leurs conflits d'adultes ? Dans ces moments-là, elle se disait que sa propre vie n'avait aucune importance.

Elle balança les sucettes dans une poubelle et remonta dans sa Fiat 500 flambant neuve. Redémarrant, elle se concentra sur la réunion qui l'attendait. Elle devait aviser un chef d'entreprise que sa faillite n'était plus qu'une question de mois, il suffisait de suivre la courbe des chiffres. Comment le lui annoncer ? Quelles précautions oratoires prendre ? Le japonais est une langue complexe qui, outre ses trois alphabets distincts, propose plusieurs niveaux de politesse – des étages qui constituent quasiment des dialectes séparés. Mais en français ? Maîtrisait-elle assez la langue pour jouer son exposé en douceur ?

Elle franchit le pont de Puteaux. L'averse avait repris. Elle s'engageait dans le bois de Boulogne quand elle tressaillit. Elle avait l'impression d'être suivie. Elle régla son rétroviseur et ne remarqua rien de particulier. À cette heure, le trafic était relativement dense et les voitures filaient autour d'elle comme les autres jours.

Elle poursuivit sa route, respectant le mouvement, ne pouvant ni accélérer ni ralentir. Bientôt, la tour de l'hôtel Concorde La Fayette la rassura. Coup d'œil dans le rétro. Rien à signaler. Elle chassa son soupçon et se concentra à nouveau sur les termes de sa réunion. Il fallait, comme disent les Français, prendre des gants.

Elle traversa la porte Maillot et emprunta l'avenue de la Grande-Armée. À la vue de l'Arc de Triomphe, elle éprouva une nouvelle bouffée de réconfort. Au fil des années, elle avait fini par aimer Paris. Sa crasse, sa beauté. Sa grisaille et sa grandeur. Ses emmerdeurs et ses petites brasseries mordorées.

Aujourd'hui, aucun doute : elle appartenait à cette ville.

Pour le meilleur et pour le pire.

9

— Je ne vous comprends pas, commandant. Depuis le départ, vous vous acharnez sur Guillard.

Le juge Ivo Calvini avait un nom de mafieux et une gueule d'imprécateur. Long visage fendu de rides verticales, orbites profondes, où des yeux intenses vous foutaient sur le grill, lèvres scellées, méprisantes, dont la commissure droite s'affaissait légèrement en un pli d'amertume. Ce dernier détail plaquait sur sa face un sourire oblique, comme inversé. Derrière son bureau, sa position était droite, cambrée, *non négociable*.

Passan s'agita sur son siège :

— Guillard a téléphoné aux deux premières victimes.

Calvini feuilleta son dossier :

— Vous n'allez pas remettre ça, c'est une obsession ! Un appel le 22 janvier à Audrey Seurat. Un autre à Karina Bernard le 4 mars. C'est ça, vos preuves ?

— C'est le seul nom qui croise les deux premières victimes.

— Mais pas la troisième.

— Il a pu la repérer ailleurs. Il n'a pas contacté non plus celle de cette nuit et…

54

Le magistrat leva le bras pour l'interrompre :

— Dans tous les cas, ce n'est pas Guillard *en personne* qui les a appelées. Nous le savons. Le premier coup de fil provenait d'un de ses garages, la concession Alfieri. Le deuxième d'un de ses ateliers mécaniques, Fari. Vos « preuves » ne sont que des coups de fil à des clientes, sans doute passés par des responsables commerciaux.

Olivier n'avait pas besoin qu'on lui rappelle la fragilité de ses indices. Ses conclusions reposaient exclusivement sur son intuition. Mais il *savait* que Guillard était l'Accoucheur. Pas une fois, depuis qu'il avait placé le garagiste dans sa ligne de mire, il n'avait douté de sa conviction.

— Je ne dis pas qu'il les a contactées pour les prévenir qu'il allait les tuer. Je pense qu'il les a remarquées sur place. Dans ses garages.

Calvini tourna une page :

— Il n'a pas de bureau là-bas. Son siège social est dans un troisième garage à Aubervilliers qui...

Passan se pencha vers le bureau et monta le ton :

— Monsieur, j'ai passé près de quatre mois sur ce dossier. Guillard se déplace sur tous ses sites. C'est comme ça qu'il a repéré ces femmes enceintes. Ça ne peut être un hasard.

— Bien sûr que si et vous le savez comme moi. Ces garages se trouvent à La Courneuve et à Saint-Denis. Les trois victimes habitent ces villes. Le tueur frappe dans cette zone. Les convergences s'arrêtent là. Vous pourriez aussi bien soupçonner un vigile de supermarché du coin ou...

Passan s'enfonça dans son siège et ferma sa veste. Il grelottait. Le bureau du juge était une pure émanation d'un esprit strict. Mobilier en fer, PVC, moquette sans âge ni couleur.

Le magistrat continuait à exposer les faits – ou plutôt l'absence de faits. Olivier renonça à lui expliquer, encore une fois, ce que pouvait signifier pour lui une *intuition*. Ivo Calvini était un homme d'une intelligence rare. À cinquante ans, il comptait parmi les juges les plus influents du TGI de Saint-Denis. Mais il ne possédait aucune expérience du terrain. C'était un prodige froid, une tête diplômée qui réglait ses dossiers comme des équations mathématiques, sans jamais entrer en empathie avec les parties.

Un jour, Lefebvre, commissaire principal à la Crime, champion des aphorismes, lui avait dit : « Calvini, il est super-intelligent, mais je suis moins con que lui. »

Passan se concentra à nouveau sur les paroles du maître des lieux :

— Pour chaque crime, Patrick Guillard a un alibi.

Le flic soupira : combien de fois avait-il ressassé son discours ?

— On n'a même pas la date et l'heure exactes des meurtres.

— On connaît celles des disparitions.

— Admettons. Mais les alibis de Guillard reposent sur les témoignages de ses employés. Ça vaut que dalle. Il est l'Accoucheur. Y a aucun doute. D'ailleurs, de quoi on parle, là ? Vous connaissez les faits de cette nuit, ça ne vous suffit pas ?

— J'ai lu le PV de la BAC et il ne joue pas en votre faveur. J'attends le vôtre.

Olivier se renfrogna. Il n'avait dormi que quelques heures et s'était réveillé pour découvrir un SMS le convoquant en urgence chez Calvini. Il s'était douché, rasé et avait repris la route du 93 par l'A86, saturée à ce moment de la journée. Il avait dû zigzaguer entre les files, le deux-tons hurlant. Il en avait encore les oreilles qui bourdonnaient.

Calvini réchauffa sa voix :

— Nous travaillons ensemble depuis plusieurs mois sur cette enquête. Le moins qu'on puisse dire, c'est que le courant ne passe pas entre nous.

— On n'est pas là pour se faire des amis.

Passan regretta aussitôt cette réplique. Calvini lui tendait la main et il lui crachait dedans. L'homme soupira et tira de son classeur une liasse de feuilles dactylographiées. Olivier comprit qu'il s'agissait de son propre dossier à charge. Bras croisés, col relevé, il frissonnait toujours.

— Début mai, Patrick Guillard a porté plainte contre vous. Pour harcèlement policier.

— Je l'avais pris en filature.

— Jour et nuit. Pendant trois semaines. Sans la moindre commission rogatoire. Vous l'avez aussi placé en garde à vue, sur de simples présomptions. Vous avez effectué des perquisitions illégales.

— Des visites de routine.

— À son adresse personnelle ?

Olivier ne répondit pas. Sa jambe droite tressautait. Il se demanda tout à coup si ces casseroles n'allaient pas gâcher son flagrant délit. Les lois protègent les criminels, c'est bien connu.

— Une injonction du TGI de Saint-Denis, prononcée le 17 mai dernier, vous interdit d'approcher Patrick Guillard à moins de deux cents mètres.

Le flic se murait dans son silence.

— Depuis cette histoire, déplora Calvini, j'ai cru que vous avanciez sur d'autres pistes, d'autres suspects. J'avais tort.

Olivier leva les yeux – il était temps de jouer son va-tout :

— J'ai découvert un fait nouveau.

— Lequel ?

— Le mobile de Guillard. Pourquoi il tue ces femmes. Pourquoi il brûle leurs bébés.

Le magistrat fronça les sourcils. D'un signe, il l'invita à continuer.

— Guillard est une femme.

— Je vous demande pardon ?

— Enfin, un hermaphrodite. Son caryotype comporte une paire de chromosomes XX. Ses organes génitaux doivent présenter des anomalies. Mais je n'ai pas eu accès à son dossier médical. Toujours ces putains de secrets professionnels…

— Vous avez fait faire un caryotype ? Alors que je n'ai rien signé ?

L'OPJ gigota encore sur son siège. Il avait parié que la force de sa révélation occulterait le chemin tordu qu'il avait dû emprunter pour l'obtenir. Perdu. Ivo Calvini se leva dans un mouvement de colère et se posta devant la fenêtre : il attendait sa réponse.

— Sur le troisième corps, marmonna enfin Passan, nous avons trouvé un ADN inconnu. J'ai voulu le comparer avec celui de Guillard. Ça n'a rien donné mais le labo en a profité pour établir son caryotype.

Calvini paraissait observer un point mystérieux dans la grisaille de Saint-Denis. Le flic pouvait voir ses mâchoires osciller sous sa peau.

— En quoi ce fait génétique lui fournirait-il un mobile ?

— Guillard est un psychopathe, rétorqua-t-il comme si cela expliquait tout. Il pense peut-être qu'il y a eu un problème pendant la grossesse de sa mère. Il éprouve un sentiment de haine envers elle, et par extension envers toutes les femmes enceintes.

— Pourquoi brûler les bébés ?

— Je ne sais pas. Il leur en veut peut-être aussi. À ceux qui naissent garçons ou filles, sans la moindre ambiguïté. Il veut tous les griller.

Calvini tourna enfin la tête dans sa direction :

— D'où sortez-vous cette psychologie de bazar ?

— Guillard est né sous X. Il n'a pas été reconnu par ses parents biologiques. Peut-être à cause de son anomalie, je ne sais pas. Pas besoin de s'appeler Freud pour deviner la suite. Je voudrais creuser cette voie mais l'Aide sociale à l'enfance refuse de me fournir son dossier.

Le magistrat revint derrière son bureau. Au lieu de s'asseoir il se pencha vers Passan, les mains en appui sur les angles :

— Tous les orphelins maltraités ne deviennent pas des tueurs en série.

Le commandant frappa le bureau de la paume :

— Ce mec est cinglé, point barre !

— Pourquoi l'avoir agressé cette nuit ?

— Ce n'était pas mon intention. Depuis trois mois, je cherche le lieu où il tue. J'ai obtenu hier soir une info qui m'a paru capitale. Une combine de sociétés, dans la holding de Guillard, dissimule cet atelier à Stains. Quand j'ai découvert l'adresse, ça a été comme un déclic. Les trois premiers corps ont été retrouvés dans un rayon de moins de trois kilomètres. J'ai compris que tout s'était passé là-bas.

— Mais vous n'avez prévenu personne.

— Le temps pressait. Leïla Moujawad avait disparu depuis deux jours.

Calvini se rassit, l'air plus que jamais sceptique :

— Pour l'atelier, qui vous a filé le tuyau ?

— La Brigade financière.

— Vous les avez saisis ? Je n'ai rien signé non plus.

Olivier balaya la question d'un geste :

— Parfois, l'urgence doit passer avant la paperasse.

— Pas la paperasse, commandant : la loi. Je trouverai l'homme qui vous a aidé sans autorisation. Et tout ça pour aboutir à une bavure spectaculaire. Vous avez perquisitionné dans un lieu privé, à 3 heures du matin.

— C'était un flagrant délit !

— Je dirais plutôt un abus de pouvoir. On a interrogé Guillard à l'hôpital : il affirme qu'il n'y est pour rien, qu'il a découvert, comme vous, le cadavre en flammes dans son atelier.

— C'est absurde.

— Il prétend être insomniaque. Il vient la nuit pour bricoler des moteurs dans ce garage. En arrivant, il a surpris le tueur qui s'enfuyait.

— Par où ?

— Il y a une autre issue, à l'arrière.

Passan serra les dents : il n'avait même pas remarqué cette sortie.

— Il y a eu effraction ?

— Non, mais ça ne prouve rien. On a fait des analyses. Pas la moindre trace de sang de Leïla Moujawad sur les mains ni sur les vêtements de Guillard.

Olivier sentait au fond de ses narines une odeur de poudre. Pure hallucination olfactive.

— Il portait des gants de chirurgien.

— Vous l'avez vu tuer ? Mutiler ? Mettre le feu ?

— Il s'est enfui à notre arrivée !

— Vous le braquiez avec votre arme.

Il voulut répliquer mais il n'y parvint pas. Bouche trop sèche. Gorge à vif.

— Le SRPJ de Saint-Denis a commencé l'enquête de voisinage, poursuivit le juge. Personne ne l'a vu amener la victime. Aucun témoignage ne l'accuse.

— Ça fait des semaines que je me cogne ces cités. Les gens là-bas préféreraient se couper un bras que de parler aux flics.

— Ce silence est favorable à Guillard.

— Vous savez très bien qu'il est l'assassin. Je l'ai surpris en plein acte criminel.

— Non. Vous n'avez rien vu, rien entendu. Sous la foi du serment, vous ne pouvez rien apporter de concret.

Passan était prêt à exploser. Son flag était en train de lui claquer entre les doigts.

— On joue sur les mots, là…

— Non. On parle de faits. Patrick Guillard porte plainte contre vous pour violation de l'injonction qui le protège. Coups et blessures. Tentative d'homicide volontaire. Il prétend que vous avez essayé de le tuer sur la nationale.

Le flic comprit enfin que son exécution était programmée.

— Alors quoi ?

— J'ai signé sa relaxe il y a une heure. Prions le ciel pour qu'il ne s'exprime pas dans les médias. Par votre

attitude, vous nous obligez à être anormalement clé-
ments avec lui.

— Et moi ?

— Vous passez en conseil de discipline. L'IGS a
déjà votre dossier entre les mains.

— Je n'ai plus l'enquête ?

Le juge secoua la tête. Le sourire tendu vers le bas,
comme un arc, narguait le flic, mais ses yeux expri-
maient une sorte de fatigue. Un épuisement attristé.

— À votre avis ?

D'un geste, Olivier balaya tous les objets qui se
trouvaient sur le bureau.

10

— Où allons-nous, monsieur ?

— À la maison.

Le chauffeur démarra. Assis à l'arrière, il détacha la minerve qu'on lui avait fixée autour du cou et s'enfonça dans son siège en cuir. Avec ce truc, il ressemblait à Erich von Stroheim dans *La Grande Illusion*. Il souleva le couvercle de l'accoudoir qui abritait un petit réfrigérateur, ouvrit un Coca Zéro et souffla de soulagement.

Il ressentait une vive douleur à la nuque, de multiples courbatures dans les membres et des élancements dans la poitrine, mais compte tenu de la violence de l'affrontement, ce n'était pas grand-chose. Pas grand-chose non plus ces quelques heures de garde à vue au centre hospitalier de Saint-Denis.

Tôt ce matin, on l'avait autorisé à passer un coup de fil. Son avocat avait tout réglé en moins de deux heures.

Le harcèlement de l'Ennemi jouait en sa faveur. L'agression de cette nuit n'en était qu'un nouvel épisode. Le psychopathe, c'était *lui*. Restait que la découverte du corps dans son atelier était un fait aggravant. S'il n'était pas l'assassin, une connexion existait entre ce lieu et la série de sacrifices. Impossible de le nier. Mais il avait tout le temps de préparer sa défense. Aiguiller l'enquête sur un de ses employés – ou sur un délinquant de la cité.

Hormis l'adresse du repaire, l'Ennemi n'avait rien de neuf : il l'avait deviné dès qu'il l'avait aperçu dehors, aux prises avec les lascars. Il avait réagi au quart de tour et s'était débarrassé du seul élément permettant de le relier à la Mère. Il n'était pas fier de sa fuite mais il avait agi par devoir. Il fallait placer le maximum de distance entre lui et son Œuvre ; s'éloigner le plus possible de ce que la loi française appelle un « crime » afin de poursuivre la Voie. L'Œuvre du Phénix.

Son plan avait fonctionné. Malgré le contexte accablant, le juge avait ordonné sa relaxe. Aucun lien physique entre lui et la victime. Aucune légitimité dans l'action nocturne du commandant de police. Une nouvelle enquête allait être ordonnée, avec de nouveaux interrogatoires, de nouvelles perquisitions… Mais il ne craignait rien : il pouvait décrire ses faits et gestes des cinq derniers jours. Et il n'avait jamais eu de contact avec Leïla Moujawad.

Maintenant, il devait tenir le cap. Jouer le propriétaire traumatisé, l'innocent dans tous ses états, porter plainte contre X. Qui avait forcé sa porte ? Qui s'était livré à une telle barbarie chez lui ? Comment expliquer de tels actes ? Ça ne serait pas simple mais il saurait le faire.

Le point critique était les pièces à conviction qu'il avait dû abandonner dans le terrain vague derrière le

Clos-Saint-Lazare. Pas question de retourner les chercher. Il n'avait plus qu'à prier pour que personne ne les découvre.

L'autre problème était son atelier de Stains. Il faudrait expliquer pourquoi cette propriété était dissimulée au sein de sa holding. Et espérer qu'aucun vestige organique ne relie le site aux autres victimes. Mais chaque fois, il avait tout purifié par le feu – rien ne pouvait le trahir.

La seule réelle menace demeurait l'Ennemi. Celui qu'il appelait aussi « le Chasseur » ou « le Cavalier de la nuit ».

À son évocation, il ressentit une bouffée d'angoisse et but une nouvelle gorgée de Coca. Olivier Passan n'abandonnerait jamais. Il ne s'agissait ni d'enquête ni de boulot mais d'une obsession. Une force contradictoire, négative, presque complémentaire à son Projet.

Quel Dieu avait placé sur son chemin un tel obstacle ? Quel était le sens de l'épreuve ?

Les panneaux annonçaient : « Nanterre. La Défense. Neuilly-sur-Seine ».

Il aimait cette route. L'A86. Le passage du 93 au 92. Il remontait ainsi son propre parcours. Des noires cités de La Courneuve aux résidences luxueuses de Neuilly-sur-Seine. L'un après l'autre, il avait gravi les barreaux de l'échelle sociale pour atteindre ce but. Sortir de la fange. S'extirper de la misère de ses origines. Il haïssait autant la bourgeoisie, stupide et intolérante, mais à Neuilly, au moins, la tranquillité des rupins lui ménageait une oasis de paix. Dans son hôtel particulier, il était comme dans une tour d'ivoire. Libre de soulager sa douleur. D'assumer ses Renaissances.

Il pensa de nouveau au Chasseur. Connaissait-il son secret ? Il décida que oui. Il se revit, en garde à vue, subir les prélèvements en vue d'un test ADN. À ce seul souvenir, il se mit à trembler.

Passan n'était pas un flic comme les autres. Chaque homme, chaque femme émet un mélange de particules mâles et femelles, un pourcentage dominé par son sexe physiologique mais toujours corrompu par l'autre. La première fois qu'il avait rencontré le flic, ce qu'il avait capté l'avait bouleversé. L'OPJ n'était pas loin de la pureté absolue. Cent pour cent d'hormones masculines. Un métal sans scorie.

Surmontant son trouble, il avait fait bonne figure, gardant le sourire et un ton aimable. La visite du Chasseur n'était qu'un coup de sonde. Sa seule piste, une coïncidence : une victime avait acheté une voiture dans son garage de Saint-Denis, une autre avait fait réparer la sienne dans son atelier de La Courneuve. Même pas un signe. *Un hasard*. Il n'avait eu aucun mal à lui répondre, tout en simulant la surprise, le scepticisme.

Mais personne n'était dupe. Passan était là pour lui et possédait, il le devinait, un instinct au moins égal au sien. Le duel commençait donc. La suite lui avait donné raison. Filatures, perquisitions, interrogatoires : le flic s'était acharné. Il l'avait même arrêté à la mi-mai, juste après le sacrifice de la troisième Mère. Coup de chance : depuis avril 2011, une nouvelle loi accordait la présence d'un avocat au gardé à vue. Le sien avait calmé les ardeurs de l'enquêteur.

Il avait porté plainte. Témoigné contre Passan. Décrit le harcèlement dont il était victime. Son avocat avait demandé la mise à pied immédiate du flic mais ses états de service avaient plaidé pour lui. Le commandant conservait l'enquête mais n'avait plus le droit d'approcher son suspect numéro un. Celui-ci n'était plus seulement innocent : il était *intouchable*.

Il aurait dû renoncer à ses Renaissances mais il ne le pouvait pas. *Question de vie ou de mort*. Il avait redoublé de prudence. Changé de méthode. Le seul élément qu'il n'avait pas modifié était le lieu du sacrifice. Et cela avait failli lui coûter sa liberté…

Il ouvrit une autre canette. Le soda glacé pétilla dans sa gorge. Il ferma les yeux. L'image qui éclata sous ses paupières était d'une pure sensualité. Quand ils avaient roulé au bas de la pente, le flic et lui, il avait cru mourir. En même temps, il s'était senti protégé. *Il* était devenu *elle*. La peur avait fondu en lui pour devenir vraie jouissance. Elle s'était abandonnée alors, accueillant l'Ennemi, lui ouvrant ses bras, dans un élan d'excitation indicible.

— Nous y sommes, monsieur.

Il pleurait. Il se redressa et essuya les larmes qui trempaient ses pansements. Ce simple mouvement provoqua une douleur aiguë, qui monta de la base de l'échine jusqu'à la nuque. Il mit quelques secondes à recadrer le décor : la grille de l'impasse, les hôtels particuliers, au garde-à-vous le long des trottoirs…

— Laissez-moi là et retournez au garage.

Son chauffeur, qui était à peu près aussi bavard qu'un monolithe, acquiesça d'un signe de tête. Il n'avait fait aucun commentaire sur son visage tuméfié ni aucune remarque sur ces heures passées à l'hôpital. Secrètement, il lui en savait gré et se félicita de cette ombre qui le conduisait partout, durant la face diurne de son existence, sans jamais poser de question.

Il sortit de la voiture avec difficulté. Il dressait déjà mentalement la liste des plantes et des poudres chinoises qu'il allait prendre pour apaiser ses souffrances. Des années qu'il n'avait pas absorbé un produit occidental – à l'exception de la Sève de Vie. Son corps avait trop consommé de molécules, de principes actifs, de médicaments durant son adolescence. En les rejetant, il rejetait cette civilisation qui l'avait écarté et condamné.

Le soleil s'était de nouveau planqué sous une épaisse bande de nuages sombres. La pluie reprenait, enduisant la ruelle d'un vernis gris et sale. Il marchait de son pas mécanique, le long des résidences. Ses courbatures n'étaient pas seulement causées par les coups – le Chasseur avait interrompu le Sacrifice, le processus de Renaissance n'avait pas eu lieu, ou du moins pas abouti.

Il se sentait affamé, *insatisfait*.

Il n'y avait qu'une solution.

11

Sandrine Dumas se gara devant une porte cochère et heurta, en manœuvrant, un plot qu'elle n'avait pas remarqué. Elle siffla un « merde » furieux entre ses lèvres puis sortit de sa voiture en répétant le juron à voix basse. Elle verrouilla la portière, renonça à constater les dégâts et s'élança dans la rue de Ponthieu. Elle était décoiffée, débraillée.

Mais surtout elle était en retard.

Depuis douze ans qu'elle connaissait Naoko, elle n'était jamais arrivée la première à un de leurs rendez-vous. Un jour, elle avait essayé d'expliquer à son amie le principe du quart d'heure de politesse. Face à son air perplexe, elle avait renoncé. Elle se souvenait d'un documentaire sur les Japonaises capables de trier des perles huit heures durant. Ces pupilles noires, écarquillées, aussi précises que les binoculaires d'un microscope, l'avaient marquée à jamais. Et aussi cette stupeur, cette concentration qu'on lisait sur le visage des ouvrières, accentuée encore par la découpe des paupières – ce pli mongol qui donne parfois l'impression d'un léger strabisme.

À l'idée qu'on puisse être poli en étant en retard, Naoko avait eu exactement la même expression.

Sandrine traversa l'avenue Matignon au feu vert, forçant les voitures à piler. Klaxons. Elle n'entendait rien et marmonnait toujours à voix basse. Pourquoi Naoko lui imposait de telles épreuves ? Une heure d'embouteillage pour déjeuner en coup de vent… Elle n'avait qu'à s'en prendre à elle-même : c'était elle qui avait choisi l'adresse. Et ses cours ne reprenaient qu'à 15 heures.

Parvenue devant le restaurant, elle lissa ses vêtements, respira un grand coup et franchit le seuil. Elle transpirait comme une vache. Un des effets secondaires du traitement. Dans la salle, elle repéra tout de suite Naoko. Outre sa beauté, la Japonaise avait quelque chose d'exaspérant. Une espèce de fraîcheur incorruptible qui faisait ressembler les publicités féminines à de vieilles affiches fripées.

Parfois, Naoko lui passait des produits cosmétiques nippons – la plupart portaient la mention *bihaku*, ce qui signifie plus ou moins « beauté pâle ». Naoko était l'incarnation parfaite de la *bihaku*. Elle avait la tête de quelqu'un qui se nourrit exclusivement de riz, de lait et d'eau d'Évian. Ce qui était faux : elle mangeait comme quatre et connaissait toutes les pâtisseries de Paris. Par mesquinerie, Sandrine tentait parfois de l'imaginer avec trente ans de plus. Pas moyen. Son teint l'éblouissait comme un soleil : impossible de voir au-delà.

— Désolée pour le retard, fit-elle en reprenant son souffle.

Naoko répondit d'un sourire qui signifiait : « Comme d'habitude. » Mais aussi : « Pas grave. » Sandrine posa son sac et s'installa. Ôtant son manteau, elle se sentit cernée par sa propre odeur de transpiration. Un autre effet de la chimio : la moindre fragrance l'étouffait, lui donnait envie de vomir.

— T'as vu la carte ? Il paraît que c'est un des meilleurs japonais de Paris.

Naoko esquissa une moue dubitative.

— Quoi ? fit Sandrine, feignant la panique. Ils sont pas japonais ?

— Coréens.

— Merde. J'ai lu un article dans *Elle* qui…

— Laisse tomber.

C'était devenu un sujet de blague entre elles. Depuis des années, Sandrine s'évertuait à lui faire découvrir de nouveaux restaurants nippons. Une fois sur deux, ils étaient en fait tenus par des Chinois ou des Coréens.

Elle ouvrit la carte. Inutile de se contrarier pour si peu. Elle voulait profiter à fond de sa phase de rémission. Depuis une semaine, elle avait retrouvé l'usage de ses papilles après avoir souffert de mucites à répétition.

— Je vais prendre le *maki moriawase*. Un bon plateau de sushis, c'est tout ce dont j'ai besoin !

— Ce ne sont pas des sushis, mais des makis. *Maki*, ça veut dire « rouler ».

Naoko avait dit cela d'un ton rogue, où pointait une espèce d'amertume. Sandrine avait déjà compris que son amie était dans un mauvais jour.

— Et toi, fit-elle avec désinvolture, qu'est-ce que tu choisis ?

— Une soupe miso, ça ira très bien.

— C'est tout ?

La Japonaise ne répondit pas. Elle avait les yeux si noirs qu'il était impossible de discerner la prunelle de l'iris.

— Tu t'es encore engueulée avec Olive ?

— Même pas. Il reste dans son sous-sol. On n'a aucun contact. De toute façon, il part ce soir.

Le serveur arriva et prit leur commande.

Après un bref silence, Sandrine préféra crever l'abcès :

— Qu'est-ce qui ne va pas ?

— Rien de plus, rien de moins que d'habitude. Je me suis levée avec un monstrueux cafard, c'est tout. Mon mariage est un naufrage complet.

— Original.

— Tu ne comprends pas. J'ai le sentiment qu'Olivier ne m'a jamais aimée.

— J'en connais pas mal qui rêveraient de ne pas être aimées de cette façon.

Naoko nia de la tête :

— Olivier aime le Japon. Il aime un fantasme, une idée. Quelque chose qui n'a rien à voir avec moi. D'ailleurs, ça fait des années qu'il ne me touche plus…

Sandrine réprima un soupir. Une heure de trafic pour jouer à la psy. Mais elle ne se plaignait pas. Elle écoutait la musique des mots et elle adorait ça. Cet accent délicat qui n'avait toujours pas trouvé le moyen de prononcer les « r » ou les « u ».

— Son sentiment pour moi a toujours été abstrait, continua Naoko. Au début, j'ai cru que cette adoration allait se préciser, qu'il allait s'intéresser à la femme sous la Japonaise. C'est le contraire qui s'est produit. Il s'est enfoncé dans son obsession. Il passe encore ses nuits à regarder des films de samouraïs, à lire des écrivains dont je ne connais même pas le nom ! Il écoute des vieux machins au koto qu'on n'entend plus au Japon, excepté à la fin de l'année, dans les grands magasins. T'aimerais vivre avec un mec qui écoute toute l'année « Petit Papa Noël » ?

Sandrine sourit sans répondre. Le serveur revenait avec un plateau en forme de navire chargé de poissons crus, agrémenté des touches roses du gingembre et des pointes vertes du wasabi. Elle se réjouissait, au plus profond d'elle-même, des saveurs imminentes. Depuis la découverte de son cancer, chaque plaisir, même le plus infime, ressemblait à la cigarette du condamné.

Naoko saisit son bol de soupe à deux mains et poursuivit, les yeux rivés sur la table :

— En ce moment, son truc, c'est d'écouter les dialogues de vieilles comédies musicales de la Shochiku. Il a commandé des CD obscurs sur Internet. Il les écoute en boucle, au casque, sans comprendre le moindre mot. Tu trouves ça sain ?

Sandrine prit un air compatissant et cueillit un nouveau rouleau d'algues, de thon et de riz. Elle avait déjà bien entamé la proue du bateau.

— Dix ans de mariage et je ne sais toujours pas s'il a compris que je suis une femme. Je suis avant tout une pièce dans son musée.

— La pièce maîtresse.

Naoko eut une moue sceptique. Elle avait une bouche sensuelle. De profil, sa lèvre inférieure était très légèrement avancée, ce qui lui conférait une grâce animale. Sandrine ne connaissait pas le Japon mais elle avait entendu parler d'une ville historique, Nara, où les biches se promènent en liberté. Elle s'était toujours dit que Naoko venait de Nara.

— À ses yeux, c'est une chance inespérée d'être marié avec une Japonaise. À travers moi, c'est mon pays qui l'accepte. Il y a un mot en français pour ça. Quand le roi sacre un chevalier…

— Adouber.

— C'est ça, il a été adoubé par le Japon. Même nos fils font partie du processus. Parfois, j'ai l'impression qu'ils sont une expérience génétique. Sa tentative de mélanger son sang avec celui de mon peuple.

Sandrine aurait voulu expliquer à Naoko qu'il y avait pire dans la vie. Comme d'approcher la quarantaine sans mec, sans enfant, avec en prime un cancer qui vous ronge les seins, le foie et l'utérus.

Mais Naoko voyait plus grand. D'un geste, elle élargit le tableau de son martyre :

— Finalement, mon problème avec lui, c'est celui que j'ai toujours eu avec la France. Je n'ai jamais été ici qu'une bête de foire. Aujourd'hui encore, quand on apprend d'où je viens, on me dit : « J'adore les sushis ! » Parfois même on se trompe et on me parle de nems. D'autres fois, pour me remercier, on joint ses mains sur la poitrine, à la thaïe. Ou on me souhaite « bonne année » en février, au Nouvel An chinois. J'en ai vraiment marre !

Sandrine attaquait le pont arrière du vaisseau. C'était tellement bon de sentir à nouveau ces parfums… Le goût iodé des poissons. La saveur piquante du gingembre. La noire amertume du soja. Des morsures, mais des morsures d'amant.

— Quand on me connaît mieux, marmonna Naoko, toujours concentrée, on me demande si c'est vrai que les Japonaises ont un vagin plus étroit.

— C'est vrai ?

— Quand je suis venue en France, poursuivit-elle sans relever, je pensais…

— Tu voulais devenir française ?

— Non. Juste un être humain à part entière. Pas un produit exotique. Pas un vagin XS.

Sandrine, la bouche pleine, remit la balle au centre :

— Et toi, demanda-t-elle soudain, t'es sûre de ne plus l'aimer ?

— Qui ?

— Passan.

— On n'en est plus là.

— Vous en êtes où ?

— Au solde de tout compte. Dix ans de vie commune et je ne sais même pas si nous avons des souvenirs ensemble. Aujourd'hui, j'éprouve une vraie tendresse pour lui mais aussi de la pitié. Et aussi de la colère, et… (Elle s'arrêta, au bord des larmes.) L'urgence, c'est de ne plus vivre sous le même toit. On ne se supporte plus, tu comprends ?

Sandrine attrapa encore un petit baiser de riz et de poisson cru qu'elle avala sans le mâcher. Dieu que c'était bon !

— Vraiment, ces trucs au saumon…

Soudain, Naoko planta ses coudes sur la table, comme si elle venait d'avoir une idée.

— Je vais te confier un secret, fit-elle en s'approchant.

— Vas-y. J'adore.

— Si tu vas au Japon, tu ne trouveras jamais de sushis au saumon.

— Non ? Pourquoi ?

— Parce que c'est trop lourd.

Sandrine lui fit un clin d'œil et se resservit :

— Tu veux dire… comme les Français ?

Naoko sourit enfin et attrapa un maki coréen.

12

Depuis une heure, Passan classait les PV d'audition, les constats, les rapports d'autopsies, les témoignages de proximité, les bilans des experts et autres intervenants réquisitionnés durant les quatre mois d'enquête sur les meurtres de l'Accoucheur. Au bas mot, cinq à six kilos de paperasse.

Officiellement, il triait son dossier d'enquête avant de passer le relais à ses successeurs. En réalité, il scannait les pièces les plus importantes et les transférait sur une clé USB. Dans le même temps, il imprimait une version papier qu'il comptait emporter chez lui – de quoi étrenner son studio à Puteaux.

— T'as merdé, Passan. T'as merdé grave.

Sans lever les yeux, il reconnut la voix – et l'accent marseillais. Le commissaire divisionnaire Michel Lefebvre, son supérieur direct à la Crime. Il était donc venu du 36 pour l'engueuler en personne. Presque un privilège. Olivier attendait ce savon depuis qu'il avait rédigé son rapport en fin de matinée.

Sans un mot, il continua à ranger les liasses dans les chemises puis les chemises dans les cartons posés sur son bureau. Derrière lui, l'imprimante ronronnait. Il espérait que Lefebvre ne viendrait pas fouiner de ce côté.

— Même pas un groupe d'intervention avec toi. Pour qui tu te prends ? Le cow-boy solitaire ?

Passan leva enfin la tête pour découvrir le gradé, dans son habituel complet fil-à-fil, d'une élégance impeccable. L'homme mesurait plus d'un mètre quatre-vingt-dix et faisait tailler ses costumes sur mesure. Tignasse grise gominée en arrière, chemise Forzieri, cravate Milano, Lefebvre se la jouait « chic italien ». Le problème, outre sa stature, était sa gueule : carrée comme un pavé, des traits musclés de merce-naire. Plus proche du général Patton que de Giorgio Armani.

Il s'était empâté mais une balafre au front attestait qu'il n'avait pas passé toute sa carrière derrière un bureau. Olivier le savait : une autre cicatrice, beau-coup plus longue, barrait son flanc gauche. Lefebvre était l'incarnation vivante d'un de ses aphorismes : « La vérité d'un homme, c'est comme un tatouage : on la voit au pieu ou à la morgue. »

Passan poursuivit son manège avec ses liasses et demanda :

— Qui reprend l'enquête ?

— Levy.

— Levy ? C'est le flic le plus pourri du 36 !

— Il a de l'expérience.

— L'expérience du crime, ça, c'est sûr.

Il connaissait Jean-Pierre Levy de longue date. Le gars croulait sous les dettes de jeu et les arriérés de pensions alimentaires. Aussi bien sur les champs de courses que dans sa vie privée, il n'avait jamais misé sur le bon cheval. Il avait été plusieurs fois accusé de corruption active et passive. Les enquêtes de l'IGS avaient tourné court mais nul n'était dupe. Détournement de scellés, trafic de stupéfiants, rackets discrets, négociations occultes…

Lefebvre marchait lourdement dans la pièce. Il se posta face au bureau et désigna les cartons alignés. Il empestait le parfum de luxe.

— C'est quoi ?

— Le dossier d'enquête de l'Accoucheur.

— Super. Les gars de Levy viendront le chercher.

Passan posa ses deux mains sur les liasses empilées :

— La bête a repris sa liberté, Michel. Ça va être coton pour le choper à nouveau.

— La faute à qui ?

— Cette nuit, c'était un flag. Un vrai. Y avait largement de quoi l'inculper. Calvini est une tête froide qui…

— Calvini protège ses miches. Si n'importe qui d'autre avait serré Guillard, ç'aurait été différent. Mais avec toi aux commandes, c'était pas jouable.

— Je suis écœuré.

Lefebvre prit un ton paternaliste, renforçant son accent du Sud.

— Laisse retomber la sauce, ma couille. Mon téléphone n'arrête pas de sonner. Les politiques ont reçu le télex de Beauvau. Ils sont comme des dingues. Ta corrida de cette nuit, c'est le dernier truc dont ils avaient besoin. Ils rêvent d'un coup d'éclat, tu leur sers un coup fourré. Bravo. Y a plus qu'à prier pour que Guillard et ses avocats ferment leur gueule. Et que les médias nous oublient pour cette fois.

— Vous n'avez qu'à leur donner ma tête.

Le commissaire lâcha un bref ricanement qui ressemblait à un pet :

— Joue pas les martyrs, Passan. On te couvre et tu le sais. (Nouveau ricanement.) On n'a pas trop le choix, en fait. Ça aussi, tu le sais. Sur les autres affaires, où t'en es ?

Olivier dut faire un effort pour se souvenir de ses enquêtes en cours. Il réalisa à quel point il était déconnecté. En marge de son boulot et de lui-même. Il bafouilla quelques commentaires qui ne firent pas illusion.

— Si tu veux continuer le business, rétorqua le colosse, tiens-toi à carreau. Si tu t'obstines à faire chier tout le monde, tu vas te retrouver en uniforme, à patrouiller dans le bois de Boulogne. Tout ce que tu pourras espérer, c'est te faire sucer par des travelos édentés.

Il tourna les talons et arracha au passage le fil électrique de la broyeuse à papier.

— Qu'est-ce que tu fais ?

— Je te préserve des tentations. Des fois que tu veuilles priver Levy de certains éléments.

— C'est pas mon genre. Je ferai tout ce qui est en mon pouvoir pour aider…

— Tu feras rien du tout et tu le sais. Tu es déjà en train de copier le dossier pour chez toi. Arrête tes conneries, bon Dieu. En quelle langue faut te le dire ?

Après le départ de Lefebvre, Passan verrouilla sa porte et revint à son travail d'impression. Un détail qu'il ne supportait pas dans ces nouveaux bureaux : les murs étaient vitrés. Chaque flic était comme un poisson dans un aquarium, exposé aux regards de tous.

Son chef avait raison. Encore une connerie et il chute-rait pour de bon. En plein divorce, ce n'était vraiment pas le moment. Il fallait rentrer dans le rang et adopter une attitude exemplaire. Une phrase de Nietzsche lui traversa l'esprit : « Veux-tu avoir la vie facile ? Reste près du troupeau et oublie-toi en lui. »

Pour se motiver, il appela à l'aide son fameux sens du devoir, sa dévotion au pays. Les concepts à majus-cule : l'Ordre, la République, la Patrie. Il n'en tira aucune énergie. Au contraire : tout ça lui paraissait sonner étrangement creux.

Se penchant vers l'imprimante, il récupéra d'autres feuilles, lut quelques lignes et, cette fois, sentit le déclic.

L'Accoucheur : tel était son carburant.

Dès ce soir, il allait relire chaque PV pour trouver une nouvelle faille, un nouveau détail qui lui permet-trait d'attaquer sur un autre front.

En réalité, il n'avait pas besoin de reprendre ces pages. Il les connaissait par cœur.

Côté recto, des données d'enquête. Côté verso, un épisode fébrile de son existence.

13

Le premier cadavre avait été découvert le 18 février dernier, sur une des pelouses de la Maladrerie, cité HLM du fort d'Aubervilliers, au nord-est de la ville. La femme enceinte était nue, ventre ouvert, le bébé carbonisé posé à ses côtés, le cordon ombilical reliant encore les deux corps.

On avait d'abord cru à un règlement de comptes conjugal, version sauvage. Les premiers éléments d'enquête avaient aussitôt démenti cette hypothèse. Audrey Seurat, vingt-huit ans, enceinte de huit mois, avait disparu trois jours plus tôt. C'était son mari qui avait signalé le fait. L'homme possédait un solide alibi. Par ailleurs, aucune trace d'un amant ni d'un suspect dans l'entourage de la victime. Le scénario le plus cohérent était un enlèvement suivi d'un sacrifice dans un lieu inconnu. Le tueur avait ensuite largué mère et enfant dans le parc de la Mala, sans avoir été aperçu par le moindre témoin.

Le procureur avait saisi la Crime de Paris, qui avait confié le dossier au commandant Olivier Passan. Tout de suite, le flic avait compris que cette histoire serait l'affaire de sa vie. Il était d'abord resté en état de choc face aux images de la mise en scène : l'obscénité de ce corps nu, avec le bébé calciné, sur la pelouse verte. Le contraste entre les chairs sanglantes et le gazon frais…

Puis il s'était ressaisi. L'hallucinante cruauté de la mutilation, le mystère autour de la cause de la mort de la mère (malgré l'éventration, le légiste penchait pour un empoisonnement), l'absence d'indices et de témoins : tout traduisait l'œuvre d'un meurtrier aux nerfs de glace. Un être à la fois dément et organisé, délirant et rigoureux – qui n'allait certainement pas en rester là.

Il avait briefé son groupe. Les consignes : reprendre l'enquête à zéro, interroger les voisins, passer au peigne fin l'histoire de la victime, reconstituer ses dernières journées, consulter les fichiers en quête d'un meurtre présentant des similitudes… Tout de suite, les difficultés avaient commencé. Le porte-à-porte n'avait rien donné. La Maladrerie n'est pas une des cités les plus chaudes du 9-3 mais pas non plus un lieu où les flics sont accueillis à bras ouverts. Côté scène de crime, ça n'avait pas été plus brillant. Aucune empreinte, aucune trace organique, aucun indice. Quant aux fichiers d'archives, ils n'existaient que dans les films…

En revanche, la police du quartier disposait d'un centre de supervision urbaine où toutes les images vidéo, appels PC radio, géolocalisations des patrouilles étaient enregistrés. Mais là non plus l'analyse des données n'avait fourni aucun résultat – la plupart des caméras étaient détériorées, aucun fait suspect n'avait été enregistré dans la zone durant les semaines précédentes. Seul un soupçon émergeait : le tueur possédait peut-être un *jammer*, qui permet de couper toutes les connexions satellite durant dix minutes dans un rayon d'un kilomètre. Ce fait s'était confirmé avec les autres meurtres. Chaque nuit précédant la dépose d'un cadavre, une panne de transmission de quelques minutes était observée aux environs de l'aube. *L'heure du tueur*.

Renseignements pris, ce type de brouilleur était fabriqué au Pakistan et se vendait sous le manteau. Question : le fait de connaître l'heure exacte d'un trou noir dans une cité d'Aubervilliers apportait-il quelque chose ? Non. Le fait de savoir que l'assassin utilisait du matériel provenant du Pakistan ? Non plus. On avait recherché les filières permettant de se procurer un tel instrument. En vain.

Parallèlement, les résultats toxico du sang, de l'urine, de la bile étaient tombés. La femme était morte d'une injection de chlorure de potassium, composé chimique qu'on utilise pour les réductions embryonnaires lors d'une grossesse multiple. Passan avait personnellement planché sur le KCI, le nom de la formule brute du chlorure de potassium. Son administration en intraveineuse provoque un arrêt cardiaque par fibrillation ventriculaire. C'était à la fois un produit très répandu, déjà présent dans le corps humain et utilisé comme composant dans l'alimentation ou dans la production d'engrais, et une substance rare en tant que poison.

Ses hommes avaient interrogé les fournisseurs des hôpitaux et des cliniques. Ils avaient vérifié les stocks. Checké les vols éventuels. Cuisiné des chimistes afin de comprendre comment on peut transformer ce sel en poison mortel. Ils avaient appris que les candidats au suicide, chez les anesthésistes, le choisissent pour son efficacité. Ils s'étaient lancés sur la piste de chimistes amateurs. Tout ça en pure perte.

Côté victime, même trou noir. Ni Audrey Seurat ni son entourage n'offraient la moindre prise au soupçon. La jeune femme, mariée depuis deux ans, était postière. Sylvain, son époux, ingénieur informaticien. Dionysiens pur jus (les habitants de Saint-Denis s'appellent ainsi), ils s'étaient installés dans la cité Floréal. Ils venaient d'acquérir une voiture d'occasion, une Golf de 2004, et avaient déjà réservé leur place à la maternité Delafontaine. Sylvain avait même posé ses dates de congé parental. Un bonheur annoncé qui avait explosé en vol.

À la mi-mars, Passan n'avait rien récolté, à part une pression grandissante de sa hiérarchie et des coups de fil à répétition d'Ivo Calvini, le magistrat instructeur. Seul point positif : les médias ne s'étaient pas intéressés à l'affaire. Ne disposant pas de tous les éléments, les journalistes n'avaient pas mesuré la dimension spectaculaire de l'homicide.

Le flic s'était acharné. Il avait reconstitué avec soin l'emploi du temps des dernières semaines d'Audrey. Interrogé son employeur, ses collègues, ses amis, les membres de sa famille. Cuisiné son gynécologue, son prof de gym, son coiffeur… Il était même allé voir du côté du garage Alfieri Automobiles, à La Courneuve, où les Seurat avaient acheté leur bagnole. Son hypothèse : à un moment ou un autre, Audrey avait croisé la route du tueur. Un détail dans son allure – visage ? vêtements ? grossesse ? – avait déclenché la pulsion criminelle du cinglé. En retraçant ses allées et venues, il croiserait lui aussi la route du meurtrier.

Il était retourné sur les lieux marquants de l'affaire. La poste de Montfermeil et ses alentours, où Audrey avait disparu. La Maladrerie. Lâchant son costume sombre et sa voiture banalisée, il était venu en RER, il avait arpenté ces petits immeubles enfouis parmi les arbres et les bâtiments publics, réponses des années 60 aux grands ensembles de la décennie précédente.

Il s'était immergé dans le quartier, avait pris son pouls. Il s'était dit, encore et toujours, que le tueur possédait une raison secrète de s'intéresser à ce coin. Soit qu'il y habite, soit, c'était le plus probable, qu'il y ait passé son enfance et qu'un traumatisme l'y ramène comme un ressac de cauchemar.

Pures conjectures. Fin mars, Passan n'était pas loin de penser qu'on n'entendrait plus jamais parler de l'assassin d'Audrey Seurat.

Quelques jours plus tard, un nouveau corps avait été découvert.

Le téléphone sonna. Le flic sursauta comme s'il venait de toucher une clôture électrique.

Il réalisa qu'il était assis par terre, les doigts couverts d'encre et de poussière, enseveli sous les dossiers. Encore une fois, l'enquête l'avait aspiré comme un champ magnétique.

La sonnerie s'entêtait. Il regarda sa montre : 17 heures. Deux plombes qu'il était là, à lire des feuillets qu'il connaissait par cœur. Les autres avaient dû se marrer en le voyant dans cette position, à travers le mur vitré.

La sonnerie toujours.

Perclus de crampes, il se redressa et trouva à tâtons le téléphone sur son bureau.

— Allô ?

— Ils sont là.

Lefebvre.

— Qui ?

— Les bœufs. Ils t'attendent au troisième. Magne-toi.

Passan raccrocha et se releva péniblement. Se massant les reins, il ne put retenir un sourire.

Après le sermon du divisionnaire, le tourniquet de l'IGS.

L'administration française n'offrait pas la moindre surprise.

14

Trois heures plus tard, Yukio Mishima atterrissait dans un carton, vite rejoint par Yasunari Kawabata et Akira Kurosawa. Deux suicidés, un survivant. Passan tenait à emporter ces portraits dans son studio de Puteaux. Des artistes d'une puissance exceptionnelle, dont l'existence tragique enrichissait encore, d'une mystérieuse façon, leur œuvre. À ses yeux, leur suicide avait valeur esthétique. Kawabata, à soixante-dix ans passés, prix Nobel de Littérature, avait simplement ouvert le gaz dans le petit bureau où il travaillait, comme s'il finissait là un boulot commencé longtemps avant.

Il plaça avec précaution sa théière en céladon, enveloppée dans du papier de soie, à l'intérieur du carton. Il ne s'en était pas trop mal sorti avec l'IGS. Les gars s'étaient montrés conciliants. « Simple rencontre préliminaire », avaient-ils prévenu. Il s'était demandé s'ils n'étaient pas en train de lui préparer le terrain pour un seppuku professionnel...

Le suicide. Fondement de la culture japonaise, obsession de Passan, sujet d'engueulade avec Naoko.

Elle refusait d'admettre que la mort volontaire était au cœur de sa propre culture et expliquait – à raison – que le nombre de suicides au Japon n'est pas plus élevé qu'ailleurs. En retour, il énumérait la liste des Japonais célèbres ayant mis fin à leurs jours. Écrivains : Kitamura Tokoku, Akutagawa Ryunosuke, Ozamu Dazaï... Généraux : Maresuke Nogi, Anami Korechika, Sugiyama Hajime... Conspirateurs : Yui Shosetsu, Asahi Heigo... Guerriers : Minamoto no Yorimasa, Asano Naganori (et ses quarante-sept samouraïs), Saïgo Takamori... Sans parler des kamikazes qui s'écrasaient avec leur avion sur les croiseurs américains, ni des amoureux qui préféraient se jeter des falaises de Tojimbo plutôt que de voir leur passion décliner – une idée qui se tenait, surtout à la lumière de leur propre décrépitude...

Passan admirait ces êtres qui ne craignaient pas la mort. Des hommes pour qui le devoir et l'honneur étaient tout, pour qui la sinistre joie de vivre des « gens heureux » ne comptait pas. Naoko ne supportait pas cette admiration morbide. Pour elle, c'était encore une manière de stigmatiser son peuple. Toujours la même rengaine d'une culture tragique, oscillant entre perversité sexuelle et mort volontaire. Des clichés qui la mettaient hors d'elle.

Olivier avait renoncé à discuter. Il préférait peaufiner sa propre théorie. Pour un Japonais, l'existence est comparable à un fragment de soie. Ce n'est pas sa longueur qui compte mais sa qualité. Peu importe d'en finir à vingt, trente ou soixante-dix ans : il faut que l'existence soit sans tache ni accroc. Quand un Japonais se suicide, il ne regarde pas devant lui (il ne croit pas vraiment à l'au-delà), mais derrière. Il évalue son destin à la lumière d'une cause supérieure – shogun, empereur, famille, entreprise… Cette soumission, ce sens de l'honneur, c'est la trame du tissu. On ne doit y déceler ni scorie ni souillure.

Le flic débrancha sa bouilloire et la plaça auprès de la théière. Lui-même avait toujours vécu ainsi. Quand il se projetait dans l'avenir, c'était uniquement pour imaginer sa propre pierre tombale. Laisserait-il le souvenir d'un destin exemplaire ? Son fragment d'étoffe serait-il d'une pureté irréprochable ?

C'était déjà raté, compte tenu de tous les coups tordus, mensonges et saloperies qu'il avait dû inventer pour simplement appliquer la loi. En revanche, il n'avait jamais failli sur le plan du courage et de l'honneur. Du temps de la BRI, il avait essuyé le feu. Fait usage de son arme. Tué. Il avait vécu dans l'odeur du propergol et de l'acier chaud. Il avait connu le miaulement des balles, le froissement de l'air sur leur passage – et les décharges d'adrénaline qui allaient avec. Il avait eu peur, vraiment peur, mais jamais il n'avait reculé. Pour une raison simple : le danger n'était rien comparé à la honte qui aurait entaché son existence s'il avait failli.

En définitive, il ne craignait pas la mort mais la vie. Une vie imparfaite, chargée de remords et d'abjections.

Il décrocha un portrait de ses enfants et les observa un instant. Depuis la naissance de Shinji et de Hiroki, tout avait changé. Maintenant, il voulait durer. Leur apprendre le maximum de choses, les protéger le plus longtemps possible. Pouvait-on être un bon soldat quand on avait des enfants ?

— Qu'est-ce que tu fais ?

Passan leva les yeux : Naoko se tenait dans la pénombre, portant encore son sac et son imperméable. Il ne l'avait pas entendue venir. Il ne l'entendait jamais venir. Avec son poids plume et ses yeux de félin qui voyaient dans la nuit.

— J'emporte quelques trucs pour le studio.

Elle considéra les portraits au fond du carton, couvrant d'autres « trésors » : haïkus calligraphiés, bâtons d'encens, reproductions d'Hiroshige et d'Utamaro...

— Toujours ta passion pour les zombies, fit-elle d'un ton sec.

— Des hommes braves. Des hommes d'honneur.

— Tu n'as jamais rien compris à mon pays.

— Comment tu peux dire ça ? Après toutes ces années ?

— Comment, toi, tu peux croire à de telles conneries ? Après avoir vécu dix ans avec moi ? Après être si souvent allé là-bas ?

— Je ne vois pas où est la contradiction.

— Ce que tu appelles « courage » n'est qu'une intoxication. Nous avons été programmés. Formatés par notre éducation. Nous ne sommes pas braves : nous sommes dociles.

— Je crois que c'est toi qui n'as rien compris. Derrière l'éducation, il y a l'idéal d'un peuple !

— Notre idéal, aujourd'hui, c'est de nous libérer de tout ça. Et ne me regarde pas comme si j'étais malade.

— Ta maladie, je la connais, c'est l'Occident, sa décadence. L'individualisme forcené. L'absence de foi, d'idéologie, de...

Elle balaya la tirade d'un geste, comme elle aurait essuyé une traînée de poussière :

— On va pas encore s'engueuler.

— Qu'est-ce que tu veux ? Me dire adieu ? demanda-t-il sur un ton sarcastique.

— Juste te rappeler que les enfants ne doivent pas manger de sucreries. Ça leur fout les dents en l'air. On a toujours été d'accord là-dessus.

Avec un temps de retard, Passan comprit l'allusion. Il parlait seppuku, elle lui répondait Chupa Chups. Il avait toujours été sidéré par le matérialisme de Naoko, son attachement irrationnel aux détails de la vie quotidienne. Un jour, il lui avait demandé quelle était la première qualité qu'elle attendait d'un homme. Elle avait dit : « La ponctualité. »

— OK. Deux sucettes, ça ne changera pas la face de leur éducation, non ?

— J'en ai marre de répéter les mêmes choses.

Passan se baissa pour attraper son carton à deux mains.

— C'est tout ?

— Non. Je voulais aussi te rendre ça, ajouta-t-elle en déposant quelque chose sur les photos entassées.

Passan découvrit un poignard glissé dans un fourreau de jacquier noir. Le manche en ivoire brillait d'un éclat immaculé sous l'éclairage électrique. La courbe de bois laqué touchait à la perfection. Passan le reconnut au premier coup d'œil. Il se souvint pourquoi il l'avait choisi : le fourreau lui rappelait la chevelure de Naoko, l'ivoire sa peau blanche.

— Garde-le. C'est un cadeau.

— On en est plus là, Olive. Remballe ton truc.

Il laissa glisser sur lui la laideur des mots.

— C'est un cadeau, répéta-t-il d'un ton buté. Ça ne se reprend pas.

— Tu sais ce que c'est, non ?

Posé à l'oblique, l'arme croisait le fer avec les visages impassibles de Kawabata, Mishima, Kurosawa. *Splendide.*

— Un *kaïken*, murmura-t-il.

— Tu sais à quoi ça sert ?

— C'est moi qui te l'ai dit ! T'étais même pas au courant !

Il contempla à nouveau le précieux objet, rêveur :

— C'est avec ce poignard que les femmes des samouraïs se suicidaient. Elles se tranchaient la gorge, après s'être attaché les jambes repliées pour mourir dans une position décente et...

— Tu veux que je me suicide ?

— Tu gâches toujours tout, répondit-il d'une voix lasse. Tu renies ta propre culture. Le code de l'honneur. Le...

— T'es un malade. Toutes ces conneries n'existent plus depuis des siècles. Heureusement.

Le carton lui paraissait peser plus lourd à chaque seconde. Fardeau de sa vie passée, poids de ses croyances démodées.

— Alors, c'est quoi le Japon pour toi ? hurla-t-il soudain. Sony ? Nintendo ? Hello Kitty ?

Naoko sourit, et il comprit que, malgré le *kaïken* dans le carton, et le .45 à sa ceinture, la seule à être armée dans cette pièce, c'était elle.

— Il est vraiment temps que tu te casses.

Passan la contourna et franchit le seuil :

— On se reverra chez l'avocat.

15

Debout sur la pelouse, Naoko grelottait, les yeux fixés sur le portail.

Elle avait aidé Passan à porter ses derniers cartons. Il était parti sans un mot, sans un regard. Il faisait frais mais une espèce de chaleur fiévreuse soufflait par instants, lourde, humide, hésitante. Seuls les oiseaux paraissaient sûrs de la saison : ils pépiaient furieusement, invisibles, quelque part dans les arbres.

Enfin, elle s'ébroua et revint vers la maison. Une boule d'angoisse lui barrait la gorge. Elle fila dans la chambre des garçons – une deuxième pièce était prévue pour eux mais Passan n'avait jamais eu le temps de la finir. Elle embrassa Hiroki, encore tout ébouriffé du bain, et Shinji, concentré sur sa DS. Les enfants ne firent aucun cas de son arrivée et cette indifférence la rassura. Une soirée comme une autre.

Naoko rejoignit la cuisine. Les soles et les pommes de terre étaient déjà prêtes. Elle n'avait pas faim. Elle avait encore sur l'estomac les makis de Sandrine. Leur conversation lui revint en mémoire. Pourquoi s'était-elle énervée ainsi contre Paris, contre la France ? Il y avait longtemps qu'elle était anesthésiée contre ces galères d'exilée...

Les garçons surgirent en riant. Dans un concert de cliquetis d'assiettes et de couverts, ils s'installèrent.

Shinji attaqua aussi sec :

— Pourquoi vous vous séparez avec papa ?

Il se tenait droit sur sa chaise, comme lorsqu'on interroge en classe son institutrice. Elle comprit qu'en tant qu'aîné, il posait aussi la question au nom de son frère.

Elle n'eut pas la force de répondre en japonais :

— Pour ne plus nous disputer.

— Et nous ?

Elle les servit puis s'assit entre eux, afin de donner plus de chaleur à ses paroles :

— Vous, vous serez toujours nos amours. On vous a déjà expliqué la nouvelle organisation. Vous restez à la maison. Une semaine avec maman, une semaine avec papa.

— On pourra voir l'autre maison de papa ? intervint Hiroki.

Elle lui ébouriffa les cheveux, appuyant son sourire :

— Bien sûr ! C'est aussi chez vous ! Et maintenant, mangez.

Shinji et Hiroki plongèrent dans leur assiette. Ses enfants n'étaient pas le cœur de sa vie, ils étaient la vie de son propre cœur. Chaque battement, et même le silence entre deux palpitations, leur était dédié.

Shinji, huit ans, était le rigolo de la bande. Il avait l'énergie, l'humour de son père – et aussi une décontraction naturelle qui ne venait ni d'elle ni de lui. Son métissage se révélait dans une mystérieuse ironie. Il portait ses traits asiatiques avec une distance amusée, une gaieté décalée qui semblait dire : « Ne vous fiez pas aux apparences. »

Hiroki, six ans, était plus sérieux. Strict sur ses habitudes, ses horaires, ses jouets : toute la rigidité de sa mère. En revanche, il ne lui ressemblait pas physiquement. Sous ses cheveux noirs, il avait une tête toute ronde, qui déconcertait Naoko. Les Japonais sont fiers de l'ovale de leur visage, par opposition aux Chinois ou aux Coréens. Sur cette face de lune, planait toujours une sorte de distraction rêveuse. Souvent, le petit garçon entrait dans la conversation comme quelqu'un qui s'est trompé de porte. Il énonçait quelque chose qui n'avait rien à voir avec le propos, s'étonnait lui-même d'être là, puis se taisait à nouveau. On se disait alors qu'il vivait sur une autre planète. Et on craquait encore plus pour le petit bonhomme…

Le dîner était achevé. Naoko avait réussi à mener la conversation sur des sujets variés : l'école, Diego, le judo pour Shinji, un nouveau jeu de DS pour Hiroki… Sans qu'elle ait à le leur demander, les deux garçons rangèrent leur assiette dans le lave-vaisselle et filèrent au premier.

Après avoir embrassé Hiroki dans son lit, Naoko lui murmura en japonais :

— Demain, j'arriverai plus tôt et on prendra le bain ensemble. On fera la toilette de *kokeshi* !

Le petit garçon sourit à l'évocation des poupées nippones. Il somnolait déjà.

Il répondit dans une espèce de jargon franco-japonais :

— Tu laisses la porte ouverte ?

— Pas de problème, ma puce. Fais dodo.

Elle lui donna un dernier baiser dans le creux de l'épaule et passa à Shinji, plongé dans un *Mickey Parade*.

— Tu laisses la lumière dans le couloir ? demanda-t-il en japonais pour l'amadouer.

Elle éteignit la lampe de chevet en souriant :

— J'ai vraiment une bande de poules mouillées à la maison !

16

Bien plus tard, Passan rentra dans son studio. Perdu. Rejeté. Maudit.

Avant de regagner Puteaux, alors même qu'il transportait ses trésors japonais dans son coffre, il avait cédé à ses vieux démons. La Défense. Puis le 8ᵉ arrondissement et ses bonnes adresses...

Il y avait ses habitudes. Bars. Boîtes. Escorts. Pas des vieilles copines comme on en voit dans les films où le flic a toujours une maîtresse prostituée. Les adresses de Passan réservaient toujours des surprises – des nouvelles filles, des relations inédites. Bien trop chères pour lui bien sûr, mais un flic, ça peut toujours servir. Olivier n'avait rien à voir avec le condé bienveillant. Il n'était pas bon d'avoir un ami comme lui : il était bon de ne pas l'avoir comme ennemi, nuance... Obscurément, ce climat de crainte, de domination l'excitait encore plus.

Quelques années après son mariage, alors que son désir pour Naoko l'avait quitté comme le sang quitte un visage effrayé, il avait repris ses habitudes de célibataire. Les boîtes glauques. L'exploitation des putes de luxe. L'assouvissement de ses pires pulsions. Du troc pur et simple : quelques coups gratis en échange de sa protection.

Pourquoi ce besoin de se soulager avec des pros corpulentes et vulgaires alors qu'une des plus belles créatures de Paris l'attendait à la maison ? La réponse était dans la question. On ne baise pas la femme de sa vie, en position du chien, avec éjaculation faciale en guise de point d'orgue. A fortiori quand il s'agit de la mère de ses enfants.

La maman et la putain. Malgré son âge, malgré son expérience, Olivier n'avait jamais dépassé cet antagonisme puéril. Huit années de psychanalyse n'y avaient rien fait. Il lui était impossible, au plus profond de sa chair, d'associer désir et amour, sexe et pureté. La femme était pour lui une blessure dont les bords refusaient de se rejoindre.

Avec Naoko, il avait connu une première vague d'excitation, si neuve, si fraîche qu'il n'avait pas eu l'impression de salir sa madone. Quand ses goûts anciens l'avaient rattrapé, il s'était naturellement détourné de sa fée japonaise. *Retour aux sources*. Femmes aux hanches larges, aux cuisses grasses, aux seins lourds. Positions humiliantes. Injures. Soulagement du ventre associé à une espèce de revanche obscure. Quand le plaisir éclatait entre ses cuisses, ses dents se serraient sur un rugissement de triomphe, noir, amer, sans but ni objet.

Pas question d'associer son épouse à de telles turpitudes. Son enfer personnel ne regardait que lui.

L'ultime paradoxe était que Naoko l'aurait suivi dans ses fantasmes. Les Japonaises ont une approche du sexe totalement libérée. À mille lieues de la culpabilité chrétienne qui ronge les Occidentaux. Mais Passan ne voyait pas Naoko ainsi. Sa peau lisse et blanche, son corps musclé, sans la moindre imperfection, ne l'excitaient pas. Elle était faite pour la prière, pas pour la luxure.

Naoko n'était pas dupe. Chaque femme connaît le biorythme sexuel de son partenaire. Elle avait laissé courir, au nom peut-être de cette vieille tradition japonaise selon laquelle le mari fait des enfants à son épouse et cherche son plaisir chez les prostituées. Premier silence, premier compromis. La frustration s'était insinuée entre eux, dressant un mur invisible, transformant chaque geste en attaque, chaque mot en poison. L'éloignement des cœurs commence toujours par l'éloignement des corps...

Il se gara dans une ruelle derrière la vieille église de Puteaux, le long des quais. Il dut faire trois voyages à pied pour transporter ses archives et ses bibelots. Une fois ses derniers cartons posés au centre de la pièce, il considéra son nouveau repaire. Trente mètres carrés de parquet flottant, trois murs blancs s'ouvrant sur une baie vitrée, une cuisine dissimulée derrière un comptoir en contreplaqué. À quoi s'ajoutaient, en guise de mobilier, un convertible, une planche posée sur deux tréteaux, une chaise, une télévision. Le tout dans un immeuble des années 60. Vraiment pas de quoi pavoiser.

Depuis des semaines, il déménageait à petit feu, reculant toujours le moment de s'installer pour de bon. Il ôta sa veste et demeura encore quelques minutes immobile. La seule idée qui lui vint en cet instant était le témoignage d'un pilote kamikaze sauvé par l'armistice. Quand on l'avait interrogé sur son état d'esprit de

l'époque, il avait répondu avec un sourire confus :
« C'est tout simple : on n'avait pas le choix. »

Il fila sous la douche. Il y resta près d'une demi-heure, espérant effacer les souillures de la soirée. Il accordait décidément trop de pouvoir à l'eau municipale.

Enfilant un caleçon et un tee-shirt, il se prépara un litre de café, plaça dans le micro-ondes le *bento* qu'il s'était acheté chez un traiteur japonais, puis engloutit les brochettes de poulet, les boulettes de fromage, le riz sans prendre la peine de s'asseoir. Cela lui rappelait ses années d'études : cours de droit, plats à emporter et solitude.

Tout en mastiquant, il se remémora les bribes d'informations qu'il avait pu obtenir sur l'enquête de Stains en fin d'après-midi. Le légiste qui avait pratiqué l'autopsie, Stéphane Rudel, confirmait : c'était bien le même modus operandi. Par ailleurs, les instruments retrouvés dans l'atelier correspondaient aux mutilations des victimes précédentes. Passan était curieux de savoir comment Guillard expliquerait la présence de ce matériel dans son atelier de mécanique. Pour le reste, il fallait attendre : les analyses toxico étaient en cours.

Isabelle Zacchary, la coordinatrice de l'Identité judiciaire, l'avait aussi appelé. Pour l'heure, elle n'avait rien. Pas un seul objet, pas la moindre fibre ni la moindre surface qui fasse le joint entre l'ADN de Guillard et celui de la victime. À croire qu'il ne l'avait pas touchée.

Il balança les restes de nourriture dans la poubelle et jeta un coup d'œil à sa montre : pas loin de minuit. Il n'avait pas sommeil. Il attrapa la cafetière, une tasse, un yaourt et déposa le tout près du sofa. Puis il s'assit en tailleur sur le parquet, dos appuyé au canapé, et s'attaqua au premier carton d'archives.

Il se lança dans un nouveau tri des documents et commença sa lecture. Au bout d'une demi-heure, il voyait les lignes s'entremêler. Il but une nouvelle goulée de café et préféra fermer les yeux. Des cercles rougeâtres, bordés d'un halo violet, dansaient sous ses paupières.

Il reprit mentalement l'historique de son enquête, là où il l'avait laissé dans l'après-midi.

17

3 avril 2011. Comme celui d'Audrey Seurat, le cadavre de Karina Bernard, trente et un ans, enceinte de sept mois et demi, avait été déposé au cœur d'une cité du 9-3 : les Francs-Moisins, à Saint-Denis. Un quartier beaucoup plus chaud que la Maladrerie : classé ZUS (zone urbaine sensible), il constituait un des secteurs à risque de la ville.

Passan et sa ruche s'étaient aussitôt mis au boulot. Pour découvrir un scénario à l'identique. Même profil de victime. Même mode opératoire. Même panne satellite quelques heures avant la trouvaille macabre. Même absence d'indices et de traces…

Un nouveau fait était apparu toutefois : grâce à des prélèvements de l'humeur vitrée des yeux du nourrisson (dont le corps était moins dégradé que le précédent), le laboratoire de toxicologie avait repéré la présence de chlorure de potassium. Le bébé avait donc subi la même injection que la mère – au moins il n'avait pas brûlé vif. Que cherchait le tueur ? Voulait-il éviter toutes souffrances à ses victimes (on avait également retrouvé des traces d'anesthésiant dans leur sang) ?

L'enquête s'était assombrie d'une difficulté supplémentaire : l'intervention des médias. Les journalistes avaient cette fois réalisé le caractère spectaculaire du meurtre et fait le lien avec le précédent. Ils tenaient leur scoop : un serial-killer ! Un tueur de femmes enceintes ! Ils lui avaient trouvé des surnoms : « l'Accoucheur », « le Boucher du 9-3 »… Ils avaient couvert la procédure en temps réel. Équipes sur le terrain. Informations régulières. Sites internet… Résultat, les faux témoignages, les délires spontanés affluaient. En revanche, la cité des Francs-Moisins, déjà peu accueillante au naturel, s'était fermée à double tour face à cette déferlante de flics et de caméras.

Passan était dans le collimateur. Ses supérieurs l'appelaient. Ivo Calvini l'appelait. Le maire de Saint-Denis l'appelait. Le préfet de la Seine-Saint-Denis l'appelait. Les journalistes l'appelaient… Il n'avait rien à leur répondre. Hormis une conviction qui ne cessait de se renforcer : le tueur était un enfant du 9-3. Il y avait subi un traumatisme, sans doute lié à sa naissance, et se vengeait à coups de cadavres disséminés.

Mais cette intuition ne menait nulle part. Que pouvait-il faire ? Remuer les archives des maternités du département ? Pour chercher quoi ? Un accouchement qui se serait mal passé ? Un enfant malformé ? Renié ? Son idée était trop vague.

Il s'était plutôt replongé dans le tissu social de Saint-Denis. Il connaissait ces lieux : il y avait grandi. Mais depuis son époque, les choses avaient changé. Les usines à sommeil étaient devenues des usines à violence. Les logements sociaux avaient engendré un champ de bataille, où se menait une guérilla confuse, où on tirait à balles réelles des deux côtés.

Il avait écumé le terrain, tourné avec la SDPJ 93, les BAC. Il avait découvert le monde des perquisitions au pas de charge, sous une pluie de silex, de cocktails Molotov... Les bagnoles brûlées, les femmes violées qui sautent par la fenêtre, les vols à la portière...

Il avait aussi rencontré des élus locaux, des conseillers, des experts. Des optimistes qui avaient des projets plein la tête. Des alarmistes qui préconisaient d'acheter des drones, des caméras, des armes. Des radicaux qui voulaient tout détruire pour édifier, à la place, des résidences plus coûteuses. Montez les prix, la vermine crèvera d'elle-même...

Il avait aussi approché des responsables de collectivités locales, d'associations de quartier. Grâce à ces intermédiaires, il était entré en contact avec les chefs de gangs. Il avait été reçu dans des caves aménagées, où des gamins braquaient des M16, des Uzi et des armes de poing au numéro limé. Assailli par une forte odeur de shit, parmi des canettes vides et des seringues usagées, Passan avait joué franc jeu. Il avait décrit la méthode du tueur. Donné ses rares indices. Livré ses craintes. Chacun avait écouté le « babtou », un doigt sur la détente.

Les seigneurs de guerre ne savaient rien mais il avaient promis : ils allaient multiplier leurs patrouilles, sillonner les caves, les toits, les terrains vagues. Pas question qu'un assassin opère sur leurs terres et se débarrasse de sa viande froide dans leur quartier. Passan avait songé au film *M le maudit* où un tueur d'enfants est capturé et jugé par la pègre de la ville où il sévit.

Parallèlement, le travail de fourmi sur Karina Bernard avait révélé un détail – un infime détail. Début mars, la victime avait donné sa voiture à réparer dans un atelier mécanique de Saint-Denis, la société Fari. Ce simple nom – sa consonance – lui avait rappelé le garage qui avait vendu la Golf à Audrey Seurat : Alfieri Automobiles. Un clic sur Internet, pour découvrir que les deux enseignes appartenaient au même groupe, dirigé par un certain Patrick Guillard.

Simple coïncidence ? Les autopsies avaient révélé des traces de lien cranté ainsi que des fibres de caoutchouc ignifugé sur la peau des victimes. L'hypothèse du légiste : des marques de courroie de distribution. À quoi s'ajoutaient des stries singulières sur la langue des mortes : le meurtrier les aurait bâillonnées avec des fragments de pneu.

Passan avait vérifié le pedigree de Guillard. Rien à signaler, sauf que l'homme était, comme lui, un enfant de l'Aide sociale à l'enfance. Né sous X, à Saint-Denis, il avait sans doute grandi dans des foyers ou des familles d'accueil mais impossible d'obtenir son dossier auprès de l'ASE. Le flic n'avait retrouvé sa piste que lorsque l'apprenti s'était mis à bosser, à dix-sept ans, à Sommières, dans le sud de la France, en tant que mécano.

Olivier avait suivi son ascension de garage en garage. 1997 : gérance d'un premier atelier, à Montpellier. 1999 : voyage aux États-Unis pour bricoler des moteurs en Arizona et en Utah. 2001, premier atelier à Saint-Denis : Alfieri. Guillard a trente ans. 2003, deuxième concession : Fari, à La Courneuve. 2007, troisième point de vente : Feria, avenue Victor-Hugo, Aubervilliers. Sans compter des gérances de centres de

contrôle technique, d'ateliers d'entretien et de réparations rapides (vidanges, pneus, pare-brise, pots
d'échappement, etc.). Toujours dans le 9-3 – et plus
précisément dans l'ouest du département : La Courneuve, Saint-Denis, Épinay, Saint-Ouen, Stains... La
zone des disparitions et de la découverte des corps.

Côté vie privée, Guillard était célibataire, sans
enfant. Côté justice, pas de casier, pas même l'ombre
d'un PV. Un orphelin qui s'était fait tout seul, à force
de volonté et de passion pour la mécanique.

L'homme l'avait reçu dans les bureaux de son
siège, à Aubervilliers, et lui avait fait visiter le garage
qui jouxtait ses locaux. Trois mille mètres carrés de
ciment peint, sur deux étages, consacrés à la vente
de voitures et à leur réparation. Un lieu d'une propreté
étonnante, où on aurait pu dîner sur le sol. Il y avait
de quoi être impressionné. Passan ne l'était pas.

Il sentait *quelque chose*.

Patrick Guillard était affable. Il était aussi étrange.
Physiquement d'abord. À quarante ans, l'homme était
un athlète de petite taille, un bloc de muscles court sur
pattes. Il avait la tête entièrement rasée, sans doute
pour régler une fois pour toutes le problème d'une
calvitie naissante. Ses traits tenaient du bulldog. Des
yeux pochés, un nez épaté, des lèvres épaisses, bou-
deuses, laissant supposer de lointaines origines afri-
caines.

En même temps, un soupçon de féminité émanait de
ce colosse modèle réduit. Une démarche sautillante.
Des rires aigus. Des mouvements de poignets trop
souples, trop langoureux... Le garagiste lui rappelait
les acteurs de kabuki qui jouent des rôles féminins

– des mâles séducteurs qui ne parviennent jamais, dans la vie, à se débarrasser de leur préciosité.

Bien sûr, Guillard ne connaissait ni la première ni la deuxième victime – il n'avait aucun contact avec la clientèle de ses garages. Il avait pris une mine consternée quand Passan lui avait rappelé le calvaire de ces femmes, puis il avait retrouvé son sourire et expliqué pourquoi ses enseignes répétaient les mêmes sonorités, allusions à son rêve originel de travailler pour les usines Ferrari. « Depuis, j'ai atterri mais ces syllabes m'ont porté bonheur. »

Passan aurait dû se sentir en empathie avec son hôte. Un orphelin, comme lui. Sous ce discours convenu, il percevait plutôt une rumeur, un chuchotement à peine perceptible. *Quelque chose déconnait.*

Il n'avait plus lâché Guillard. Avec ses gars, il avait organisé une véritable traque. Il avait réussi à obtenir un soum, fourgon de surveillance équipé, assigné à une autre enquête. Il assurait lui-même la plupart des gardes de nuit. Compte tenu de sa vie privée, aucun problème. Le jour, il décryptait celle du garagiste, via la paperasse. La nuit, il observait l'homme, in situ.

Jamais sa conviction n'avait faibli. Pourtant, rien ne collait. Patrick Guillard possédait de solides alibis pour chaque enlèvement et n'avait pas le profil du tueur. Un exemple : il adorait les enfants, faisait des cadeaux aux mômes des cités qui jouxtaient ses garages. Impossible de l'imaginer dans la peau du tueur de bébés. Mais pourquoi alors n'avait-il ni gosse ni épouse ? Un homosexuel ?

Fin avril, Passan avait pris quatre jours de vacances pour se rendre dans la région de Montpellier et sonder le passé professionnel de l'homme d'affaires. Il avait retrouvé les ateliers où l'apprenti avait travaillé. Partout, il avait laissé un bon souvenir. Un type souriant, doué, appliqué. Selon ses employeurs, Guillard avait passé son enfance dans le 93 mais il n'aimait pas en parler. Des mauvais souvenirs ?

Les filatures, les perquisitions surprises, les écoutes téléphoniques, le piratage de ses données informatiques, l'analyse de ses comptes n'avaient rien donné. Finalement, Olivier n'avait obtenu qu'un résultat : le suspect avait contacté ses avocats. La hiérarchie du flic avait été alertée. Engueulades. On avait convaincu Guillard de ne pas porter plainte mais le commandant avait dû prendre ses distances.

Le 11 mai 2011, un troisième corps avait été découvert.

Rachida Nesaoui, vingt-quatre ans, enceinte de sept mois et trois semaines, nue, éventrée. Le cadavre reposait dans un terrain vague qui jouxtait la cité la Forestière, à Clichy-sous-Bois, une zone franche urbaine (ZFU), plus sensible encore que les territoires précédents.

Il avait donc suffi que la surveillance se relâche pour que l'Accoucheur frappe à nouveau. Pour Passan, c'était comme un aveu : Guillard était le tueur. Un peu court comme raisonnement mais le lendemain, il l'avait arrêté, à 6 heures du matin, l'arrachant, menottes au poing, à son hôtel particulier de Neuilly-sur-Seine.

Fouille au corps, prise d'empreintes, prélèvements de salive – Guillard avait refusé de se déshabiller. Passan n'avait pas insisté mais il l'avait cuisiné pendant plusieurs heures. Tout y était passé : brutalités, menaces, injures, pauses plus calmes, où il l'avait joué ami-ami... Jusqu'au moment où l'avocat du garagiste avait rappliqué et l'avait fait libérer dans l'instant.

Entre-temps, Fifi avait étudié les fadettes des garages : aucun appel à Rachida Nesaoui. La jeune femme n'avait même pas le permis de conduire. Le lien, déjà mince, entre les deux premiers meurtres et Guillard ne tenait pas pour celui-là.

Cette fois, l'homme d'affaires avait porté plainte. Fin mai, le flic était passé devant le juge. Ses agissements étaient illégaux. Son dossier vide. Son acharnement dénué de motif. Il avait été condamné à deux mille euros d'amende pour harcèlement policier, injures et violences volontaires, violation du devoir déontologique du fonctionnaire de police. Le juge avait tenu compte de ses états de service et négligé la peine de prison avec sursis demandée par l'accusation. Il avait également refusé la mise à pied.

Le flic avait encaissé la sentence sans broncher. Son esprit était ailleurs. Il venait d'apprendre qu'un ADN inconnu avait été relevé sur la scène d'infraction numéro 3. Or, depuis la garde à vue de Guillard, il possédait son empreinte génétique. L'avocat avait exigé la destruction immédiate de ces données mais s'il faisait vite, il pouvait encore ordonner une comparaison.

Il avait quitté le tribunal au pas de course. Récupéré l'échantillon dans le frigo de l'UMJ Jean-Verdier, à Bondy, parmi les autres fragments congelés de suspects et les petites culottes sous enveloppe des femmes violées. Il avait rejoint le laboratoire de la Police scientifique, à Rosny-sous-Bois. Demandé à un expert de confronter les deux ADN. L'opération n'avait pris que quelques heures. Pour aboutir à une nouvelle déception : il ne s'agissait pas des mêmes empreintes.

Pourtant, ce nouveau fiasco avait produit un scoop : la carte génétique du suspect avait révélé son anomalie sexuelle.

Le garagiste avait parfaitement réussi à camoufler son versant féminin. Il avait su se fondre dans la masse, mais que se passait-il exactement dans sa tête ? Était-il un homme ou une femme ? Les deux ?

Passan imaginait les tortures physiques et psychiques qu'il avait dû subir dans les foyers, les familles d'accueil, les centres de jeunes travailleurs. L'angoisse des douches, des visites médicales, des vestiaires… Lui-même était passé par ces lieux : pas précisément l'école du rire. Si Guillard avait grandi dans le 9-3, alors il possédait un vrai mobile pour en vouloir à ces lieux de sinistre mémoire.

Condamné par la justice, désavoué par ses supérieurs, Passan avait décidé de poursuivre l'enquête en solitaire. Il avait contacté les hôpitaux de Saint-Denis, de La Courneuve, des villes voisines, en quête de renseignements sur le patient Guillard. En vain. Le secret médical formait un rempart solide et pas question de demander une dérogation à l'Ordre des médecins.

L'ASE refusait aussi de lui fournir la moindre information. Et plus moyen de surveiller ni d'approcher le garagiste. Quant à l'enquête concernant la troisième victime, pas plus de résultats que pour les autres. La parano s'était emparée du département. Les femmes enceintes n'osaient plus sortir de chez elles. Des rumeurs circulaient : le tueur était un flic, les meurtres ordonnés par le gouvernement pour terrifier les habitants et les chasser des cités. Quant aux médias, ils assuraient toujours leur rôle de pompiers incendiaires, mettant en perspective la panique des cités et l'absence de résultats de l'enquête.

Dans ce chaos, la disparition de Leïla Moujawad, le 18 juin, avait fait figure de climax.

Passan avait été pris de court. Dans son obstination à serrer Guillard, il avait presque oublié que le meurtrier pouvait frapper à nouveau, quelle que soit son identité. Sa première idée avait été d'aller secouer Guillard et de lui faire avouer où il avait séquestré sa victime. Mais il ne pouvait plus agir – et certainement pas de cette façon-là.

Restaient donc les opérations classiques de recherche. Patrouilles renforcées, porte-à-porte, appels à témoins. En réalité, chacun attendait la découverte du cadavre de Leïla...

C'est alors que Passan avait reçu une information capitale. Quelques semaines auparavant, il avait convaincu un gars de la Brigade financière, rue du Château-des-Rentiers, de décrypter la holding de Patrick Guillard, via un piratage informatique. Il n'y croyait pas trop mais voilà que la BF avait identifié, au sein de la constellation des sociétés, une entreprise de service, nommée PALF, aux activités mal définies – « recherches et applications en matière de maintenance et de réparations automobiles ». Cette boîte, domiciliée à Jersey, facturait ses conseils à plusieurs garages du groupe. Elle encaissait ces gains – élevés – puis les reversait à une SCI anglo-normande. En clair, Guillard pratiquait la méthode des fausses factures au sein de ses sociétés. Nul ne pouvait l'en blâmer. En revanche, une pépite sortait du bourbier : la SCI de Jersey possédait un atelier mécanique à Stains, qui n'apparaissait nulle part dans la constellation Guillard. Une planque ? Un sanctuaire ?

Le flic avait obtenu le renseignement le dimanche 19 juin, à 23 h 30. Pas la peine de prévenir qui que ce soit : personne ne voudrait intervenir avant l'heure légale, 6 heures du matin. Et tout ce qui provenait de lui à propos de Patrick Guillard sentait le soufre.

Pas de temps à perdre. Coup de fil à Fifi. Ronde en duo, ni vu ni connu, aux alentours de l'entrepôt.

On avait vu le résultat.

La pire bavure de sa carrière.

18

Passan se massa les paupières et ouvrit les yeux.

Rien de neuf sous la lampe à LED.

Ces faits chaotiques, ces informations qui ne menaient nulle part lui paraissaient se répercuter dans tout son corps : morsures à l'estomac, crampes dans les membres, points douloureux dans la colonne vertébrale.

2 heures. Et toujours pas sommeil. Il plongea la main dans un autre carton et attrapa les photos des scènes d'infraction. Il remplit sa chope de café avant de repartir pour un tour de cauchemar *de visu*.

Audrey Seurat. Karina Bernard. Rachida Nesaoui. La même scène, la même dépouille, ou presque. Chaque cadavre, dont la blancheur contrastait violemment avec la glaise noire ou les pelouses verdoyantes, était relié par un cordon racorni à un morceau de roche volcanique – le nourrisson carbonisé.

Il avait détaillé mille fois ces clichés et ils ne lui faisaient plus ni chaud ni froid. Cette nuit, ils lui rappelaient surtout le carnage de la veille. La bagarre avec les voyous. Guillard sur le seuil de son atelier. Le nouveau corps, le nouveau feu, à l'intérieur. Le tueur se débattant sous ses coups… Il se revoyait, lui, le maintenant sur la chaussée alors que le semi-remorque arrivait…

Le klaxon du camion le réveilla.

Gorgée de café. Un détail résistait au tréfonds de sa conscience mais il ne voyait pas lequel.

Quelque chose d'important.

Lecture. Patrick Guillard se tient sur le seuil de son entrepôt. Ciré noir. Crâne blanc. Reflets virevoltants sur son visage hagard.

Focus. Il porte des gants bleu pâle, tachés de sang…

Passan accéléra le mouvement. Quelques minutes plus tard.

Stop. Guillard se débat sur la chaussée détrempée.

Gros plan. Il a les mains nues.

Passan attrapa son téléphone portable. Une pression. Un numéro.

— Allô ?

La voix de Fifi, ensommeillée.

— C'est moi. Je sais comment coincer Guillard.

— Hein ?

Il perçut le froissement des draps et accorda quelques secondes à son adjoint pour retrouver ses esprits.

— Quand il s'est tiré, reprit-il, il portait des gants de chirurgien. Quand je l'ai chopé sur la nationale, il n'en avait plus. Il les a balancés dans le terrain vague.

— Et alors ?

La voix du lieutenant s'était éclaircie, traduisant son retour à la lucidité.

— Ces gants, c'est le joint qui nous manque. Côté recto, le sang de la victime. Côté verso, l'empreinte génétique de Guillard. Sa sueur a drainé des particules desquamées de sa peau. Les labos sont capables d'analyser l'ADN à partir de ces fragments. Ces gants, c'est son ticket pour la taule !

Nouveaux frottements de tissu, un briquet qui claquait :

— Okay, fit le punk, en prenant le temps d'inhaler une bouffée de cigarette. Donc ?

— On va fouiller le terrain.

— Quand ?

— Maintenant. Je viens te chercher.

19

— Debout, les monstres !

Naoko ouvrit à demi les rideaux pour laisser pénétrer la lumière dans la chambre. Elle avait mal dormi, quelques heures seulement. Elle avait émergé à l'aube et écouté la litanie de la pluie. En suspens dans l'obscurité, bercée par cette cadence, elle aurait pu se croire à Tokyo. Son île était sujette aux averses comme une femme est sujette aux larmes.

Patiemment, elle avait attendu l'heure de réveiller les enfants en ruminant ses interrogations : fallait-il vraiment vendre la villa ? Cette idée d'alternance était-elle la bonne ? Elle était décidée à en parler à Passan, aujourd'hui même.

Elle se pencha sur Shinji et le couvrit de petits baisers. Quand elle les voyait dormir ainsi, elle devait se faire violence pour les déranger. Elle ne cessait de lutter contre son inclination naturelle à la tendresse, la douceur. Pour faire bonne mesure, elle redoublait de fermes résolutions, de manifestations d'autorité.

— Allez, debout, mon chéri, murmura-t-elle en japonais.

Elle passa à Hiroki qui se réveillait plus facilement. L'enfant s'ébroua. En réalité, Naoko n'était pas formatée pour exprimer ses sentiments. La violence de son père avait brisé quelque chose en elle qui la rendait maladroite dans ses marques d'affection.

— Allez, Shinji ! fit-elle au plus grand qui n'avait toujours pas bougé.

Elle ouvrit complètement les rideaux et revint vers lui, bien décidée à le tirer du lit. Elle s'arrêta net : une Chupa Chups était posée à côté de son oreiller.

Elle sentit des picotements sur sa peau et secoua le garçon sans ménagement :

— Réveille-toi !

Il finit par ouvrir un œil.

— Qui t'a donné ça ? demanda-t-elle en français, brandissant la sucette.

— Je sais pas...

Mue par une intuition, elle se tourna vers Hiroki. Il était assis sur son lit, une Chupa dans les mains.

Elle la lui arracha d'un geste et hurla :

— Qui vous les a données ? Quand ?

Le silence de son fils, sa perplexité étaient une réponse claire. Hiroki venait lui aussi de découvrir la sucette. *Passan*. Il s'était glissé dans la maison durant la nuit. Il avait placé ce cadeau dans chaque lit...

Elle bondit sur Shinji qui se levait enfin :

— Papa est venu, c'est ça ?

Et lui saisissant le bras avec violence :

— C'est papa ?

— Tu me fais mal...

— RÉPONDS !

Shinji se frotta les yeux :

— J'en sais rien, moi.

— Habille-toi.

Naoko ouvrit l'armoire pour choisir leurs vêtements.

Se calmer.

Ne pas l'appeler sur-le-champ.

Et surtout ne pas insister auprès des garçons.

Elle revint vers Shinji, toujours engourdi de sommeil, et se força à l'habiller posément. Hiroki était
déjà passé dans la salle de bains où il se lavait les
dents. Elle boucla la ceinture de son aîné et lui
ordonna de filer à la suite de son frère.

En se relevant, elle éprouva une sorte d'abattement
sans limite. Elle avait envie de s'écrouler sur le lit et
de fondre en larmes. Heureusement, la colère couvait
encore et la maintenait debout.

Passan ne perdait rien pour attendre.

20

Trois heures qu'ils pataugeaient dans la boue. Trois heures qu'ils essuyaient des averses à répétition.

Ils avaient traversé la lumière incertaine de l'aube. Ils avaient vu la clarté laiteuse percer sous le voile gris de la pluie. En un sens, ce temps pourri jouait en leur faveur. Pas un chat au pied des immeubles. Pas une ombre le long des chantiers ni dans le terrain vague. Le Clos-Saint-Lazare refusait de se réveiller.

En revanche, Passan craignait que la pluie ait dégradé les traces sur les gants. Dans le cas, bien sûr, où ils les trouveraient…

Pour l'instant, rien. Olivier et Fifi étaient partis de la porte de l'entrepôt de Guillard, ils avaient traversé le chantier puis rejoint les terres en friche en direction de la nationale. Armés d'ustensiles trouvés sur place, un antivol en U pour Passan, une antenne de radio pour Fifi, ils fourrageaient le sol, balayaient les herbes, écartaient les débris.

Malgré le froid, Passan crevait de chaud sous son ciré. Il ne cessait de lancer des regards derrière lui, vers les remparts ondulés de la cité, craignant d'apercevoir une série de têtes encapuchées. Les bandes rentraient de leurs virées nocturnes avec les premiers RER et c'était souvent à l'aube que les pires bastons éclataient. Il appréhendait aussi de voir débouler une patrouille de la police municipale ou un groupe de la BAC. Il n'était pas le bienvenu ici.

Il regarda sa montre : 8 h 10. Bientôt l'heure d'aller pointer à la DCPJ. Encore un échec. Il n'était même pas sûr de son idée. Guillard était peut-être revenu chercher les gants. Ou le vent les avait poussés n'importe où. Ou des mômes les avaient trouvés et balancés. Le terrain était protégé par des rubans de non-franchissement mais personne ne respectait ici ce genre d'avertissement. *Au contraire…*

— On s'fait une pause ?

Passan acquiesça. Fifi alluma un joint et lui proposa une taffe, par simple politesse : Olivier ne touchait jamais à la moindre défonce. Puis il s'assit sur un réfrigérateur rouillé et sortit une flasque argentée. Il dévissa le bouchon et la tendit à son supérieur. Nouveau refus. Le punk but une brève gorgée.

— Tu devrais arrêter tout ça, conseilla Passan. Tu deviens vraiment limite.

L'autre éclata d'un rire bref :

— C'est l'ambulance qui se fout du corbillard.

— Qu'est-ce que tu veux dire ?

— T'as beau te la jouer *straight*, tu roules sur les jantes.

— Comprends pas.

— Cette histoire d'Accoucheur, tu contrôles plus rien.

Passan grimpa sur une carcasse de mobylette, sans roue, plantée dans le sol.

— Je veux finir le boulot, c'est tout.

— C'est tout ? Tu te retrouves à lyncher un mec, à bousiller le bureau d'un juge, à chercher des gants en latex au p'tit matin…

— En nitryle.

— En c'que tu veux… Dans un terrain vague de merde, toujours dans la plus parfaite illégalité. Tu devrais donner ta dém : ça serait plus rapide.

Le commandant enfonça sa tête sous sa capuche. La bruine lui collait à la peau.

— Si t'es au chômage, insista Fifi, comment tu paieras ta pension alimentaire ?

— Y aura pas de pension.

— Ben voyons.

— Naoko gagne plus que moi et on aura la garde alternée.

Le punk hocha la tête, but une nouvelle goulée puis poussa un soupir de satisfaction comme s'il venait de se désaltérer pour l'année.

— C'est comme cette histoire de baraque, continua-t-il d'une voix râpeuse. Tu t'retrouves à vivre ta vie en copropriété. Tu parles d'un projet. C'est une idée de Naoko, non ?

— Pas du tout. Pourquoi ?

Le lieutenant tira si fort sur son joint que le rougeoiement de l'herbe lui alluma les yeux.

— J'sais pas… Elle a toujours eu des idées bizarres.

En équilibre sur sa selle, Olivier se pencha vers le guidon de la mobylette :

— Où tu veux en venir ?

— Les Japonais sont différents, c'est pas un scoop. Toi-même tu m'as toujours dit que Naoko était… spéciale.

122

— J'ai dit ça, moi ? répéta-t-il, feignant la surprise. Donne-moi un exemple.

— Elle est hyper-dure avec les gosses.

— Pas hyper-dure. Sévère, c'est tout. Et c'est pour leur bien.

Fifi s'envoya une rasade et aspira une taffe dans la foulée : il puisait l'inspiration dans cette cadence infernale.

— T'as même pas pu assister à leur naissance ! cria-t-il comme si un argument décisif lui revenait soudain.

Passan ne s'attendait pas à cette attaque oblique.

— Elle a voulu accoucher dans son pays, admit-il au bout de quelques secondes. Pour que les enfants aient la nationalité japonaise. J'ai respecté sa décision.

Le punk enfonça le clou :

— Mais elle est partie sans toi.

Le flic se rembrunit. Il regrettait d'avoir confié à Fifi ce secret.

— Elle voulait être dans sa famille, bougonna-t-il. Elle disait que l'accouchement, c'est une histoire intime, qu'elle avait besoin de sa mère. De toute façon, je n'aurais pas pu l'accompagner, à cause du boulot…

Fifi ne répondit pas. Il s'alluma un nouveau joint – Olivier se dit qu'il allait bientôt cracher du feu. On n'entendait plus que les froissements de pluie lointains de la nationale. Il se revoyait en planque, dans un soum, alors que Naoko, d'une voix rauque, épuisée, lui annonçait la naissance de leur premier fils… À plus de dix mille kilomètres.

— C'était sa décision, répéta-t-il, et je la respecte.

Fifi ouvrit les bras, en signe d'évidence :

— Elle est spéciale, quoi.

Passan quitta d'un bond sa selle, antivol en main, et s'approcha du punk, qui eut un recul réflexe.

— De toute façon, qu'est-ce que tu m'emmerdes, là ? Tout est fini entre nous et...

La sonnerie de son portable lui coupa la parole. Il décrocha d'un geste.

— Allô ?

— C'est quoi cette histoire de sucettes ?

Naoko. Ni bonjour ni la moindre parole aimable.

— T'es passé à la maison cette nuit ?

— Pas du tout. Je...

— Me prends pas pour une conne. On était d'accord. C'est ma semaine. Tu ne dois pas foutre les pieds à la villa.

Passan ne comprenait rien. Il tenta de lui soutirer des explications :

— Calme-toi. Et dis-moi ce que tu me reproches exactement.

— Je te reproche de te glisser la nuit comme un voleur dans la maison et de déposer des sucettes dans le lit de nos enfants. Je te reproche de jouer au Père Noël pour je ne sais quelle raison et de ne pas t'en tenir à nos accords. Je te reproche de foutre en l'air l'organisation qu'on a décidée, ensemble. Je...

Passan n'écoutait plus. Un intrus avait pénétré dans la villa. *Dans la chambre de ses fils.* Un avertissement. Une menace. Une provocation.

QUI ?

Lentement, la voix de Naoko revint toucher sa conscience :

— C'est très important pour les enfants. Comment veux-tu qu'ils trouvent leurs repères ?

— Je comprends.

Il l'entendit soupirer. Quelques secondes s'écoulèrent. Il allait l'interroger encore quand elle reprit :

— Je veux que tu passes à mon boulot.

— Quand ?

— Aujourd'hui.

— Pourquoi ?

— Pour me donner tes clés. Une semaine chacun et un seul jeu de clés.

— C'est ridicule. C'est…

— Je t'attends avant le déjeuner.

Naoko raccrocha. Passan regarda son combiné. Il ne parvenait pas à aller au-delà de cette pensée : un ennemi avait pénétré son foyer, s'était faufilé jusqu'à ses gosses. Il avait l'impression qu'on lui retournait un pied-de-biche au fond de l'estomac.

Dans le vent pluvieux, Fifi chantait sur un ton ironique « Ma préférence », de Julien Clerc :

— *Il faut le croire, moi seul je sais quand elle a froid. Ses regards…*

Il eut juste le temps d'éviter le U en acier que Passan venait de lancer dans sa direction.

21

Moins d'une heure plus tard, Passan pénétrait dans le hall immense de la tour qui abritait les bureaux de Naoko. Sol de marbre. Colonnes en série. Hauteur de plafond vertigineuse. Chaque fois, il songeait à la nef d'une cathédrale. En guise de vitraux, de gigantesques baies s'ouvraient sur les autres tours et leurs miroitements obsédants. Un édifice sacré, dédié au culte du dieu Profit.

Le flic accéléra. Il lui semblait que ses pas provoquaient un boucan d'enfer. La société de Naoko occupait deux étages du building. Un cabinet d'audit qui avait la réputation d'analyser les bilans de chaque société avec une précision chirurgicale. Des rapports sans faux col pour des diagnostics salvateurs ou meurtriers, selon le point de vue. Suppressions de filiales. Licenciements. Objectifs renforcés…

En cet instant, dans cet espace d'acier, de verre et de résonance, tout lui semblait glacé, écrasant. À commencer par Naoko, qui l'attendait, debout, bras croisés, dans un carré délimité par des canapés rouges évoquant des canots de sauvetage perdus dans un océan minéral.

Elle avait sa tête des mauvais jours. Dans ces cas-là, son visage était un masque. Figure ovale, polie, sans défaut ni la moindre expression. Un monument de froideur, à la mesure du décor.

Elle jeta un regard réprobateur sur son allure : il était trempé, chiffonné, et pas rasé. Puis, sans un mot, elle ouvrit les bras et tendit sa paume ouverte.

Passan fit mine de ne pas comprendre. Elle portait une robe pastel dessinant des plis, des caresses autour de son corps filiforme. Une sorte de drapé ardent qui l'enveloppait et la faisait irradier d'une aura légère, envoûtante. Elle se tenait la tête penchée en avant, butée, obstinée. Son front était aussi lisse et blanc qu'un bol de porcelaine.

— Tes clés, jeta-t-elle sur le ton d'un flic qui ordonne à un voyou de vider ses poches.

— C'est absurde, fit-il en sortant son trousseau.

— Ce qui est absurde, c'est de vouloir acheter l'affection de tes mômes avec des sucettes.

Olivier déposa les deux clés dans la main de la Japonaise, qui se referma comme une serre de rapace. Naoko avait une particularité : à la moindre émotion, elle se mettait à trembler. Ses doigts virevoltaient, ses lèvres frémissaient. Passan s'était toujours demandé d'où provenait la réputation d'impassibilité des Japonais. Il n'avait jamais rencontré quelqu'un d'aussi passionné, d'aussi sensible que Naoko. Des nerfs tendus comme des cordes de koto.

— Tu veux demander la garde des enfants, c'est ça ?

— Arrête de dire n'importe quoi.

— Qu'est-ce que tu manigances au juste ?

— Mais rien. Je te jure, rien du tout.

Le silence se dressa entre eux, alors que le brouhaha du hall résonnait dans les hauteurs du plafond. Un murmure de paroissiens avant la grand-messe.

— Ces sucettes, risqua-t-il, tu les as trouvées à quelle heure ?

— Ce matin, dans leur lit. Je…

Naoko s'arrêta. Son teint devint livide.

— C'est pas toi ?

Passan baissa les yeux :

— C'est moi.

— C'est lamentable. Je veux être aussi présente, tu comprends ? C'est une semaine chacun, et basta. Si tu ne les aides pas à s'habituer aux nouvelles règles, on n'y arrivera jamais.

Il ne répondit pas. Naoko avait une autre singularité qui s'accentuait sous l'effet du stress : elle cillait beaucoup plus vite que n'importe quelle Européenne. Parfois, ce mouvement rapide des paupières lui donnait un air vif et espiègle. D'autres fois, cela lui conférait une expression d'extrême vulnérabilité. Comme si elle était effrayée par la violence de la réalité, éblouie par la dureté du monde.

— OK, fit-il pour conclure. Je t'appelle ce soir.

Naoko tourna les talons et se dirigea vers les ascenseurs.

— Pas la peine.

Passan fonçait sur le boulevard circulaire.

Toute son adolescence, il avait arpenté en mobylette cette couronne de béton autour de la Défense. Le moins qu'on puisse dire, c'est que le quartier s'était construit. La Grande Arche. Les tours EDF, CBX, les immeubles Exaltis, Cœur Défense… Des flèches de verre. Des pics miroitants. Des blocs translucides. Tout ça avait fendu le bitume, fracturé la croûte terrestre, à la manière d'une gigantesque poussée libérale. La tectonique des capitaux et des placements.

Sa philosophie sociale à deux balles ne pesait pas lourd face à la confirmation du pire. On était entré chez lui. On avait violé son espace vital. On avait profané le refuge de sa femme et de ses enfants. Comment était-ce possible ? En réalité, pas si difficile. Malgré son expérience du crime, il avait toujours refusé d'installer des verrous renforcés, des portes blindées, des systèmes d'alarme. Sa superstition était la plus forte : « Trop de prudence est mère de toutes les poisses. » Ou encore : « À trop craindre le malheur, on l'attire sur soi. »

Des maximes à la con, dont il ne pouvait se déprendre.

Naoko faisait la balance. Elle était d'une anxiété maladive, vérifiant trois fois chaque verrou, jetant toujours un œil par-dessus son épaule, serrant son sac dans la foule. Mais elle n'avait jamais pu imposer une installation sérieuse pour protéger la villa.

Chaque soir, elle s'assurait que tout était bien fermé. Si les serrures avaient été forcées, elle l'aurait remarqué. L'autre énigme était Diego. La mascotte de la maison n'était pas un champion de la surveillance mais il n'aurait jamais laissé quelqu'un pénétrer dans la chambre de Shinji et Hiroki sans aboyer.

Il tenta d'imaginer le profil de l'intrus : un pro de l'effraction, un oiseau de nuit… Des noms, des dates se profilèrent dans son esprit, aussitôt balayés par un seul : Patrick Guillard. La conviction se noua au fond de lui. L'Accoucheur était venu. C'était un avertissement : Passan ne devait plus l'approcher. Sinon, le conflit se réglerait sur un autre terrain.

Il parvenait rue des Trois-Fontanot. Non. Ça ne tenait pas debout. Guillard n'aurait jamais pris de tels risques. Il était beaucoup plus simple de continuer à jouer les victimes et de laisser faire la loi. Innocent et martyr : aucune raison de modifier sa ligne.

Dresser la liste de mes ennemis. Les gars qu'il avait foutus récemment sur le grill et qui n'étaient pas encore arrêtés. Les coupables qu'il avait entaulés et qui étaient sortis de prison. Ceux qui y étaient encore mais qui avaient des complices dehors.

Comme il s'engageait dans le parking, le nom de Guillard s'imposa à nouveau. À cet instant, il prit conscience d'un sentiment ambigu. Il était effrayé à l'idée qu'on puisse toucher un cheveu de ses fils mais en même temps, il en éprouvait une obscure satisfaction. Enfin, le salopard sortait du bois…

Il coupa le contact et prit la mesure de sa propre folie. Était-il donc plus flic que père ? Malgré les risques qui pesaient sur les siens, il ressentait une excitation guerrière. Guillard était en train de commettre l'erreur qu'il attendait depuis des mois.

Verrouillant sa voiture, il comprit qu'en réalité, il était coincé. Il aurait fallu enquêter dans sa villa. Découvrir des traces d'effraction. Relever les empreintes. Interroger les voisins… Il ne pouvait rien faire de tout ça. À moins d'expliquer la situation à Naoko, et cela, il n'en était pas question.

Il se dirigea vers l'ascenseur. De toute façon, l'intrus avait sans doute pris ses précautions et n'avait laissé aucune trace. La seule parade qui lui restait pour l'instant était la prévention. La surveillance permanente de la cible annoncée. *Sa propre famille.*

— Je veux des patrouilles jour et nuit dans mon quartier. Un soum devant chez moi. Des gars aux basques de Guillard vingt-quatre heures sur vingt-quatre. Un soum à la sortie de son impasse, square de Chézy. Des équipes devant chacun de ses garages. Une filoche de tous les instants ! Putain, si l'enfoiré tousse, je veux que ça vibre sur mon portable !

Il remontait le couloir au pas de charge. Fifi suivait à petites foulées.

— On n'a pas ces moyens-là, Olive. Et tu le sais.

— Je vais appeler le juge.

— Pas la peine. Des mecs surveillent déjà Guillard.

Passan s'arrêta :

— Qui ?

— La BRI. Albuy et Malençon.

Il les connaissait tous les deux. Pas des puceaux. De vrais hommes d'intervention, plus souvent en gilet kevlar et casque blindé qu'en civil.

— Qui les a saisis ? Levy ?

— Non. Calvini. (Fifi sourit de toutes ses dents

jaunes.) Il est plus malin que tu penses. Et il a pas besoin de tes crises pour garder Guillard à l'œil.

— J'ai pas confiance, fit Olivier en toute mauvaise foi. Je veux nos gars sur le coup, pigé ?

— C'est toi qu'as pas l'air de piger. Tu peux plus saisir qui que ce soit…

Passan reprit sa marche en éclatant de rire :

— Parce qu'on m'a retiré l'affaire ? Qu'est-ce qu'on en a à branler ? On va assigner le groupe et le matos sur un autre dossier. Merde, je vais pas t'apprendre le métier !

Parvenu devant son bureau, il actionna la poignée. Fermée. Nerveusement, il attrapa son trousseau et fit jouer sa clé. Elle n'entrait pas. En regardant mieux, il s'aperçut que la serrure avait été changée. L'huile brillait encore sur le canon.

— C'est quoi, ce bordel ?

— Ce que j'essaie de t'expliquer depuis que t'es arrivé. À partir d'aujourd'hui, t'es muté au troisième. Service statistiques.

— Statistiques de quoi ?

— Tous délits confondus, à répertorier par catégories. Taux de délinquance. Évolution de la criminalité dans le 92 sur les six derniers mois.

— N'importe quel ordinateur pourrait faire ça.

— Ils comptent sur ton œil d'expert.

— Je ne suis pas du SRPJ !

Le punk sortit de sa poche une enveloppe :

— La réquise officielle. T'es détaché de la Crime. Mesure exceptionnelle. On te mandate pour rédiger ce rapport à l'attention du ministère de l'Intérieur. (Il prit un ton ironique.) C'est une forme de promotion.

— Et nos affaires en cours ?

133

— Reza les reprend.

— Reza du 36 ?

— On retourne là-bas.

— Sans moi ?

Fifi ne répondit pas. Après la défaite, la débâcle. Olivier se passa les mains dans les cheveux, comme s'il allait en jaillir une idée, une explication. Mais il ne parvint qu'à siffler entre ses lèvres :

— Putain…

— Comme tu dis. Tant que l'affaire de l'autre nuit n'est pas réglée, tu dois la jouer *low profile*. Plonge dans les chiffres et fais-toi oublier.

— Et la surveillance chez moi ?

— Tout ce que tu peux faire pour l'instant, c'est aller porter plainte à ton commissariat. Et franchement, avec ton histoire de Chupa Chups, ça m'étonnerait que tu déplaces des montagnes.

Passan acquiesça, les mâchoires serrées. Un goût de bile lui brûlait la gorge.

— Je te montre ton nouveau bureau ?

Ils montèrent à pied, sans un mot. Au troisième, tout était à l'identique : moquette, luminaires, air recyclé… Pourtant, ni les murs ni les portes n'étaient vitrés. Au moins, il pourrait faire la sieste ou se masturber.

L'adjoint déverrouilla le bureau 314. Il fit un pas de côté et lui donna la clé. Passan considéra son nouveau repaire. Ironiquement, le soleil avait percé et dardait ses rayons sur le triste tableau. La pièce était entièrement remplie de dossiers, du sol au plafond. Des classeurs s'accumulaient par terre, bloquant les armoires. Des liasses jaunies s'amoncelaient, pelucheuses, frangées, émiettées, sur le bureau de fer.

— C'est pour quoi ces vieux machins ?

— Pour que tu puisses établir des comparaisons avec les années précédentes.

Il avança. La lumière révélait la poussière qui chargeait l'atmosphère.

Sur le seuil, Fifi l'observait, sourire aux lèvres. Passan crut qu'il se foutait de sa gueule mais l'adjoint sortit un Post-it de sa poche.

— T'as pas tout perdu aujourd'hui.

— C'est quoi ?

— Le scoop du jour.

Passan saisit la vignette et lut : « Nicolas Vernant ». Il leva les yeux vers Fifi, en signe d'interrogation.

— J'ai pris un café ce matin avec un pote de l'OCR-TEH. Ils préparent un coup de filet. Un réseau de pédos qu'ils filent sur informatique depuis plusieurs mois.

— Ce mec est sur la liste ?

— En une année, il comptabilise près de trois mille connexions sur les pires sites du genre. Son pseudo, c'est Sadko.

— Et alors ?

— Et alors, il bosse à l'Aide sociale à l'enfance de Nanterre.

Passan comprit aussitôt. Prévenir le type et négocier avec lui. La disparition de son nom en échange du dossier de Patrick Guillard. Pur coup de bluff. Il n'avait pas les moyens de proposer un tel deal et jamais il n'épargnerait un pédophile. Mais qui le savait ? Certainement pas le salopard.

— Quand vont-ils les serrer ?

— Vendredi. T'as jusqu'à la fin de la semaine pour lui soutirer ton dossier. Les bureaux de l'ASE sont à la mairie de Nanterre, à moins d'une borne d'ici et...

— Je connais.

Il glissa le nom dans sa poche et remercia Fifi d'un signe de tête. Le punk disparut. Il ferma la porte, et attrapa le téléphone du bureau.

Une ordure à foutre sous pression. Un deal à passer avec un pédophile pour obtenir le dossier d'un assassin présumé. Les origines du monstre à portée de main… Peut-être de quoi le confondre, l'inculper – et l'arrêter.

Des bonnes nouvelles. Mais des bonnes nouvelles de flic.

24

Solidarité de fonctionnaires.

Passan avait joué cette carte avec Nicolas Vernant. Il l'avait joint à son bureau, s'était présenté et avait tout balancé : la surveillance sur le Net, le coup de filet du vendredi suivant, son nom sur la liste... Il voulait lui épargner le pire. Empêcher son arrestation. Éviter un scandale à l'administration française.

L'autre avait protesté mais Olivier l'avait appelé Sadko avant de conclure : « Pas au téléphone. » Il lui avait donné rendez-vous à 18 heures, dans un café-brasserie qu'il connaissait, derrière le bâtiment pyramidal de la mairie de Nanterre, le Chris'Belle. Vernant n'avait pas eu le temps de répondre : le flic avait déjà raccroché.

Il avait passé le reste de la journée à étudier non pas les fichiers statistiques, mais les récentes sorties de prison de tous ceux qu'il avait enchristés. Multipliant les coups de fil, s'usant les yeux sur les fichiers ou sur Internet, il avait vérifié les procès, les dossiers d'appel, les demandes de liberté conditionnelle, les situations et les alibis de chacun de ses ennemis. Il avait contacté des collègues, des indics, des vieilles connaissances pour se rancarder sur tous ceux qui pouvaient lui en vouloir. Avec trois années à la DPJ Louis-Blanc, quatre à la BRI puis sept à la Crime, ça faisait pas mal de monde.

Il n'avait rien trouvé de concret. Il s'était seulement rempli les bronches de poussière et le cerveau de souvenirs merdiques – sans pouvoir dresser une liste sérieuse de suspects.

Du côté de la rue Cluseret, tout ce qu'il avait réussi à obtenir était qu'une patrouille du commissariat de la place du Moutier, à Suresnes, passe de temps à autre devant sa villa. C'était peu, mais mieux que rien. Il n'avait pas porté plainte, n'avait signé aucun document. Les flics lui rendaient ce service, « par esprit de corporation ». Ni les enfants ni Naoko n'étaient encore rentrés à la maison. Pour assurer la surveillance de la soirée, il avait son idée.

17 h 30. Il roulait maintenant vers le café du rendez-vous, remontant l'avenue Joliot-Curie à Nanterre. Parvenu devant la mairie, vaste pyramide tendance maya, il se gara dans le parking suspendu et prit la direction de la rue du 8-mai-1945, en contrebas. Il connaissait les lieux par cœur : ce passage était précisément le chemin qu'il empruntait jadis quand il séchait les cours.

Il était déjà revenu ici, lors de ses débuts à la Crime, quand Richard Durn avait abattu huit élus et en avait blessé dix-neuf autres à l'arme de poing, le 27 mars 2002. Sur le théâtre du massacre, il ne s'était posé qu'une question : avait-il été en classe avec le tueur dément ? Ils étaient nés tous les deux en 1968 et avaient sans doute usé les mêmes chaises dans les mêmes salles du lycée Joliot-Curie, situé en face de la mairie. Par analogie, il avait remercié le ciel d'avoir échappé, lui, à la délinquance et à la folie.

Le Chris'Belle n'avait pas bougé. Une espèce de grotte en plexiglas, encastrée sous un étage de béton strié. Il croyait se souvenir que ce nom était né de l'association des deux prénoms des enfants du patron : Christian et Isabelle. Il pénétra dans la brasserie. Aucun changement non plus à l'intérieur. Simili-bois. Simili-cuir. Simili-marbre. Même la lumière maussade avait quelque chose d'imité, de préfabriqué.

Il repéra vite son client, planqué au fond d'un box. Un échalas au crâne en pain de sucre qui se tenait bien droit derrière sa chope de bière. Passan était payé pour ne jamais céder au délit de faciès mais sur ce coup, le mec avait bien la tête de l'emploi. Sous sa mèche grasse, sa peau blafarde luisait dans le clair-obcur de la salle. *Un pervers.*

Passan s'assit brutalement face à lui. Quand l'autre sursauta, il eut confirmation qu'il s'agissait bien de l'animal. Il sortit de sa poche une liasse de papiers pliée en deux – un listing pris au hasard dans les montagnes d'archives de son bureau.

— Tu sais ce que c'est ?

— Non… non.

— La liste des connexions d'un site plutôt salé.

Vernant regarda les feuilles d'un air apeuré.

— Je… je comprends pas.

— Tu comprends pas ? (Il se pencha et prit un ton de confidence.) Ton pseudo apparaît plus de mille fois sur ce listing. On a même la preuve que tu as consulté ce site dégueulasse depuis ton bureau. Tu veux les dates et les heures ?

Le gars passa du blanc au pur vélin. Il n'y avait plus qu'à l'achever.

— À l'ASE, ça fait plutôt désordre, non ?

Cambré sur son siège, le pédo tentait de garder une certaine contenance. Il tendit la main vers la liasse : Passan lui saisit le poignet et le tordit avec violence, lui arrachant un couinement de douleur.

— Touche pas. On s'est pas encore mis d'accord.

Il lâcha sa prise. La main disparut de la surface de la table. Vernant avait les larmes aux yeux.

— Qu'est-ce que vous prenez, monsieur ?

Un serveur venait d'apparaître à ses côtés.

— Rien, merci, fit le flic sans quitter des yeux sa victime.

— Je suis désolé, il faut consommer ici.

Levant la tête, il découvrit un solide gaillard d'une quarantaine d'années, à l'air agressif. Il devina qu'il s'agissait de Christian, le fils de la maison.

D'un geste, il sortit sa carte :

— Et toi, qu'est-ce que tu veux prendre ?

L'homme se dématérialisa. Vernant se ratatina sur son siège. À chaque seconde, il avait l'air un peu plus seul, un peu plus effrayé. Il avait compris que pour la solidarité entre fonctionnaires, il faudrait repasser.

— Avec les mecs comme toi, y a que deux voies possibles, reprit Passan d'un ton de rage froide. La manière douce et la manière forte.

L'autre tenta de déglutir. Sa pomme d'Adam trembla mais visiblement, ça ne passait pas.

— La manière douce, c'est que je t'emmène, là, tout de suite, dans un coin tranquille, et que je t'écrase les couilles entre deux parpaings. Ma version personnelle de la castration chimique.

140

Silence de Vernant. Passan devinait qu'il se frottait lentement les mains sous la table, paume contre paume, à s'arracher la peau.

— Et... la manière forte ? souffla-t-il enfin.

— La justice poursuit son chemin. Avec ce qu'on a sur toi, et ce que je me chargerai d'ajouter, t'es bon pour plusieurs années.

— Vous...

— En taule, les pointeurs comme toi ont un traitement spécial. Ça prendra plus de temps que mes parpaings, et ça sera plus douloureux, mais crois-moi, le résultat sera le même. Tu pourras toujours garder tes couilles dans un bocal, comme les eunuques de l'empire chinois.

— Vous... vous êtes sûr que vous êtes flic ?

Sourire de Passan :

— Y a plein de flics dans mon genre, mon salaud. Heureusement. Sinon, les enculés comme toi seraient tous en liberté, à se branler dans les cheveux des mômes.

— Qu'est-ce... qu'est-ce que vous voulez ?

— T'as un stylo ?

Le fonctionnaire tendit un Stypen. Sans doute s'attendait-il à ce qu'on lui retourne un ongle ou qu'on lui crève un œil.

— Ta main.

Vernant dut se dire que c'était l'option ongle qui sortait mais Olivier se contenta d'écrire le nom de Guillard à l'intérieur de sa paume.

— Il est né sous X, le 17 juillet 1971 à Saint-Denis. Je veux son dossier demain midi, ici même.

— C'est impossible. Les dossiers sont confidentiels et ce n'est pas ma juridiction.

Passan brandit sa liasse :

— Ce qui est *vraiment* impossible, c'est de retirer ton putain de nom de cette liste.

Vernant regarda sa paume :

— C'est… c'est un nom très banal.

— 17 juillet 1971. Saint-Denis. Tu trouveras. Je te fais confiance.

Il fourra le listing dans sa poche et cracha dans la bière du pervers :

— Demain midi. Ici même. Ne me déçois pas.

Quand il franchit le seuil du café, il sentait sa veste peser sur ses épaules collées de sueur. Il se demanda s'il n'avait pas passé l'âge pour ce genre de conneries. En même temps, il se trouvait encore convaincant dans le rôle du flic brutal. Ce qui dans son métier était une forme d'assurance sur l'avenir.

18 heures passées. Le deuxième round commençait.

25

It's quarter to three, there's no one in the place
Except you and me...
Make it one for my baby
And one more for the road...

Naoko avait déniché sur Internet ce DVD espagnol, seule version disponible de *The Sky's the Limit*. Un film méconnu de Fred Astaire datant de 1943. Si sa mère était une fan de Godard, de Truffaut, de Resnais, Naoko n'aimait que la danse classique et les claquettes. Passan aurait voulu qu'elle soit plutôt portée sur les films de Mizoguchi ou le théâtre kabuki. D'autres pensaient qu'elle adorait les *idols* japonais ou encore les délires du butô. Mais non. Elle avait des goûts occidentaux – et démodés. Elle raffolait des grands ballets. *Giselle. Coppélia. Le Lac des cygnes.* Elle était incollable sur le nom des danseuses étoiles, des chorégraphes. Toute sa jeunesse, à Tokyo, son cœur avait battu sur des pas de deux. Elle arpentait souvent, par la pensée, l'Opéra Garnier et le Bolchoï, lieux mythiques qu'elle s'était juré de visiter.

Mais ce qu'elle préférait par-dessus tout, c'étaient les comédies musicales américaines des années 30 jusqu'aux années, disons, 50. À l'extrême limite, les films de Stanley Donen avec Audrey Hepburn, *West Side Story*, *The Sound of Music*… Pas de salut au-delà.

22 heures et elle se sentait bien. Les enfants étaient couchés. Après un bain à quarante-deux degrés, elle était encore emplie d'une chaleur bienfaisante. Elle avait l'impression d'émettre une sorte de buée de repos, d'épanouissement. *Enfin*…

Installée dans sa chambre – plateau de bois sur couette rouge, potage aux asperges et thé grillé –, les yeux rivés à l'écran, elle alternait les lampées de chat et les gorgées parfumées.

Au fil de la journée, sa colère était retombée et l'idée que les clés de Passan se trouvaient dans son sac la réconfortait. Il ne pouvait plus s'immiscer dans sa vie.

Soudain, elle attrapa la télécommande et stoppa le DVD. Elle avait perçu un martèlement bizarre, qui ne cadrait pas avec la respiration ordinaire de la villa. Instantanément, elle pensa à Diego. Où était-il ?

Elle tendit l'oreille. Plus rien. Elle imagina les entrailles du bâtiment. Canalisations. Câbles électriques. Ventilation. L'architecte de l'époque avait intégré tous ces systèmes à l'intérieur des murs. Pas une plinthe, pas un fil n'apparaissait. Naoko n'aimait pas cette idée. Comme si la maison possédait une vie cachée.

Elle se leva et se dirigea vers la porte, aux aguets. Aucun bruit dans le couloir. Elle s'y risqua. L'obscurité figeait le décor. Elle esquissa quelques pas, sans allumer : le silence régnait toujours. Ses pieds nus étaient glacés.

Premier réflexe, les enfants. Ils dormaient paisiblement, dans la pénombre constellée d'étoiles de la veilleuse. En éteignant la lampe, son inquiétude monta en régime. Qu'avait-elle entendu au juste ? Des coups ? Des pas ? Diego ? *Une présence étrangère*. Ça ne pouvait pas être Passan.

Elle vérifia les placards de la chambre puis retourna dans le couloir. Elle réprima un cri. Diego se tenait devant elle, haletant lourdement. Elle éclata de rire. Elle l'aurait embrassé. L'animal semblait tout à fait tranquille. Elle descendit l'escalier, le chien dans les jambes. Sols en béton peint, murs-rideaux, aucun meuble ou presque : par ses lignes strictes, sa nudité, la villa rappelait les maisons traditionnelles japonaises. Dans une version lourde et solide, qui ne craignait pas les tremblements de terre.

Elle traversa le salon, la salle à manger. Rien à signaler. Direction le sous-sol. L'antre de Passan. Elle alluma le couloir et fit le tour des pièces. Elle se sentait mal à l'aise ici. Son ex semblait y avoir laissé une espèce de ressentiment. Elle remonta d'un pas furtif et rejoignit la cuisine, incapable de se défaire de son angoisse, malgré la présence de Diego.

Sans allumer, elle s'adossa au comptoir et se força à respirer à fond. Enfin, elle s'approcha du réfrigérateur. Un bon jus de fruit et au lit. Elle posait la main sur la poignée quand elle aperçut, à travers la fenêtre, la voiture de Passan.

Sa colère se réveilla instantanément. Elle partit au pas de charge en direction de la porte d'entrée, attrapa son trousseau de clés et bondit dehors. Elle traversa la pelouse, sentant ses talons marteler la terre. Ses pensées suivaient la même cadence. Elle haïssait cet homme. Son obstination, son caractère buté, ses manières de flic. Il n'avait rien compris. Il ne comprendrait jamais rien...

D'un geste rageur, elle appuya sur la télécommande. Le portail s'ouvrit. Elle franchit le seuil, ignorant l'asphalte humide sous ses pieds nus.

— Qu'est-ce que tu fous là ? hurla-t-elle.

Passan descendit sa vitre :

— Je suis venu voir si tout allait bien.

Elle aperçut, sur le siège passager, la bouteille thermos de thé vert et un roman de Tanizaki. Une mélodie de flûte *shakuhachi* jouait en sourdine. Le kit du parfait petit Japonais ringard. Elle l'aurait tué.

— Tu n'as donc pas compris ce matin ? C'est ma semaine, tu piges ? Tu n'as pas le droit de rôder ici ! Je vais en parler à mon avocat.

Passan haussa les sourcils :

— Ton avocat ? On a dit qu'on prenait le même !

Elle croisa les bras :

— J'ai changé d'avis.

— Il n'y a plus de conciliation ?

— Tire-toi ou j'appelle les flics.

— Elle est bonne.

Passan ouvrit sa portière mais Naoko la referma aussi sec d'un coup de talon.

— On ne vit plus ensemble ! hurla-t-elle. Tu vas te foutre ça dans le crâne ? JE N'AI PLUS BESOIN DE TOI !

D'un signe de tête, Olivier désigna la villa :

— J'ai vu que t'avais allumé le sous-sol. Un problème ?

146

Sa voix de petit chef. Son calme de garde du corps. Naoko balança un nouveau coup de pied dans la portière.

— Casse-toi de chez moi !

Il leva une main en signe d'apaisement et tourna la clé de contact :

— OK... Ne t'énerve pas.

Naoko ne se contenait plus. Elle martela de ses poings le toit de la voiture.

— CASSE-TOI ! CASSE-TOI !

Passan démarra, faisant siffler ses roues sur le bitume trempé. Naoko eut juste le temps de s'écarter.

Elle se sentit brusquement asphyxiée, à court de souffle. Elle porta la main à sa gorge lorsque soudain, sans avoir rien vu venir, elle se mit à vomir à toute force. Le jet acide lui brûla l'œsophage, enflamma son visage. Elle tomba à genoux, les yeux brouillés de larmes.

Au bout de plusieurs secondes, l'onde de choc passa. Elle se sentit soulagée. Elle avait craché le caillot de colère qui lui pesait depuis le matin.

Chancelante, elle traversa la pelouse. Diego l'attendait. Son poil gris paraissait argenté à la lumière des lampes de la rue. Naoko se dit qu'il était passé par la trappe de la cuisine puis aperçut la porte entrouverte – dans son élan, elle n'avait rien fermé. Elle caressa l'animal qui lui faisait fête comme s'ils se retrouvaient après une longue absence.

— C'est bon, Diego... C'est bon, là, calme-toi..., murmura-t-elle.

Elle se sentait fébrile mais aussi dénouée, vidée. Elle allait enfin pouvoir dormir en paix. Dans la cuisine, elle se rinça la bouche au robinet, sans allumer.

Elle se souvint de sa première idée : un verre de jus de fruit.

Elle ouvrit la porte du réfrigérateur et fit un bond en arrière en hurlant.

Face à elle, un fœtus d'au moins six mois ricanait de sa bouche morte.

26

Passan avait exigé que tout le monde se déchausse : flics, techniciens scientifiques, légiste... Pas question qu'on vienne piétiner le sol de sa maison avec des pompes dégueulasses, même à travers des surchaussures. Il avait sonné la cavalerie : le commissariat de Suresnes, les hommes de son groupe, Rudel, de l'institut médico-légal de Garches, Zacchary et son équipe... Il n'y avait plus de raisons d'épargner Naoko. C'était elle, désormais, qui était en première ligne.

Pour l'instant, il faisait les cent pas sur sa pelouse, observant sa future ex-épouse à distance. En vérité, il redoutait une nouvelle engueulade, comme si tout ce qui arrivait cette nuit était de sa faute – ce qui, en un sens, était la vérité.

Dans les lumières tournoyantes, elle ne lui avait jamais paru aussi belle. Elle se tenait bien droite, pieds nus, les deux bras enserrant ses épaules tremblantes, au milieu des bleus qui allaient et venaient, marquant le périmètre de sécurité. Derrière elle, la façade de crépi blanc, frappée par les rayons des gyrophares, évoquait un gigantesque écran de cinéma.

— C'est pas un fœtus.

Stéphane Rudel retirait sa combinaison, debout sur le gazon. Sous sa gangue de papier, il portait un polo Lacoste, un jean et des chaussures bateau aux semelles blanches. Il semblait prêt à remonter sur son voilier ou à aller boire un verre chez Sénéquier, à Saint-Tropez.

— Quoi ? fit Passan. Qu'est-ce que tu dis ?

— C'est un cadavre de singe, continua-t-il en fourrant la combinaison dans son cartable. De la famille des capucins. Ou des ouistitis. Un truc de ce genre.

Passan se frotta le front. Il entendait le claquement des flashs à l'intérieur de la maison. La cuisine grouillait de techniciens de l'IJ. *Sa propre cuisine*.

— J'ai déjà vu des singes dans ma vie.

— Celui-là est écorché.

Il observa le visage de Rudel comme s'il s'agissait d'un palimpseste rare, sur lequel il pouvait lire une vérité insoupçonnable.

— Tu me fais une autopsie ?

— Les singes, c'est pas mon rayon.

— Appelle un véto. Démerde-toi.

— Envoie-le à l'IML, grommela le toubib. Je vais voir ce que je peux faire.

Il repartit dans la nuit, cartable à la main, sans un mot d'adieu. Naoko avait disparu elle aussi. Sans doute allée voir les enfants. Passan fit encore quelques pas et essaya de se concentrer : un singe. En un sens, c'était une sacrée piste. Ils allaient pouvoir remonter ce type de filières, ils...

Levant les yeux, il aperçut, de l'autre côté de la rue, les voisins à leurs fenêtres. *Putain de merde*. Tout ce qu'il avait voulu éviter survenait à la puissance dix. La menace claire et ciblée. La situation d'urgence. Toutes les raisons de paniquer. Il ne s'agissait plus des caprices d'un flic parano mais de la procédure normale « afférant à assurer la sécurité d'un plaignant ». Le seul point positif était qu'il n'aurait plus de problèmes pour obtenir une surveillance permanente de sa maison.

Il notait un autre fait : vrai fœtus ou singe écorché, l'allusion à la natalité était évidente. La signature aussi : l'Accoucheur.

En rentrant, il tomba sur Zacchary qui se rechaussait sous la galerie ouverte. Toujours en combinaison blanche, toujours coiffée de sa capuche froncée.

— T'as quelque chose ?

— Trop tôt pour le dire. Mais a priori, rien de significatif. Pas d'effraction, pas d'empreintes, que dalle. Mes gars continuent.

Il ne s'attendait pas à un miracle. Un type capable de s'introduire chez un condé, alors même que ce dernier est en faction devant le portail, n'est pas précisément un amateur.

Il prit son ton « plus flic, tu meurs » :

— Tu me passes la cuisine au peigne fin. Ainsi que toutes les autres pièces.

La coordinatrice haussa les épaules.

— QUOI ? hurla Passan.

— Rien. On peut toujours rêver.

Sur ces mots, elle se dirigea vers le portail, ses valises chromées à la main. Passan se retourna : Naoko se tenait de nouveau sur le seuil. Elle avait retrouvé son air résolu.

Quand il était môme, il lisait en boucle un recueil de nouvelles : *15 histoires fantastiques*. Parmi elles, il y avait « La Vénus d'Ille » de Prosper Mérimée.

L'histoire d'une statue antique exhumée de terre, corps noir, yeux blancs, qui semait la terreur autour d'elle. Ce souvenir avait toujours nourri sa conviction : la femme est une force volcanique, incorruptible, dotée de grands yeux blancs qui vous regardent avec dureté. D'une certaine façon, il avait trouvé le négatif de la Vénus : une sculpture blanche avec des yeux noirs.

— T'as pas froid ?

Naoko fit signe que non. Il s'était rapproché d'elle, à quelques mètres de la galerie.

— Les enfants dorment ?

Elle secoua la tête, mi-incrédule, mi-rassurée :

— Je ne sais pas comment ils font. J'ai fermé les volets. Tu es sûr qu'ils doivent partir ?

— Certain. Je veux que les techniciens retournent la maison, du sous-sol au toit. Tu as eu Sandrine ?

— Elle est en route. Tu vas m'expliquer ce qui se passe, oui ?

Passan préféra répondre à côté :

— Le légiste est formel. C'est pas un fœtus.

— C'est quoi alors ?

— Un singe. Un capucin ou un ouistiti.

Naoko éclata d'un rire nerveux :

— Ça a l'air d'une blague.

— Le corps est écorché. On va appeler un véto pour l'autopsie. On en saura plus demain.

— Tu ne m'as pas répondu : qu'est-ce qui se passe ?

— Rien.

Elle lui décocha un coup de poing dans le bras :

— Ne joue pas à ça avec moi ! C'est lié à ton boulot ? C'est un avertissement ?

— Il est trop tôt pour le dire, hésita encore Passan.

— Qui a pu faire un truc pareil ?

— J'ai peut-être une idée. Mais je dois vérifier quelque chose.

Elle parut saisie par une évidence :

— Les Chupa, c'était pas toi ?

— C'était pas moi.

— Connard.

— Je ne voulais pas t'inquiéter.

La Japonaise fit quelques pas sur la pelouse brillante, qui s'éclipsait à intervalles réguliers au rythme des gyrophares. Tout semblait lunaire. Elle se passa la main dans les cheveux et réprima ses larmes.

— Tu m'as toujours tout caché. Et tu continues encore… Ton sale boulot de flic…

— Pour te protéger.

Son sanglot s'étrangla en un rire :

— C'est réussi.

— Je ne sais pas ce que signifie ce bordel. Je dois revenir vivre à la maison.

Naoko recula comme si un serpent l'avait touchée :

— Pas question.

— Seulement le temps qu'on règle ça.

— Pas question, je te dis. On ne reviendra pas en arrière.

— Alors déménage avec les enfants.

— Pas question non plus. C'est trop facile.

Il marqua son désaccord d'un signe de la tête mais, au fond, il était heureux de sentir sa détermination. Ils étaient faits du même acier.

— Dans ce cas, laisse-moi avancer mon tour.

— Quoi ?

— On alterne dès demain. Je m'installe pour la semaine.

Naoko se mordit la lèvre. Il aperçut ses dents parfaites, petites et blanches, entre ses lèvres rondes.

— Qu'est-ce qu'on va dire aux enfants ?

— On trouvera. Ce qui compte, c'est que je sois ici pour réagir en cas de problème.

Elle ne répondit pas. Ce silence était un assentiment.

Enfin, elle leva le menton et déclara :

— Voilà Sandrine.

27

Elle conduisait avec prudence sur le boulevard péri-phérique désert. Les deux enfants se tenaient à l'arrière. Hiroki déjà rendormi, Shinji silencieux, les yeux ouverts face à la nuit. Les éclairs des luminaires lui passaient sur le visage comme des spectres silencieux. Sandrine surveillait les garçons dans son rétroviseur, sans lâcher du regard l'axe d'asphalte qui filait sous ses roues.

Deux visages pâles, deux dômes noirs et soyeux... Elle retrouvait chez eux la beauté mystérieuse de Naoko. Une pureté inconnue de ce côté-ci de la Terre. Quel gène ? Quelle source ? Quelle genèse ? Ses pensées se perdaient, scandées par les lampes des tunnels. Comme Shinji, elle était hypnotisée par cette nuit en pointillés – et ses réflexions lui paraissaient à la fois flottantes et extrêmement précises.

Elle ne pensait pas à la terreur mêlée de flegme de Naoko et d'Olive. Ni à tous ces flics maladroits, qui couraient en tout sens dans la villa. Elle constatait qu'encore une fois, sur un simple coup de fil, elle s'était jetée dans ses fringues, avait pris sa Twingo, traversé Paris d'est en ouest pour rejoindre Suresnes. En moins d'une demi-heure, elle était là, à pied d'œuvre, pour offrir son aide, récupérer les enfants, proposer son épaule à qui voudrait pleurer...

Pourtant, dans la tourmente, personne ne l'avait remarquée. Elle avait attendu dix minutes, plantée sur le gazon, face au couple qui se rejouait la grande scène du deux.

Un fœtus écorché dans le réfrigérateur. Un intrus dans la maison. Un message de mort à peine déguisé. Il y avait de quoi paniquer, d'accord. Mais lui avait-on demandé comment elle allait, elle ? Si ses métastases galopaient toujours ? Si ses plaquettes chutaient encore ?

Personne ne lui avait posé de question. Parce que personne n'était au courant.

Au début de sa maladie, elle s'était convaincue d'être maîtresse de sa décision de ne pas en parler. Puis elle avait compris que les autres l'avaient obligée à agir ainsi. Par leur égoïsme, leur indifférence, ils l'avaient contrainte à la discrétion. S'ils avaient su et qu'ils ne l'avaient pas appelée, leur silence l'aurait achevée...

La première tumeur avait été découverte sous le sein gauche, en février, à la suite d'une banale consultation de la médecine du travail. Sandrine n'avait pas vraiment réalisé. D'autres analyses avaient révélé des métastases au foie et à l'utérus. Elle ne captait toujours pas. Elle ne se sentait pas malade. Lors de la première perfusion, elle avait enfin pris la mesure de la situation. Le mot « chimiothérapie » est un signal d'alerte que tout le monde comprend. Pourtant, la seule manifestation de son cancer était le traitement. Elle allait donc guérir avant même d'éprouver la maladie.

Tout avait changé avec les effets secondaires. On l'avait prévenue qu'elle allait ressentir une forte fatigue. Ce n'était pas le mot qui convenait. Elle s'était littéralement dissoute sous l'effet du produit. Elle avait fondu comme dans un cauchemar au point de se disloquer, de se liquéfier en une sorte de flaque d'hébétude.

Les vomissements avaient commencé. Depuis quatre mois, elle se gavait de Primpéran, de Vogalène, traquant le moindre signe d'écœurement, le moindre malaise. D'après les médecins, cette appréhension provoquait d'autres nausées. Et ainsi de suite. Si on ajoutait les bouffées de chaleur, on aurait pu croire qu'elle était enceinte.

Enceinte de la mort.

Comme disent pudiquement les toubibs, les « problèmes de transit » avaient suivi. Elle ne savait plus s'il s'agissait d'une conséquence du cancer, de la chimio ou des médicaments qu'elle ingurgitait pour lutter contre les effets indirects du traitement. Ses mécanismes intimes étaient en vrac. Une semaine, les grandes eaux. Une autre, la muraille de Chine.

D'autres désagréments étaient apparus. Elle ne supportait plus le froid, au point d'être obligée de porter des gants quand elle prenait des aliments dans le réfrigérateur. Elle avait perdu le sens du goût – ou plutôt, quoi qu'elle mange, c'était toujours la même saveur de métal au fond de sa bouche. On lui avait expliqué le phénomène : la thérapie provoquait une inflammation de certaines muqueuses, comme celles de la bouche, du tube digestif ou encore de la paroi génitale. S'il y avait eu du sexe dans sa vie, elle n'aurait rien senti non plus. Son existence avait la couleur verdâtre de la moisissure.

À d'autres moments, au contraire, le monde sensible revenait en force, la submergeait. Son odorat se déréglait, atteignant une acuité terrifiante. Elle était alors capable de repérer un mégot enfoui dans une poubelle, le parfum d'une collègue dans la pièce d'à côté. Elle tirait cinq fois la chasse d'eau tant son urine lui paraissait pestilentielle. Sa propre sueur la rendait folle. Cet état la ramenait aux nausées, qui se réveillaient de plus belle. Les cercles de Dante, tournant au fond de son propre corps…

La porte du Pré-Saint-Gervais surgit sur sa droite. Elle s'arracha à ses sinistres pensées et bifurqua d'un coup de volant. En quelques feux verts, elle fut dans son quartier. L'avenue Faidherbe et ses lumières. Le petit bâtiment mochard de sa cité. Cinq étages de vie triste et sans histoire, à base de formica et d'allocations chômage. Aucun doute : on était chez elle.

Parking. Portière arrière. En douceur, elle réveilla les deux garçons :

— Allez, mes bébés… On est arrivés.

Elle souleva Hiroki et l'installa en appui sur elle. La tête de l'enfant retomba avec lourdeur dans le creux de son épaule. Ses jambes, par réflexe, s'enroulèrent autour de sa taille. Elle verrouilla la voiture. Shinji ouvrait la marche, d'un pas à la fois vacillant et mécanique, à mi-chemin entre éclaireur et somnambule.

Digicode. Minuterie. Ascenseur. Une poignée de secondes encore et les garçons dormaient dans sa chambre. Elle se contenterait du convertible du salon. Les enfants n'étaient pas dépaysés – ils étaient déjà

158

venus ici. Comme toutes les vieilles filles, Sandrine était toujours heureuse de jouer les mamans par intérim.

Dans la salle de bains, elle appuya sur le commutateur, s'observa dans le miroir. Ses traits n'étaient pas si désagréables. Qu'est-ce qui n'avait pas fonctionné ? Pourquoi avait-elle raté chaque station de son existence ? Le terminus était déjà là alors que rien, ou presque, n'était survenu dans sa vie.

D'un geste, elle arracha sa perruque.

Elle ricana en découvrant son crâne pointu dans la glace.

II
COMBATTRE

28

10 heures. Boulevard périphérique, porte Maillot.

Au volant de sa Subaru, Passan slalomait entre les voitures, le deux-tons hurlant. Il s'était réveillé une heure auparavant, en pleine hallucination. Un fœtus écorché sortait du ventre de Naoko. Elle lui souriait et murmurait des paroles en japonais. Il avait mis plusieurs minutes à retrouver ses repères. Douche. Café. Costume. Des courbatures meurtrissaient ses membres. La nausée du manque de sommeil. L'oppression de la peur…

Freud disait qu'un « cauchemar est la réalisation franche d'un désir repoussé ». Passan tenait le Viennois pour un vrai génie mais parfois, il déconnait sec. Les caillots sanglants, les muscles luisants, les yeux énormes jaillissant de l'entrejambe de Naoko : aucune chance qu'il y ait là matière à désir refoulé.

Porte de Champerret.

Il prit la bande d'arrêt d'urgence et remonta la file des véhicules. Après l'inspection minutieuse de sa propre maison, il avait laissé des hommes rue Cluseret et était retourné dans son trou, à Puteaux, abandonnant

Naoko dans la villa profanée. Depuis ce matin, des flics surveillaient l'école.

La vision de sa femme, debout devant son portail, lui avait laissé un goût ambigu au fond de la gorge. Une question lancinante lui incisait les nerfs. Aimait-il encore Naoko ? Certainement pas. Mais il n'avait plus le choix. Depuis longtemps, elle faisait partie de lui. Elle était sa famille.

Porte de Clichy.

Orphelin, il n'avait jamais compté que sur lui-même. Il avait musclé son corps, enrichi son cerveau. Il s'était inventé des règles, des cadres, des valeurs. En rencontrant Naoko, il avait dû apprendre à partager cette forteresse. La Japonaise avait un caractère bien trempé mais elle restait fragile, vulnérable. Il avait mis du temps à l'englober au sein de son système de sur-vie. Progressivement, ils étaient devenus à eux deux une vraie machine de guerre.

Porte de Clignancourt.

À la naissance des garçons, il avait fallu tout recommencer. Nouveau morcellement. Nouvelle fragilité. Il était Shinji. Il était Hiroki. Il était redevenu, malgré tous ses efforts, un être craintif et exposé. Il vivait désormais comme tous les parents, sous l'emprise d'une constante appréhension. Il se réveillait la nuit pour un détail. Ou à cause d'un cauchemar : Hiroki chutait dans un escalier, Shinji ratait une dictée, l'un ou l'autre sanglotait derrière une porte close – *et il ne pouvait rien faire*. Il ouvrait les yeux dans la nuit, trempé d'angoisse, apercevait la forme du .45 glissé dans son holster de cuir et mesurait le gouffre de son impuissance.

Porte de la Chapelle.

164

Maintenant, le cauchemar était devenu réel. La menace s'était concrétisée. Avant de s'écrouler, il avait encore passé des coups de fil, lancé des sondes, secoué l'état-major, afin de vérifier qu'aucune évasion n'avait été signalée ou un quelconque acte bizarre notifié. Rien, bien sûr. D'ailleurs, il n'avait plus besoin d'autres pistes.

Le crime était signé. Le fœtus, c'était du Guillard tout craché.

Porte d'Aubervilliers.

Il prit la bretelle et découvrit l'imbroglio du quartier rénové, qui n'avait plus rien à voir avec la friche industrielle de jadis, ponctuée d'entrepôts vétustes et d'usines fermées. C'était désormais une immense zone commerciale à l'américaine. Le Millénaire n'était pas achevé mais il brandissait déjà son drapeau spécifique, comme si on pénétrait ici dans une principauté dédiée aux loisirs et à la consommation. Entre les chantiers en effervescence, les coques de béton brut, les édifices à peine terminés, le quartier donnait l'impression d'avoir ouvert trop tôt – ou de finir trop tard.

Sous l'averse, Passan n'y voyait rien. Il avait préféré arrêter sa sirène, pour ne pas ajouter au merdier général. Les déviations se multipliaient, bégayant toujours le même panneau : « Autres directions ». Les artères longeaient la ligne de tramway en construction, des parvis se multipliaient, des chantiers se creusaient. Passan se frayait un chemin tant bien que mal dans ce labyrinthe.

Selon le GPS, il n'était plus qu'à quelques mètres de son objectif. Il était d'abord passé à la villa pour déposer ses affaires et prendre du matériel, après le départ de Naoko. Le Rubalise entourait encore son jardin et les bleus postés en surveillance n'avaient pas été étonnés par sa visite : après tout, il était chez lui.

Avenue Victor-Hugo. Passan braqua sur la gauche et traversa la voie à contresens, forçant les véhicules qui arrivaient à freiner. Il atteignit le parking de la concession Feria et pila en dérapant. Sa Subaru, maculée encore de la boue de Stains, se refléta dans la vitrine, mordant les chromes scintillants des modèles exposés à l'intérieur. Il coupa le contact et sortit comme un démon.

Il fit le tour de la voiture et ouvrit son coffre. Il hésita une brève seconde puis attrapa la hache. Depuis des années, il appliquait cet adage personnel : « La meilleure idée, c'est toujours la pire. » Il n'était pas là pour s'en prendre à Guillard mais pour se défouler sur quelques capots et pare-brise. Marchant vers la devanture, il aperçut les vendeurs derrière la vitre, costard impeccable, cravate au cordeau : ils l'avaient reconnu et avaient déjà compris.

Il leva sa hache à deux mains pour frapper un grand coup.

Des bras le ceinturèrent. Un canon d'acier s'enfonça dans sa nuque. On lui bloqua les mains dans le dos. Dans son délire, il avait complètement oublié les gars de la BRI aux basques de Guillard.

La seconde suivante, il était allongé dans une flaque. Une main le désarma puis une voix rugit dans son oreille gauche :

— Calme-toi, Passan. Putain, sinon, j'te jure, j'te fous les pinces.

Redressant la tête, Olivier hurla en direction du garage :

— Sors de ta planque, enculé ! Viens ici qu'on s'explique !

Il y eut un silence. Plus rien ne bougeait dans le show-room. Seule la rumeur du trafic grondait derrière eux.

Passan tenta de tourner la tête et s'adressa aux cerbères qui l'immobilisaient :

— Lâchez-moi. C'est bon, là.

— T'es sûr ?

— Sûr, souffla-t-il. Laissez-moi me relever.

Les keufs s'écartèrent. Passan était trempé de la tête aux pieds. Il considéra les deux anges gardiens, Albuy et Malençon. Le premier se la jouait gigolo, moulé dans un costard de chez Arnys, planqué malgré la pluie derrière des Ray-Ban Wayfarer. Le second avait un look de surfer – short baggie, débardeur à l'effigie des Red Hot Chili Peppers et Vans épuisées. Les deux lascars portaient leur calibre bien en évidence : Glock 17 9 mm Para pour l'un, Sig P226 Blackwater pour l'autre.

— T'es défoncé ou quoi ? demanda Albuy. T'as pas assez d'emmerdes ?

Passan baissa les yeux et vit que son Beretta était déjà glissé dans la ceinture de l'OPJ. Sa hache avait volé deux mètres plus loin. Une nouvelle intuition le traversa. Son regard se porta vers la vitre perlée de pluie : une ombre venait de se matérialiser. L'animal était là, protégé par le verre renforcé. Il se tenait immobile, sa carrure de culturiste sanglée dans un costume d'étoffe noire.

Passan bondit sur sa hache et l'abattit de toutes ses forces contre la vitre. Le tranchant rebondit avec une telle violence que le manche lui échappa. Les deux flics étaient de nouveau sur lui.

— Si t'approches encore une fois ma famille, beugla Olivier, je te tue de mes propres mains ! Je t'arracherais les couilles si t'en avais !

— Putain, Passan, calme-toi !

L'un des flics avait saisi le col de sa veste et semblait vouloir lui enfoncer la tête à l'intérieur.

— J'te jure qu'on va t'embarquer.

Il sentit un goût de fer sur ses lèvres. Dans la bousculade, il s'était pris un coup : sa lèvre était ouverte. Il cracha un glaviot rougeâtre et hurla :

— Ce bâtard est venu chez moi cette nuit...

— Cette nuit ? Impossible. On le surveillait.

Olivier regarda le flic endimanché. La pluie ruisselait sur son visage et y collait ses cheveux. Son costard de prince claquait comme une voile déchirée dans les bourrasques du vent.

— Un mec comme lui a pu vous filer entre les pattes.

— Tu nous prends pour qui ? Des baltringues ? J'te jure que sur ce coup, Guillard a le cul propre.

Passan se retourna vers la façade : l'adversaire avait disparu. Les flics relâchèrent leur emprise. Il les considéra encore : durs, coriaces, dignes de confiance.

— Vous le protégez ou vous le surveillez ?

Albuy cracha à son tour :

— On travaille à la sécurité générale.

L'atmosphère se détendit. Passan se massa les tempes. Et s'il avait tout faux ?

Au loin, une sirène se rapprochait. Un comble : les commerciaux de Feria avaient appelé les flics...

29

Il s'était réfugié dans un angle mort du show-room et n'avait plus bougé, à l'écoute de son cœur qui, lentement, reprenait un rythme régulier. Maintenant, il observait la scène à travers la baie vitrée : les flics d'Aubervilliers, ses employés expliquant l'agression, Passan et les deux cerbères se justifiant à grand renfort de gestes. Le tableau avait quelque chose de comique, digne des pantomimes des films muets.

Ils s'agitaient pour rien : il ne porterait pas plainte. Le combat ne se déroulait plus sur ce terrain.

Enfin, l'Ennemi reprit sa voiture et démarra en faisant hurler ses pneus.

Il tremblait par convulsions. Il devait admettre la sinistre vérité : de nouveau, voyant le flic s'approcher avec sa hache, il avait cédé à la peur la plus élémentaire.

— Ça va, monsieur ?

Un de ses agents commerciaux se tenait à deux mètres de lui. L'homme était couvert de termites dévorantes, des ailes d'insectes noirs en guise de paupières. Un bourdonnement enserrait son crâne. Il se passa la main sur le visage pour balayer l'hallucination et rajusta son nœud de cravate. Une forme de réponse : le sous-fifre n'insista pas et disparut.

Il traversa le hall d'un pas trop raide. Ses narines se dilataient. En quête d'apaisement, il humait les odeurs d'essence, de caoutchouc, de cuir qui planaient dans la pièce. Ce show-room était son sanctuaire. Ciment verni, tôles lustrées, moteurs surpuissants : l'univers brillant d'un esprit tourné vers le futur. C'était ainsi qu'il s'imaginait : demi-dieu visionnaire, démiurge industriel...

Il rejoignit l'open-space cloisonné en compartiments vitrés. Derrière les parois translucides, ses équipes chuchotaient sur son passage. Le préjudice ne cessait de s'aggraver. Les visites du flic, les filatures, la garde à vue, les rumeurs... Depuis deux jours, ces types postés devant la concession. Et maintenant l'agression...

Avant de pénétrer dans son bureau, il adressa un sourire à la cantonade. Personne ne le soupçonnait ici. Pour dire la vérité : *personne n'osait le soupçonner.* D'ailleurs, ces évènements n'avaient eu aucune incidence sur le chiffre d'affaires de ses garages, qui se maintenait à la hauteur du marché.

Il ferma la porte et se rendit compte, avec un temps de retard, qu'il chuchotait lui aussi. Les tremblements ne cessaient pas. Sa chemise trempée formait sur ses pectoraux saillants une seconde peau. Une nouvelle crise se préparait. Il avait l'impression de se morceler. Ce moi qu'il avait mis tant d'années à solidifier menaçait de voler en éclats.

Il souleva un cadre fixé au mur. Coffre-fort. Code. Il plongea ses mains dans la cavité, écarta les enveloppes de cash, les liasses de documents administratifs et trouva la chemise cartonnée.

Il allait s'asseoir quand ses muscles faciaux se crispèrent puis se tordirent en un cri silencieux. Une flambée de sueur perla sur son front. Sentant ses muscles se tétaniser, il paniqua pour de bon. Lâchant son dossier, il réussit à contourner le bureau et à rejoindre la salle de bains attenante. Il trouva dans l'armoire au-dessus du lavabo une capsule d'Androtardyl. Il déchira l'enveloppe d'une seringue, fit monter le produit. 200 milligrammes. Dose absurde : il s'était déjà injecté la même chose l'avant-veille. Ses doigts tremblaient. La jouissance à venir hurlait dans son bas-ventre. Cette faim monstrueuse jamais repue…

Il planta l'aiguille dans le pli du coude et appuya sur le piston. La sensation de brûlure commença, puis le plaisir l'inonda… L'onde circulait dans son corps. Son carburant. Sa sève…

Il ferma les yeux, courbé en deux sous l'effet de la délivrance. Il revoyait des scènes de sa propre malédiction, mais dans une version légère, étrangement insouciante. Ses années d'adolescence à l'hôpital. Prises de sang. Tests d'urine. Injections de testostérone, encore et toujours… Le poison l'avait rendu à la fois fou et fort, mâle et divin… Les hormones avaient violé son organisme et, peu à peu, avaient remplacé son sang.

Les médecins l'avaient mis en garde : il fallait, absolument, respecter les doses. Dans les salles de musculation, des « collègues » avaient abusé des androgènes. Certains étaient morts. D'autres étaient devenus impuissants.

Qu'en avait-il à foutre, lui ?

Il était né mort et impuissant.

Il se laissa glisser sur le sol, sentant la deuxième vague survenir. Après la chaleur, la force. Il eut soudain envie de soulever de la fonte. Se casser des gueules.

Entre deux spasmes, il ouvrit l'eau froide de la douche et s'accroupit, tout habillé, sous le jet.

Il resta ainsi, tapi au fond de la cabine, attendant que le crépitement glacé mette fin à la fièvre. Les minutes passèrent, battant par à-coups, interminables. Enfin, il se déshabilla, toujours sous la douche. Aujourd'hui encore, quand il ôtait ses vêtements, il éprouvait la sensation d'arracher des pansements. Il se sécha et attrapa dans son armoire un peignoir de coton blanc. Il l'enfila puis revint dans le bureau.

Il baissa les stores, mit en marche une veilleuse, alluma des bâtons d'encens dont l'odeur âcre lui parut purifier instantanément l'air ambiant. La fumée absorbait les cellules néfastes qui planaient ici – ces molécules agressives qui cherchaient à le scinder, le déchirer, pour le transformer en homme ou en femme, faisant craquer son intégrité, son intimité…

Il retourna s'asseoir derrière son bureau, accentuant la lenteur de ses gestes. Il voulait être le Sage de sa propre existence. Le Ministre de son propre Culte. Il fit sauter les élastiques de la chemise et feuilleta les liasses photocopiées. *Nous y voilà…*

Il avait dû attendre sa majorité pour avoir accès à son dossier médical. Cela avait été un choc, mais un choc salutaire.

La précision des termes scientifiques lui avait fait du bien. Lui qui avait grandi dans l'incertitude, il aimait ces noms tout droit sortis d'une encyclopédie spécialisée. Ils formaient autour de lui une armure, une carapace, lui offrant une assise, une identité. *Ses titres de gloire.*

1971, diagnostic de cryptorchidie. 1974, génitoplastie. 1984, caryotype féminin. 1985, nouvelle génitoplastie. 1986, androgénothérapie… Plusieurs articles scientifiques lui étaient consacrés. Il était un cas d'école. Un « hermaphrodite vrai ». Un « intersexué ». Un *Ovotesticular Disorder of Sexual Development*. Lui se considérait comme un être *hybride*. Il aimait ce terme, parce qu'il l'associait aux Hébrides, ces îles situées à l'ouest de l'Écosse, et plus encore aux Nouvelles-Hébrides, au sud-ouest de l'océan Pacifique. Il se concevait comme un habitant d'un continent inconnu. On encore comme un « être du Milieu », en référence au monde du *Seigneur des Anneaux*.

Il ferma le dossier et passa à d'autres liasses : rapports de police, coupures de presse… La suite n'appartenait pas au domaine médical mais à la rubrique des faits divers.

1988. Dans un petit bar de Saint-Gély-du-Fesc, près de Montpellier, un ivrogne le traite de « tafiole » ou de « tarlouze » – il ne se souvient plus du terme exact. Il se rue sur le gars et lui brise une trente-trois centilitres sur le visage. On réussit à le maîtriser alors qu'il attaque le deuxième œil à coups de tessons.

Durant son séjour à la Colombière, l'hôpital psychiatrique de Montpellier, il intègre plusieurs vérités. La première, il doit lever le pied sur les injections de stéroïdes. La deuxième, sa mutation n'est pas complète. Il s'est rasé la tête, a sculpté son corps, changé sa voix. La testostérone a épaissi ses doigts, élargi ses mâchoires. Mais la femme est toujours là, *en transpa-*

rence. Même un poivrot a vu clair au fond de lui. La troisième vérité, c'est qu'il aime la violence. C'est la seule pulsion qui l'apaise.

Il comprend que, dans cet univers hostile, il va falloir la jouer fine. Tromper son monde. Dissimuler ses désirs. Et tirer profit de son handicap. D'ailleurs, il lui suffit de sortir son dossier médical pour que l'environnement s'adoucisse. Le juge se montre bienveillant, les infirmiers, les médecins compréhensifs.

Contrairement à ce qu'on pense, il y a une pitié pour les monstres.

À sa sortie de la Colombière, c'est l'impasse. Pas question de passer le bac – il ne veut pas moisir dans un bureau. Pas question non plus de suivre une formation technique – il ne veut pas devenir un esclave. Son nouvel éducateur référent entend dire qu'il n'a pas son pareil pour booster une mobylette ou regonfler une bagnole épuisée. Il réussit à convaincre un garagiste des environs de Sommières de le prendre en stage. L'être du Milieu se révèle sous les capots des coupés et des berlines. Il répare les mécaniques et, en retour, il règle la sienne. Il aime démonter et remonter les systèmes. Comprendre comment ça marche. Sentir sous ses mains la puissance des moulins, la vibration des soupapes. Ce sont ses mathématiques à lui. Un terrain neutre, à la fois brûlant et froid, où il peut se perdre et s'oublier.

En réalité, ses hantises ne le lâchent pas mais il avance masqué.

Les autres n'y voient que du feu – c'est le cas de le dire.

1989. Il bénéficie d'un contrat jeune majeur mais refuse d'habiter un foyer de jeunes travailleurs. Il préfère dormir dans le garage, près des moteurs, dans les odeurs de graisse et d'essence. Il prend des cours du soir. On lui enseigne les fondements de l'ingénierie. Ses injections d'androgènes trouvent leur rythme. Cerise sur le gâteau : l'amnistie de 1988, à l'occasion de la réélection de François Mitterrand, a effacé son ardoise judiciaire.

1991. Changement de crèmerie. Embauché par un garagiste vieillissant à Béziers, il fait des merveilles. Il sait bichonner les machines mais aussi parler aux clients. Deux ans plus tard, le propriétaire passe la main, lui offrant des conditions de rachat exception-nelles. Il a vingt-deux ans. Sa passion ne faiblit pas. Il répare. Rénove. Rembourse. Pas de femme, pas d'homme dans sa vie – juste de la tôle, des pistons, de la puissance. Il porte maintenant un bandana rouge, des verres fumés, un bleu de chauffe qui masque ses formes musclées. L'ironie est que défile dans son garage tout ce que la région compte de machos. Des fous de bagnole qui ne voient pas plus loin que le bout de leur queue et pensent que les femmes ne sont pas dignes de salir le cuir de leurs caisses.

De temps à autre, il cède à ses démons. Personne ne le sait. Personne ne le sent. Lui-même parvient à se persuader que ses actes nocturnes n'existent pas.

1997. On lui propose de gérer une concession à Montpellier pour des marques allemandes. Il laisse tomber le bandana et revoit sa tenue vestimentaire. Complet noir Armani, boots Weston, chemises Paul Smith à col dur. Il a tellement travaillé sa voix, son maintien, ses gestes qu'une nouvelle mutation ne lui fait pas peur.

Il a vingt-six ans. Sa carrière est exemplaire, exponentielle. Il vit maintenant dans un vaste appartement au cœur du quartier de l'Écusson. Ses clients l'invitent à dîner. Il est admis dans la haute société de Montpellier. Tout lui sourit. Tout, sauf lui-même.

Au fond de ses ténèbres, rien n'est réglé. Chaque soir, il endosse des vêtements féminins. La nuit, il lui arrive de visiter les cliniques, les hôpitaux de la région, déguisé en infirmière. Parfois, il passe à l'action. Les articles régionaux qui défilent sous ses doigts l'attestent : ses cauchemars sont bien réels.

L'être du Milieu est toujours en surchauffe. Sa vie est pure, aussi aseptisée qu'un bistouri passé à l'autoclave. Une lame aiguisée, sans la moindre souillure, pour mieux mutiler...

1999. Il liquide ses biens, ses crédits, et part à la conquête de l'Amérique. Texas. Utah. Colorado. Arizona. Il revient au bleu de chauffe et aux moteurs. Il est libre. Il est heureux. Il se sent bien dans ce pays ouvert aux immigrés, même lorsqu'ils viennent, comme lui, d'une planète impossible.

Mais le feu est toujours là, près de son cœur. D'autres coupures de presse, rédigées en anglais, font état de ses exploits dans les déserts américains. Les sexes qui s'entrechoquent au fond de lui sont comme deux disques d'acier au contact, tournant à dix mille tours-minute. Il ne peut trouver l'épanouissement que dans l'incandescence. Son destin est un brasier.

2001. Le mécanicien rentre en France. Pas n'importe où : dans le 9-3. Nostalgie pour les villes de son enfance ? Il ne connaît pas ce genre de sentiment. Il en connaît d'autres : soif de destruction, appel du sang... Il dispose toujours d'un pactole, héritage de sa période méridionale. Son CV s'est enrichi de deux années aux États-Unis et d'une connaissance approfondie des technologies les plus avancées. Il achète un garage à Saint-Denis et ouvre sa première enseigne : Alfieri.

Il a trente ans. L'enfant prodigue est de retour. Il est temps de régler ses comptes.

Il leva les yeux et prit conscience que deux heures s'étaient écoulées. Ses doigts trempés de sueur étaient couverts d'encre. Les lignes des articles indéchiffrables. Il se sentait apaisé. Comme d'habitude, le rappel de son parcours lui avait apporté espoir et réconfort. Il avait ainsi évolué jusqu'à l'ultime étape – celle où il avait trouvé la clé de son destin.

La Voie du Phénix.

30

Naoko avait toujours appréhendé de partager la vie d'un flic, de côtoyer cet univers de violence, de vice. Pourtant, en dix ans, rien de grave n'était jamais arrivé. C'était aujourd'hui, alors même qu'ils se séparaient, que la catastrophe tant redoutée survenait. Les Français appellent ça l'« ironie du sort ».

Elle était assise sur un des bancs qui longent le canal de l'Ourcq, porte de la Villette. Le soleil était là mais il paraissait en convalescence, affaibli, à peine sorti de la gangue de l'hiver. Elle attendait Sandrine pour un déjeuner express. Son amie était bien gentille de l'écouter encore. Mais à qui d'autre parler ?

Elle n'avait pas fermé l'œil de la nuit. Seule dans la villa, avec deux flics en faction devant sa porte, elle avait attendu le jour, cloîtrée dans sa chambre, revoyant en boucle l'horrible bestiole dans son réfrigérateur. Qu'est-ce que cela signifiait ? Qui se vengeait ainsi ?

Passan, comme toujours, ne lui avait donné aucune explication. Mais peut-être n'avait-il pas la moindre idée de ce qui se passait. Elle avait multiplié les scénarios. Un caïd de la drogue tout juste sorti de taule avait tué le singe à coups d'injections d'héroïne et l'avait placé dans le frigo en guise de message de mort. Un tueur en série, un taxidermiste fou, s'était glissé dans leur maison, prévoyant déjà de les naturaliser, elle et ses enfants. Ou encore un médecin défroqué, qui avait tué plusieurs femmes en pratiquant des opérations esthétiques délirantes, revenait maintenant pour la défigurer...

Autour d'elle, les quais étaient déserts. L'eau était noire. Des joggers passaient de temps en temps, courant après un rêve de jeunesse éternelle, quelque chose de désespéré qu'ils ne rattraperaient jamais. Au loin, le dôme de la Géode scintillait comme une monstrueuse boule à facettes. La Cité des sciences et de l'industrie barrait le ciel, à la manière d'un lieu de culte abritant un mystère.

Ce décor lui rappelait les premières œuvres de Giorgio De Chirico, qui l'avaient bouleversée alors qu'elle visitait les musées de New York avec ses parents. Elle avait lu dans le guide que le peintre exprimait la solitude de l'homme, l'énigme des rêves, une métaphysique du néant... Elle n'y comprenait rien. Dans son pays, la solitude n'existe pas. Hormis le lendemain du jour de l'An, difficile de trouver une rue déserte à Tokyo ou à Osaka. Et encore, il y a toujours les esprits. Elle n'était ni shintoïste ni bouddhiste, mais elle était convaincue que des forces invisibles peuplent le monde. Des divinités qui tissent la trame supérieure de la réalité et donnent sa cohérence à l'univers.

Malgré le soleil, elle grelottait sur son banc. Elle revoyait les yeux morts, les petites dents déchirant la chair brune. Cette image persistait au fond de sa rétine. Tout ce qu'elle contemplait était marqué, en filigrane, par ce cauchemar...

En vérité, elle n'était pas étonnée. Elle méritait ce châtiment. Elle avait volé un bonheur auquel elle n'avait pas droit. Son père l'avait prévenue : un mariage avec un *gaijin* était contre nature. Sa mère l'avait prévenue, pour d'autres raisons : ce mariage était contre *sa* nature. Quand son couple avait décliné, Naoko avait presque été soulagée. La sentence qu'elle attendait survenait enfin. *Bien mal acquis ne profite jamais...*

— Salut !

Sandrine s'avançait, agitant nerveusement la main. Elle était de plus en plus mal fagotée. Une tunique indienne, un jean trop ample, trop court, avec un large revers. Une tête livide, fardée à outrance. Des mèches de crin, écrasées par un chapeau de paille. Une fleur derrière l'oreille... Des excentricités qui tombaient à plat et qui devaient déclencher l'hilarité de ses élèves. Sandrine se voulait « hippie revival », elle ressemblait à un épouvantail.

Naoko se leva. D'autorité, l'autre lui fit quatre bises. Elle détestait ça. Sandrine sentait la sueur et le musc. Ses gestes étaient maladroits, brutaux, presque inquiétants. Mais d'une certaine façon, tout cela réconfortait Naoko. Cette femme bizarre était son ange gardien.

Depuis son réveil, elle l'avait appelée à trois reprises. D'abord pour s'assurer que ses enfants avaient bien dormi. Puis pour vérifier qu'ils étaient bien arrivés à l'école. Enfin pour proposer ce « rendez-vous de crise ».

180

— T'es sympa de venir jusqu'ici, fit Sandrine en rajustant son chapeau.

— Tu rigoles ou quoi ? C'est toi qui es gentille de m'accorder encore du temps.

Son amie sourit, à la manière d'un pompier qui jaillit à travers les flammes. *Ne me remerciez pas, c'est mon métier.*

— Il y a du nouveau ?

D'un signe de tête, Naoko désigna le quai désert.

— On marche ?

Elles firent quelques pas en silence, bras dessus, bras dessous. Enfin, Naoko évoqua son malaise, son angoisse irrépressible.

— Ne t'en fais pas, la rassura Sandrine, Olive va régler ça.

— Il ne dit rien, fit-elle la tête baissée. Il n'a jamais rien dit.

— Tu n'as jamais rien voulu savoir. C'est toi qui lui interdisais de parler de son métier…

Naoko sourit malgré elle. Sandrine connaissait leur histoire par cœur. Elle avait raison : ce mur du silence, c'est elle-même qui l'avait édifié.

— Cette agression est forcément liée à son boulot, reprit l'autre. Il va mener son enquête et arrêter le salaud qui a fait ça. Mais tu dois quitter la villa.

— C'est ce que je fais. À partir d'aujourd'hui, c'est lui qui prend le relais.

— Le relais ?

— Avec les enfants.

Sandrine parut déçue :

— Je ne les garde pas ce soir ?

— Non. On est au moins d'accord là-dessus. On ne cédera pas à la menace.

— Tu viens dormir à la maison ?

Sans savoir pourquoi, Naoko mentit :

— Non, je te remercie. J'ai trouvé un hôtel, près du bureau. Je commence hyper tôt en ce moment.

Sandrine enchaîna :

— Donc, Olive reprend le flambeau et le combat continue ?

— Exactement. Nous allons nous battre.

Elles étaient parvenues au pied de la passerelle qui permet d'accéder à la Cité des sciences, de l'autre côté du canal.

— Tu veux grignoter quelque chose ? demanda Sandrine avec enthousiasme.

— Non. Je n'ai pas faim. Mais si tu veux, on peut aller…

— Laisse tomber, fit son amie d'un ton crispé.

Elles continuèrent sous le pont. La berge était toujours aussi déserte. Dans la lumière poudreuse, la pierre blanche contrastait violemment avec les eaux noires. Le tableau avait une dureté solaire.

— Il n'a aucun soupçon ?

— Je te répète qu'il ne me dit pas un mot. De toute façon, ça fait des mois qu'on ne se parle plus. Cette histoire n'a rien changé.

Insensiblement, Sandrine la poussait vers le bord de l'eau. Naoko l'avait souvent remarqué. Dès qu'elles se promenaient, elle se pendait à son bras et avançait à l'oblique, comme un crabe.

— Tu dois lui faire confiance. C'est un flic. C'est son métier.

— Justement.

— Justement quoi ?

Naoko hésita avant de poursuivre. Elle avait évité, toute la nuit, cette hypothèse. La pire de toutes, mais qui tenait la route face aux autres :

— Et si c'était lui ?

Sandrine s'arrêta, incrédule :

— Quoi, lui ?

— Qui essaie de me faire peur.

— T'es malade ou quoi ?

— Il n'y a pas eu d'effraction. Le chien n'a pas aboyé. L'intrus est un familier.

— Pourquoi ferait-il ça ?

— Je sais pas. Pour nous rapprocher. Nous forcer à faire front ensemble contre un ennemi imaginaire.

— Il ne veut plus divorcer ?

Elle ne répondit pas. Jamais Passan n'avait manifesté le moindre doute au sujet de leur séparation. Peut-être exprimait-elle, au contraire, son propre dilemme... Elle ne savait plus où elle en était.

— Tu délires complètement, asséna Sandrine. On dirait que tu as oublié qui est Olive.

Naoko reprit sa marche. Le seul fait d'énoncer cette crainte à voix haute l'avait soulagée. D'ailleurs, durant quelques secondes, elle n'y crut plus. Puis le doute revint, lancinant...

— C'est un flic, s'obstina-t-elle. Il ne connaît que la violence, les rapports de force.

— Et alors ?

— Je me demande si toutes ces années dans la rue ne l'ont pas rendu cinglé... Je... je...

Elle fondit en larmes, libérant la tension qui l'oppressait depuis la nuit précédente. Sandrine la saisit par les épaules, la tourna et la prit dans ses bras.

— Ma petite, je dois te dire que t'es en train de déconner à plein tube.

Naoko se dégagea de l'étreinte et essuya ses larmes. Elles suivirent de nouveau la berge. La pierre claire, le canal sombre, la poussée oblique de Sandrine. Tout cela l'écœurait. Elle eut soudain envie de dormir, de sombrer dans l'inconscience.

— Je me demandais…, marmonna Naoko. Vous étiez ensemble quand je l'ai connu, non ?

— Non. C'était déjà fini.

— Comment était-il avec toi ?

— Ça n'a été qu'un flirt. Rien à voir. Tu es l'amour de sa vie.

Naoko nia d'un signe de tête :

— Non. Tout ça, c'est terminé.

— On a compris. Mais vous devez rester soudés le temps de cette galère…

Naoko renifla, sortit un kleenex et sourit. Sandrine, avec son allure fofolle et ses gestes désordonnés, était dotée d'un solide bon sens qu'elle n'avait jamais eu. Elle, la Japonaise, supposée froide et réservée, partait au quart de tour à la moindre idée délirante.

Cette fois, ce fut elle qui enlaça Sandrine. L'odeur de musc lui monta aux narines, l'emplissant d'un sentiment de réconfort presque animal.

— Je sais pas ce que je ferais sans toi…

31

Depuis deux heures, Passan étudiait le dossier de l'Aide sociale à l'enfance consacré à Guillard Patrick. À midi, il était retourné au Chris'Belle. Vernant avait le document. Olivier l'avait aussitôt feuilleté puis était reparti au pas de course. L'autre l'avait rattrapé, tentant de lui arracher une promesse. Il n'avait obtenu qu'un direct dans le foie.

Le flic avait foncé jusqu'à Nanterre-Parc puis s'était enfermé dans son bureau du troisième, écartant tous les dossiers, les empilant contre la porte pour que personne ne le dérange. Il avait réglé la climatisation au plus frais avant de plonger dans les origines de l'hermaphrodite.

Entre-temps, Isabelle Zacchary l'avait appelé, pour lui faire un compte rendu sur l'atelier de Stains. Rien ne pouvait être retenu contre Guillard. Ses empreintes étaient partout mais pas sur le corps lui-même ni sur les instruments chirurgicaux qui avaient servi à le charcuter. Sur ses vêtements, pas le moindre fragment biologique appartenant à la victime, pas la moindre liaison avec le sacrifice. On n'avait pas non plus retrouvé de seringue ni de chlorure de potassium. Passan ne fit pas de commentaire. Son idée était que le salopard s'en était débarrassé dans le brasier du nourrisson.

Quant à la prétendue fuite d'un autre homme par la porte de derrière, c'était la thèse du « Pourquoi pas ? » qui persistait. Il existait bien une autre issue. Elle n'était pas verrouillée et ne portait aucune autre empreinte que celles de Guillard. Suffisant pour l'inculper ? Non. Écoutant Zacchary, Passan songeait toujours aux gants de nitryle – plus que jamais, la seule preuve reliant le tueur à sa victime.

Il fallait retourner au terrain vague, chercher encore...

Il n'avait reçu aucune nouvelle de Levy et il n'en attendait pas. Si de nouveaux éléments étaient découverts, il serait le dernier averti. Il était en quarantaine et il savait pourquoi : tant qu'il rôderait dans les parages, l'enquête serait sujette à caution... Lors du procès d'O. J. Simpson, un des faits qui avaient permis sa libération était que le détective responsable de l'enquête avait répété, lors d'une seule conversation téléphonique, plus de quarante fois le mot « nègre ». Cette seule circonstance avait suffi à jeter le discrédit sur les preuves qui accablaient le joueur de football américain. S'il voulait être crédible, Levy avait intérêt à tenir Passan à distance.

Le dossier Guillard était plus fertile. Dès les premières lignes, le flic se retrouva en terrain de connaissance. Éducateurs référents. Enfants placés. Parents de substitution. Famille nourricière. Famille agréée... Un vocabulaire qu'il connaissait par cœur. Passan n'avait jamais éprouvé la moindre empathie pour le suspect

186

mais à la lecture de son dossier, il devait se rendre à l'évidence : ils sortaient tous les deux du même merdier.

Les premiers feuillets contenaient un scoop : Guillard avait vu le jour à l'institut médical Sainte-Marie, à Aubervilliers. Quand un enfant naît sous X, la règle administrative est d'inscrire comme lieu de naissance la mairie de la commune concernée. Or, la fiche d'état civil de Guillard indiquait celle de Saint-Denis. Le fonctionnaire qui l'avait déclaré avait ajouté cet obstacle supplémentaire pour brouiller un peu plus les pistes – à moins que ce soit une simple erreur.

Il fallait donc repartir de zéro. Visiter l'établissement hospitalier. Consulter ses registres. Identifier la mère sans nom ni visage. En espérant qu'on ne s'était pas amusé à falsifier *aussi* la date de naissance. Autre fait singulier : étant donné qu'on choisit en général comme patronyme pour un enfant né sous X trois prénoms, le troisième faisant office de nom de famille, d'où venait « Guillard » ? Une création du fonctionnaire ? Impossible de le savoir.

La loi accorde soixante jours à la génitrice pour revenir sur sa décision. Elle est en droit aussi de laisser une lettre que son enfant pourra lire à l'« âge de discernement », avec l'« accord de ses représentants légaux ». La mère de Guillard n'avait pas changé d'avis. Et elle n'avait rien laissé. À partir de là, Patrick était devenu adoptable mais personne ne s'était jamais porté candidat : comme dans tout autre domaine, les adoptants évitent les mauvais numéros de série.

Cela leur faisait un point commun : Passan non plus n'avait jamais été adopté. Pour une autre raison : il n'avait jamais été orphelin. Sa junkie de mère avait toujours survécu. À distance. Un jour, elle méditait dans un ashram du Sikkim. Un autre, elle vivait en communauté à Auroville, au nord de Pondichéry. Plus tard, elle suivait une cure de détox à Zhongdian, à la frontière tibétaine. Puis on la retrouvait à Calcutta, disciple d'un maître hindouiste qui pratiquait des sacrifices à Kali. Passan lisait ses rares lettres avec incrédulité. Il l'imaginait patauger dans le sang et les fleurs, une chèvre égorgée à ses pieds. Quand elle s'était fait le fix ultime, Passan avait vingt ans. Un peu tard pour se trouver une famille.

Comme Guillard, il avait connu les week-ends dans des foyers vides, les vacances en colonie, le perpétuel ballottage entre juges et éducateurs. Il avait éprouvé cette soif d'amour sans but ni objet qui assèche le cœur. Ce manque de tendresse qui vous durcit la carne.

L'enfant Guillard n'avait jamais fait de vieux os nulle part. Ce n'était plus une éducation, c'était de l'intérim. Le dossier contenait les noms et les coordonnées des éducateurs mais Olivier savait que personne ne parlerait. Son seul atout était un coup de chance. En 1984, Guillard avait séjourné au foyer Jules-Guesde, à Bagnolet. Or, Passan y avait lui-même passé plusieurs années. Il fut tenté de téléphoner puis se dit qu'aller sur place serait plus efficace.

Avant de partir, il contacta tout de même quelques foyers et lieux de vie. Partout, ce fut le même black-out. Il tombait sur des animateurs trop jeunes qui ne savaient rien ou des éducateurs trop vieux, qui avaient volontairement perdu la mémoire. Même accueil ou presque dans les familles. Il réussit pourtant à échanger quelques mots avec une dénommée Janine Lestaix, qui avait accueilli Guillard en 1982, à Clichy-sous-Bois. La femme faisait une faute de français à chaque phrase, ponctuant ses assertions de « faut qu'j'voye » ou encore « y a pas photo ». Elle n'avait pas l'air de disposer de toutes ses facultés mentales.

À plusieurs reprises, elle fit le même lapsus, appelant Patrick Patricia. Quand le flic lui en fit la remarque, elle répondit, d'une manière absurde :

— Faut qu'je voye avec mon avocat.

Patrick/Patricia : l'ambiguïté de l'enfant s'était donc aggravée à la puberté. Peut-être avait-il subi une opération mais le dossier médical faisait l'objet d'une autre censure. Un autre boulot de recherche en perspective.

Il décrocha son téléphone et appela Fifi :

— Toujours dans les murs ?

— On fait nos cartons.

— Monte me voir une minute.

En l'attendant, Passan s'interrogea. Quand Guillard était revenu sur les lieux de son enfance, avait-il récupéré son dossier lui aussi ? Avait-il fouiné et retrouvé ses géniteurs ?

— Ça va, ma gueule ?

Passan leva les yeux : le punk pénétrait dans la pièce. Il fit mine de tousser et s'éventa avec la main, rapport à la forte poussière qui régnait dans l'espace.

— Du nouveau ? s'enquit Passan alors que Fifi refermait la porte.

— Que dalle.

Les constates effectuées dans sa villa n'avaient rien donné. Ni les prélèvements de la PTS. L'autopsie de la bestiole était en cours.

— Qui la fait ?

— Un véto. Je te donnerai ses coordonnées.

— Et sur l'origine du singe ?

— On remonte les filières, les zoos, les animaleries, mais avec Internet, tu pourrais t'acheter un orang-outang sans la moindre autorisation sanitaire.

— Les douanes ?

— En route aussi. Mais Reza nous fout la pression sur les autres coups.

Passan ne releva pas. Toujours assis derrière son bureau, il tendit ses photocopies.

— C'est quoi ?

— Des extraits du dossier de Guillard.

— Quel dossier ?

— Celui de l'Aide sociale à l'enfance.

— Mon plan a marché ?

— Il a galopé. Là-dedans, tu as les centres, les foyers et les familles où Guillard a séjourné. Pour commencer, va à l'hôpital où il est né. Tâche de mettre la main sur la mère et le père.

— Passan, on n'a pas le temps, là…

Le flic se leva et attrapa sa veste :

— Tu me le dois, compris ?

Fifi hocha la tête. Passan avait étouffé un nombre incalculable de coups foireux le concernant : manquements à l'appel, cuites, overdoses, voies de fait… Sans compter d'obscurs trafics intra-muros avec les Stups. Des prix défiant toute concurrence sur les produits des saisies régulières…

Il ordonna en ouvrant la porte :

— Rappelle-moi dès que t'as du nouveau.

— Où tu vas ?

— Petit pèlerinage.

32

Il s'était donné une demi-heure pour arriver à Jules-Guesde. Durant le trajet, il s'interrogea. Cette nouvelle enquête sur Guillard servait quelle cause au juste ? Il n'était même pas sûr que le garagiste soit l'intrus de la nuit précédente. Encore moins sûr que ces informations sur ses origines prouvent quoi que ce soit sur sa culpabilité.

Mais il devait bouger, parler, agir. Tout plutôt que rester prisonnier de son bureau.

Il avait appelé l'école de ses enfants. Rien à signaler. Il avait appelé Gaïa, la baby-sitter. Elle irait les chercher à 16 h 30, comme d'habitude. Il avait appelé Pascal Jaffré et Jean-Marc Lestrade, les deux gars de son groupe qui avaient accepté d'assurer la surveillance de la maison à partir de 18 heures. Lui-même arriverait dans ces eaux-là afin de passer auprès de ses gosses une soirée absolument normale – le plus dur de la mission.

Il sortit porte de Bagnolet et emprunta l'avenue Gambetta en direction de la rue Floréal. Les rues se rétrécissaient et c'était comme si elles imprimaient une pression sur sa poitrine. L'émotion ? Pas le moment de céder aux trémolos.

Il se gara sous les platanes qui bordaient la rue. Depuis midi, le soleil persistait. Du pur mois de juin, enfin. Les ombres des arbres tremblaient sur le bitume. Les feuilles laissaient échapper des éclats éblouissants. L'été : il pouvait le sentir au frémissement de l'air, à l'odeur de gomme brûlée, aux gazouillis des oiseaux qui survolaient la rumeur des voitures. Quand il sonna au portail du centre, il avait lâché sa peau de flic stressé. Il était plutôt en proie à une étrange mélancolie.

La porte de fer s'ouvrit en un déclic. Personne pour l'accueillir. Il traversa le parc. Rien ne cadrait avec ses souvenirs. Les pelouses, les bâtiments, les allées : tout lui semblait plus étriqué, dérisoire. Quand il était enfant, ces surfaces gazonnées évoquaient des plaines, les blocs de briques des murailles. Il se retrouvait face à de petits immeubles de deux étages, cernés de parterres aux dimensions de squares municipaux.

Il remonta l'allée, évitant, comme un gosse, les ombres des marronniers. À son époque, Guesde abritait jusqu'à six cents pensionnaires puis les effectifs s'étaient réduits. Aujourd'hui, il n'y en avait plus qu'une centaine répartis entre la crèche, l'école primaire, le collège et le lycée. Avec toujours la même spécialité : des destins de galère.

Dans les années 70, le centre était surnommé « l'école des voleurs ». Les mômes partaient en brigades sur la ligne 3 – Pont-de-Levallois-Gallieni – à l'assaut des portefeuilles. Une meute de piafs aux mains agiles. En un sens, ces virées avaient constitué ses premières classes de flic. Il se souvenait qu'un accident avait calmé le jeu. Sur le quai d'une gare, Dido le Gitan n'avait pas voulu lâcher le sac d'une bourgeoise. L'anse avait cédé alors que la rame arrivait. Le gosse n'avait eu la vie sauve que parce que son buste et sa tête mesuraient moins de cent quarante-trois centimètres, l'écartement des voies ferrées – mais il y avait perdu ses jambes.

Dans le hall du premier bâtiment, fraîcheur et pénombre lui tombèrent dessus. Carrelage en damier. Escaliers cirés. Silence passé à la Javel. Il se trouvait dans le bloc administratif, qui signifiait jadis emmerdements et punitions. Pas un rat à l'horizon. Passan frappa à quelques portes, trouva enfin une secrétaire.

— Je voudrais parler à Monique Lamy.

— C'est pour quoi ?

Il montra le bouquet de pivoines qu'il avait acheté en route.

— Je suis un ancien pensionnaire.

La femme décrocha son téléphone, sans entrain.

Monique, sa botte secrète. Animatrice depuis des temps immémoriaux, elle représentait son seul point de contact avec le passé. Il l'avait revue deux fois en trente ans. Elle s'était déplacée pour la cérémonie de sortie de sa promotion, à l'ENSOP, en 1993, avant qu'il parte pour le Japon. Une dizaine d'années plus tard, elle était venue le voir à la BRI à propos d'un gosse du collège interpellé pour vol qualifié et coups et blessures. Passan avait fait le nécessaire, au nom du bon vieux temps. Et c'était tout. Mais chaque année, pour la fête des Mères, il lui envoyait des fleurs.

Des pas dans l'escalier. Il leva la tête. Monique était du genre intemporel. Une Mamie Nova version baba cool – robe bariolée, pataugas, chignon gris – qui, jeune fille, ressemblait déjà à une étiquette de pot de confiture. Sa voix grave était posée comme une corde à vide, jouée pleinement, tranquillement, mais ses manières contrastaient avec ce timbre équilibré : saccadées, bourrues, presque brutales.

Passan offrit ses pivoines puis expliqua, en quelques mots, la raison de sa venue. Il ne voulait pas d'épanchements.

— C'est une visite de flic ? sourit-elle en humant les pétales.

Il lui rendit son sourire :

— Le nom te dit quelque chose ?

— Patrick, oui, bien sûr…

— Tu te souviens de lui ?

— Je me souviens de vous tous.

L'amalgame lui déplut mais Monique, c'était un peu Jésus : ils étaient tous ses enfants. Elle confia le bouquet à la secrétaire et le guida de nouveau vers le jardin. Ils s'assirent sur un banc, à l'ombre des feuilles agitées par le vent tiède. Un brouhaha s'élevait, de l'autre côté des bâtiments : sans doute la sortie des cours.

— Il a des ennuis ?

— Désolé, Monique. Même à toi, je ne peux rien dire.

Elle eut un nouveau sourire. Passan songea à un galet de rivière, poli par des crues glacées et des étés rayonnants. Elle sortit un paquet de tabac à rouler. Il se souvenait encore de son odeur de foin chauffé au soleil. *Du Samson.*

— Patrick est resté deux ans, démarra-t-elle, après avoir allumé sa clope. À partir de 1984, je crois. Il n'était pas heureux. Il ne s'intégrait pas.

— À cause de son anomalie ?

— Tu es au courant ?

— C'est mentionné dans son dossier, répondit-il évasivement.

Elle tira une ou deux taffes et reprit, le nez au vent :

— Il a été opéré alors qu'il était ici. Il a disparu environ deux mois.

— Quelle était la nature de l'opération ?

— On n'a jamais su. Les médecins de Necker étaient très discrets.

Passan imagina une castration à coups de bistouri, des ovaires arrachés avec des tenailles.

— Personne ne l'aidait pour sa toilette ?

— Il avait environ douze ans. Il ne voulait pas qu'on l'approche.

— Mais c'était bien un garçon ?

Monique eut un geste vague :

— Disons que c'était son sexe d'élevage.

— Son quoi ?

— Un mot horrible pour désigner l'option prise à sa naissance. Le choix des médecins, de l'état civil, des éducateurs. On doit suivre la ligne qui a été fixée.

— Mais tu dirais qu'il était naturellement de quel côté ?

— Un garçon, envers et contre tout. Il faisait beaucoup de sport. Toujours seul, dans son coin. Il suivait aussi un traitement à la testostérone. Ses muscles se développaient mais…

— Mais ?

— Il gardait une espèce de féminité, dans ses gestes, sa voix, ses manières. Les autres gamins se moquaient de lui, le traitaient de « pédale ».

— Comment était-il ? Je veux dire, au quotidien ?

195

— Farouche, agressif. Il nous a ravagé plusieurs fois le réfectoire. Ses crises étaient souvent dues à ses injections. Les autres s'acharnaient sur lui. Il n'avait aucun ami, aucun soutien. Ses meilleurs moments, c'était quand on l'oubliait.

— Vous ne pouviez rien faire ?

— On ne peut pas surveiller les enfants vingt-quatre heures sur vingt-quatre. Et il n'y a pas de répit pour un souffre-douleur.

— Tu te rappelles de persécutions précises ?

— J'ai été témoin un jour d'une scène... Ce n'est pas un bon souvenir.

— Vas-y. Je suis vacciné.

— Ils l'ont attrapé dans la cour puis lui ont baissé son pantalon et son slip. Ensuite, ils l'ont frappé. J'ai eu du mal à les arrêter.

Une « mise à l'air ». Un classique auquel il avait souvent assisté à l'école et qui restait, malgré toutes les horreurs qu'il avait croisées depuis, son pire souvenir. L'humiliation d'un enfant. La cruauté des autres. Cet acte « pour rire » confirmait ce qu'il avait toujours pensé : une blague, c'est le premier pas vers le crime.

— Ne t'en fais pas, fit-elle. Il a dû oublier. Les années servent à ça.

— Tu en es sûre ?

— En réalité, ça lui arrivait tout le temps.

Passan n'insista pas. Les mômes placés ne sont ni pires ni meilleurs que les autres, mais leur abandon, leur solitude, leur traumatisme accentuent leur cruauté. Comme s'ils commençaient déjà à se venger de la vie.

— Finalement, continua Monique, l'Aide sociale,

en accord avec le juge, a opté pour un foyer dans le Sud. On était tous soulagés. Sur la fin, il était devenu carrément dangereux.

— C'est-à-dire ?

— Il avait réussi à voler un excavateur chez le dentiste. Un jour, il a tenté de crever l'œil d'un garçon. Une autre fois, il a essayé de mettre le feu au dortoir.

Le goût des flammes, déjà. Mais un peu faible pour l'accuser des quatre autodafés du 9-3…

— On voudrait que ce genre d'enfant soit attachant, poursuivit Mamie Nova en glissant son mégot éteint dans sa poche, qu'il soit une victime innocente face à l'acharnement de ses camarades. Mais Patrick était lui-même un démon. Il torturait les animaux dans notre poulailler. Il était le premier à s'en prendre aux plus faibles. Il y avait en lui… un mal insondable. Il ne s'intéressait à rien, ne faisait rien à l'école. C'était un bloc négatif, un déni.

Elle parut réfléchir puis murmura, pensive :

— Je me souviens juste d'un livre…

— Quel livre ?

Elle se leva brusquement, mains dans les poches.

— Je crois qu'on l'a toujours.

Elle disparut. Passan regarda sa montre : 17 h 30. Il ne devait pas traîner. Il consulta sa messagerie. Naoko avait appelé. Pour la cinquième fois de la journée. Elle voulait savoir si l'enquête avait progressé. S'il serait bien à l'heure ce soir et si des hommes étaient déjà postés rue Cluseret.

Crissement de graviers. Monique était de retour. Sans s'asseoir, elle lui tendit un livre qu'il reconnut aussitôt : *15 légendes de la mythologie* éditées par Gautier-Languereau.

— Il le conservait toujours avec lui, commenta l'animatrice. Quand il a quitté le centre, il a voulu l'emporter mais le règlement est strict sur le matériel. Je le lui aurais bien donné mais j'étais en mission dans le nord de la France. Ensuite, il était trop tard pour le lui envoyer : les renseignements concernant les placements sont confidentiels.

Passan manipulait l'ouvrage avec précaution, appréciant le papier épais, les illustrations de Georges Pichard. Malgré le temps, les pages avaient la blancheur, la texture d'une hostie. Une jaquette illustrée représentait un athlète barbu qui semblait sortir des studios de Cinecittà, avec un navire en arrière-plan – sans doute Ulysse ou Jason…

Le flic avait la gorge bloquée. Un vrai nœud de marin. Lui aussi avait passé des après-midi entiers à dévorer cette collection. Il se revoyait, perché dans un arbre, grignotant des pastilles Vichy au fil des pages des *15 histoires fantastiques*.

— Je peux le garder ?

— Pas de problème.

Il se leva à son tour :

— Merci, Monique.

— Tu t'en vas déjà ? Tu ne veux pas boire quelque chose ?

— Je te remercie mais je dois rentrer : je suis seul avec les enfants ce soir.

— Comment vont-ils ? (À chaque mail, elle demandait de leurs nouvelles.) Tu as des photos récentes ?

Passan en avait plein son Iphone mais il préféra mentir – sa couenne était déjà bien entamée, pas le moment de chatouiller la corde familiale.

— Je suis désolé, mais non.

Il l'embrassa et conclut par un dernier mensonge :

— Je reviendrai bientôt.

— Bien sûr, fit-elle d'un ton léger. Je ne t'ai pas dit grand-chose. Ça va te servir pour ton enquête ?

Il considéra la couverture du livre sans répondre.

— On fait ce qu'on peut ici, conclut-elle, mais tout est déjà écrit.

Elle laissa passer un bref silence, bercé par le vent vert et la poussière dorée, puis répéta :

— Souviens-toi de ça, Olivier : tout est écrit dès les premières années. Pour lui. Pour toi. Pour vous tous.

33

En poste derrière les Classe E et les Classe S, il observait l'étrange manège qui se déroulait sur le parking, devant la concession. Un homme à casquette grise était arrivé au volant d'une berline noire, une Audi A6 de PDG. Un gyrophare tournoyait sur son toit. Sortant du véhicule, il s'était dirigé vers les deux anges gardiens. D'un geste, il leur avait ordonné de partir. Sans broncher, les types s'étaient exécutés. Maintenant, il allumait une cigarette, comme s'il prenait le relais de la surveillance.

Qui était ce flic ? Un nouvel enquêteur ? Un tueur professionnel, envoyé par Passan ? Il délirait. Les choses ne se passent pas ainsi dans la police française. Pourtant, tous les signaux étaient au rouge. Il était plus de 18 heures. Il avait libéré ses employés et se trouvait seul dans le garage.

Une sueur acide s'écoulait le long de ses vertèbres. Pas la sueur de la salle de sport. Celle des dortoirs, quand il était gosse, redoutant à chaque instant une attaque des *autres*. Il songea à son chauffeur, puis au calibre automatique qu'il cachait dans son coffre-fort.

Mais il ne bougeait pas, comme hypnotisé par cette nouvelle présence.

L'homme fumait toujours tranquillement, adossé à sa berline. Trapu, il paraissait gris de la tête aux pieds. Son visage, rectangulaire, ressemblait à un parpaing. Voûté, inexpressif, il portait un treillis militaire usé, trop large pour lui. On aurait dit un animal né de la ville, se nourrissant d'elle, puisant dans ses gaz, sa crasse, sa poussière une sorte d'invulnérabilité. Il devait avoir une cinquantaine d'années, ce qui signifiait trente ans, au bas mot, de bitume.

Le type balança finalement sa clope et marcha dans sa direction. Même à cette distance, sa part intuitive – féminine – sentait qu'il était dangereux.

Il chercha dans sa poche la télécommande pour abaisser le rideau de fer mais il était trop tard. À travers la vitre, le visiteur l'avait repéré et l'interrogeait d'un geste : « Je peux entrer ? » À contrecœur, il déverrouilla la porte. L'autre pénétra dans le show-room, à la manière d'un client retardataire.

Les deux hommes se dévisagèrent. Le silence des voitures, dans la grande salle, avait une puissance religieuse. Le sol de béton laqué brillait au contact des derniers rayons du soleil.

— Jean-Pierre Levy, attaqua l'homme gris. Commandant de police à la Brigade criminelle de Paris. Je dirige l'enquête sur l'homicide de Leïla Moujawad.

Il saisit la carte de visite et la contempla durant quelques secondes. Ses doigts laissèrent une marque de sueur sur le bristol. Il songea aux gamins qui l'appelaient autrefois « la Limace ».

Sans un mot, il empocha la carte, éprouvant un obscur soulagement. Il réalisait qu'il avait cru, au plus profond de sa chair, à l'hypothèse du tueur envoyé par l'Ennemi. Chacun possédait un ange de la mort. Le sien s'appelait Olivier Passan.

— Vous êtes juif ? demanda-t-il brusquement.

— Ça vous pose un problème ?

Le garagiste ouvrit les bras vers les voitures qui brillaient dans le clair-obscur :

— Je vends des Mercedes, commenta-t-il sur un ton méprisant. Je dois m'habituer à toutes les clientèles…

Levy hocha lentement la tête :

— On m'avait prévenu que vous étiez quelqu'un de sympathique. On peut fumer ici, non ?

Il ne répondit pas. L'autre alluma une cigarette. Il pouvait sentir – physiquement sentir – son sang-froid. Cet aplomb était lié à sa force naturelle, mais aussi à *autre chose*.

— Qu'est-ce que vous voulez ? demanda-t-il d'un coup.

— Les flics ne répondent pas aux questions, ils les posent.

— Alors, allez-y.

— Comment se fait-il que vous soyez là, à parader dans votre costard fil-à-fil au lieu de croupir au fond d'une taule ?

Le Phénix se détendit. Il s'attendait à une attaque plus précise. Quelque chose de concret. Le flic ne faisait que bluffer. Autour de lui, la fumée de Marlboro se répandait. Curieusement, la sensation ne lui déplut pas. Les volutes légères créaient un halo d'irréalité, de solennité au-dessus d'une scène qui s'annonçait détestable – et minable.

— C'est tout simple : je suis innocent.

202

— Non. C'est parce que le commandant qui dirigeait l'enquête a merdé. Il n'a pas été foutu de trouver des indices directs, ni de maîtriser son flag. Je connais bien Passan. C'est un flic intelligent, acharné, mais trop impulsif. Sans le vouloir, il t'a permis de t'en sortir, mon salaud.

Il tressaillit au tutoiement et à l'injure.

— Vous… vous êtes différent ?

— Je joue le jeu des salopards, en connaissance de cause.

— C'est… c'est-à-dire ?

La chaleur revenait. La chaleur et la brûlure. Pas question de subir une crise sous les yeux de cet étranger.

— Si t'es encore là, en liberté, à te pavaner, c'est qu'il manque, malgré l'évidence, un joint pour te relier à ta dernière victime, Leïla Moujawad.

— J'appelle mon avocat.

Il se dirigea vers son bureau mais Levy fit un pas de côté, lui barrant la route.

— Tu vas rester là et m'écouter, enfoiré. Ce joint, nous savons toi et moi qu'il existe.

Les fluides de son corps circulaient à toute allure. En complète surchauffe.

— C'est une paire de gants stériles de marque Steritex, ambidextres et hypoallergènes, continua Levy. À l'extérieur, il y a des traces de sang de la victime. À l'intérieur, des fragments organiques de l'assassin. Des particules de peau desquamées, collées par sa sueur. D'un côté, l'ADN de la victime. De l'autre, celui du tueur. Je continue ?

Guillard ruisselait, se dissolvait. Bizarrement, cette défaite faisait reculer la menace d'une crise. Sa ten-

203

sion s'évaporait par *liquéfaction*. Il se dit que tous les guerriers tombent parce qu'ils ont commis une erreur. Il n'était pas différent – même s'il était d'essence divine.

— À Stains, poursuivit l'homme gris, c'est pas le grand amour avec les condés. Je suis retourné sur les lieux, en solo. J'ai été vite repéré, crois-moi. Un Bougnoule m'a abordé. Le père d'un des mômes qui traînent dans le terrain vague où tu t'es fait allumer. Son gosse avait trouvé une paire de gants. Il voulait savoir si ça m'intéressait, si j'étais prêt à raquer pour ça.

Levy alluma une autre cigarette avec la précédente et balança son mégot par terre, sans l'écraser. Il recracha une longue bouffée, lente, sereine.

— Et... et alors ?

— Alors, j'ai payé. Tu vois qu'un Juif et un Arabe peuvent parfois s'entendre. J'ai fait porter les gants sous scellés dans deux labos différents. (Il dressa son index droit.) Un à Bordeaux. (Il tendit son index gauche.) L'autre à Strasbourg. Le recto pour l'un, le verso pour l'autre. J'ai reçu les résultats ce matin. (Clope au bec, le flic rapprocha ses deux doigts.) Il suffit de les réunir pour que tu prennes perpète, mon gars.

— Qu'est-ce... qu'est-ce que vous voulez ?

– Cinq cent mille euros en cash. Demain. À l'heure que tu voudras.

— Je n'ai pas cette somme.

— J'ai dans ma voiture tes comptes d'exploitation des cinq dernières années, tes relevés bancaires, tes placements, tes assurances vie. Crois-moi, fils de pute, tu vas pas apprendre à un Juif à compter.

204

Il éclata de rire, sous l'effet de la pression. Son visage cuisait comme une brique. Il tira la pochette glissée dans sa poche de poitrine et s'essuya le front. Il détestait ce geste. Un geste de gros. Un geste de faible…

— Ça te fait rire ? fit le visiteur. T'as tort. Si j'envoie les deux gants au troisième labo habilité par décret, t'es bon comme la romaine.

Il se sentait mieux. Il venait de perdre une bataille mais son adversaire avait un talon d'Achille : le fric.

— Comment je vous contacte ?

Un téléphone se matérialisa dans la main de Levy :

— Tu utilises ce portable. Il n'y a qu'un numéro mémorisé, celui d'un autre mobile que j'utiliserai pour l'occasion. Dès que tu as la somme, tu m'appelles.

— Vous aurez les gants ?

— Je veux de tes nouvelles cette nuit. Demain matin au plus tard.

Il écrasa sa dernière cigarette sur la carrosserie étincelante de la Classe S placée à ses côtés et tourna les talons.

Ce flic était un don du ciel. Perdre des gants était la première erreur qu'il commettait depuis le début de ses Renaissances. Entre les mains de Passan, cette pièce à conviction lui aurait été fatale.

La scène s'acheva comme elle avait commencé. Les deux autres flics revinrent sur le parking. Levy échangea quelques mots avec eux avant de repartir. Les cerbères lancèrent un coup d'œil méfiant vers la concession puis reprirent leur position de sentinelles.

Il appuya sur sa télécommande. Lentement, les rideaux de fer s'abaissèrent et le plongèrent dans l'obscurité.

Malgré lui, il murmura une phrase d'Arthur Rimbaud : « La vraie vie est absente, nous ne sommes pas au monde… »

34

Impossible de résister.

Alors qu'il était englué dans le trafic de 18 heures, Passan avait reçu un appel de Rudel le légiste. Le vétérinaire qu'il avait trouvé – un spécialiste des *Cebus apella*, ou « capucins à houppe noire », a priori l'espèce qui les intéressait – avait achevé l'autopsie du singe.

Impossible de résister.

Philippe Vandernoot était installé à Levallois-Perret. Passan venait de croiser la porte de Clichy. Aussitôt, il programma son GPS sur l'adresse du cabinet, rue Paul-Vaillant-Couturier. Selon le logiciel, il en avait pour vingt minutes. Avec sa sirène, il pouvait réduire ce temps de moitié. Il braqua, sortit porte de Champerret, appuya à fond sur l'accélérateur.

Voies de bus. Sens uniques. Trottoirs. Il parvint à destination en moins de huit minutes. En route, il avait trouvé le moyen d'appeler Gaïa pour l'avertir qu'il serait « légèrement » en retard. Il avait contacté aussi les deux flics chargés de surveiller sa maison, Jaffré et Lestrade. Ils étaient déjà sur place. Rien à signaler. La paix régnait sur la rue Cluseret.

Il jeta un coup d'œil à sa messagerie. Un SMS de Naoko. Elle vérifiait s'il était bien rentré. *Merde*. Il fourra le mobile dans sa poche après l'avoir coupé et cadra le cabinet vétérinaire. La devanture rappelait un laboratoire d'analyses médicales ou une simple agence d'intérim. Baie vitrée, stores décolorés, enseigne aux lettres grises : « Vandernoot. Soins, vaccins et chirurgie vétérinaires ». Il se gara sur un bateau et sortit dans la lumière déclinante.

La salle d'attente, déserte, était décorée de posters et d'affiches exhibant des animaux de compagnie. La table basse croulait sous les revues animalières : *30 millions d'amis*, *Cheval Magazine*, *Atout Chat*, *Animal Santé et Bien-être*… Une curieuse odeur d'éther et de zoo planait. À droite, un comptoir équipé d'une sonnette.

Au bout d'une longue minute, un homme apparut, vêtu d'une blouse verdâtre. Sans doute Vandernoot en personne. Petit, râblé, la soixantaine, il avait un long cou grêle qui ne cadrait pas avec sa stature. Sa tête pendait en avant comme celle d'une tortue. Il portait sur le bout du nez des lunettes en demi-lune, attachées à un cordon. Ses yeux gris, profondément enchâssés, évoquaient des mollusques au fond de leur coquille.

— C'est vous le flic ?

Passan avait demandé à Rudel de prévenir le véto de son arrivée. Sa voix était anormalement forte.

— Olivier Passan, commandant à la Brigade criminelle. Je suis venu chercher le rapport d'autopsie du capucin. Et entendre votre avis personnel sur cette histoire.

— Suivez-moi.

208

Ils passèrent dans une salle surchauffée, qui évoquait le décor d'une scène finale de film d'horreur. Les murs étaient tapissés de cages grillagées. On y distinguait des singes agités mais silencieux, qui lançaient des regards curieux à travers les mailles. Leurs pupilles étaient si intenses qu'on avait l'impression de recevoir en pleine poitrine des billes d'acier. Au centre, une table de métal était recouverte d'un drap. Des poils, du sang, de la sciure maculaient le sol.

Le pire était l'odeur. Quelque chose qui augmentait la pression de la pièce et altérait la respiration du visiteur : remugles d'excréments, de sang, de viande crue, de sueur canine.

— Je vous propose pas de vous asseoir.

Passan se demanda qui pouvait confier son animal de compagnie à ce docteur Frankenstein. L'homme arracha le drap qui cachait la table d'examen. L'horrible créature était là, toujours en position fœtale, couturée, rafistolée, avec du fil blanc qui lui sortait du ventre et du pourtour du crâne. La cervelle reposait dans un bocal. D'autres récipients abritaient des organes flottant dans un liquide rougeâtre.

— Qu'est-ce que vous pouvez me dire sur ce… truc ?

— Un mâle, âgé de cinq ans environ. Sinon, rien de particulier.

— On parle d'un singe écorché retrouvé dans un réfrigérateur.

— Ça, c'est le contexte. Pour ce qui est des mutilations, la technique est professionnelle. Ce capucin a été dépouillé dans les règles de l'art.

— Le coupable serait un vétérinaire ?

— Vétérinaire. Boucher. Chasseur.

Aucune des spécialités ne collait avec le profil de Guillard.

— Comment a-t-il été tué ?

— Difficile à dire. Une injection létale, je pense.

— Pas de trace de blessure ?

— Non. Au départ, j'ai cru qu'on lui avait brisé la nuque mais les vertèbres sont intactes.

— Vous avez fait une analyse toxico ?

— Si vous voulez lancer ce genre d'examens, il me faut une saisie du procureur et...

— Laissez tomber.

Passan n'avait toujours pas porté plainte – l'infraction, du point de vue judiciaire, n'existait pas.

— De toute façon, depuis le temps qu'il est mort, les molécules ont dû s'évaporer.

— Il m'a l'air plutôt frais.

— C'est le cas de le dire : il a été congelé. Certains signes ne trompent pas. Dilatation des organes. Éclatement de certaines veines et artères.

— Vous voulez dire...

— Que cette bestiole a peut-être été tuée il y a des mois, ou des années. Impossible de savoir. On l'a décongelée avant de la placer dans le frigo.

— Peut-on acheter de tels animaux sous cette forme ? Je veux dire... frigorifiés ?

L'idée fit rire Vandernoot. Il alluma un cigarillo. Passan reconnut la boîte blanche aux lettres d'or : Davidoff.

— Les Africains exportent des spécimens congelés en Europe mais les bestioles ont toujours leur fourrure et elles ne sont pas tuées par injection. Du reste, le *Cebus apella* est un primate américain, et personne n'en bouffe.

Olivier assembla ces éléments. L'agresseur s'était procuré un capucin à houppe noire, sans doute vivant. Il lui avait injecté un produit mortel, l'avait écorché puis mis au frais, en attendant de passer à l'acte. Ce protocole demandait un savoir-faire et un matériel spécifiques, qui cadraient de moins en moins avec Guillard. Surtout, la mise en scène supposait une longue préméditation.

— Où peut-on trouver des capucins en France ?

— Y a plusieurs filières. On les utilise parfois comme animaux de compagnie. Mais je doute que notre specimen provienne d'une filière officielle.

— Pourquoi ?

— Je n'ai pas repéré le moindre signe, le moindre tatouage sur son corps.

— Si on lui a retiré le pelage…

— En général, ce genre de marque est situé à l'intérieur de l'oreille. C'est en tout cas ce qu'on faisait dans le cadre des élevages à vocation thérapeutique.

— Pardon ?

Vandernoot tira sur son cigarillo qui ressemblait, au sens propre du terme, à un bâton merdeux :

— Les capucins ont été utilisés comme animaux thérapeutiques il y a quelques années, dans le cadre d'un « programme d'aide simienne en faveur des personnes tétraplégiques ». Mais ça n'a pas duré : trop cher.

Cette histoire rappelait quelque chose à Passan. Des primates apprivoisés qui prenaient soin d'handicapés. L'équivalent des chiens pour aveugles.

— J'ai participé au programme, continua le vétérinaire. On bossait sur ce projet avec les Belges et les Canadiens.

— Ces capucins, vous les avez dressés ?

— Avec quelques collègues, ouais.

— Qu'est-ce que vous avez fait de vos… élèves ?

L'homme envoya un coup de pied dans les cages, provoquant un bruit de ferraille et une volée de cris aigus.

— Mais ils sont là, les enfoirés !

Vandernoot balança un nouveau coup contre les mailles de fer. Les hurlements baissèrent aussitôt d'intensité. Passan se pencha et observa les créatures aux yeux de hibou et à la crête noire : il n'aurait pas aimé que de telles bestioles lui préparent son café.

— Pourquoi les gardez-vous ?

— Je les dresse pour mon compte personnel. Y me font marrer.

— Vous comptez monter un cirque ?

— Je vais vous faire voir.

Il ouvrit une des cages. Une boule noire bondit dans ses bras. L'animal avait le poil luisant comme celui d'un rongeur. Il virevoltait sur place, avec souplesse, rapidité, précision. Sa longue queue revêtue de fourrure brillait sous les néons comme un muscle de soie.

Vandernoot déposa l'animal à l'extrémité de la table, aux côtés de son congénère écorché. Il le portait d'une main, sans difficulté. Le capucin ne dépassait pas trente centimètres. Passan songea à Joli-Cœur, le singe savant de *Sans famille*, le roman d'Hector Malot.

— Je vous présente Cocotte.

Malgré sa tête auréolée de fourrure, la femelle ressemblait à un bébé humain, avec ses oreilles décollées et sa petite bouche rose. Un enfant de quelques mois, dans une version velue, mal dégrossie. Tout juste craché par la jungle comme le noyau d'un fruit fibreux.

Elle fixait Passan de ses gros yeux de jais, mélange d'attention intense et d'indifférence complète.

Le vétérinaire fouilla dans ses poches. Il sortit sa boîte de cigarillos et l'ouvrit, en s'inclinant d'une manière ironique. La bête cueillit un Davidoff et le porta aussi sec à sa gueule. La seconde suivante, le vétérinaire lui proposait du feu.

Cocotte recracha la fumée en longues bouffées. Les volutes s'échappaient entre ses dents pointues, par ses narines dilatées. Vandernoot riait aux éclats. Passan secoua la tête tant le spectacle lui paraissait affligeant.

Il était près de 19 heures. Se casser d'ici. Rentrer au bercail. *Vite.*

En guise de conclusion, il demanda :

— Sur le type qui a placé cette bestiole dans le réfrigérateur, qu'est-ce que vous diriez ?

— Un farceur.

— Plutôt agressif comme blague, non ?

L'autre haussa une épaule, récupéra le cigarillo de Cocotte puis versa dans une écuelle quelques gouttes de grenadine. La femelle lécha le liquide avec avidité et regagna d'elle-même sa cage.

Vandernoot écrasa son mégot et se tourna vers le flic :

— Vous voulez voir un autre tour ? Y en a qui savent jouer aux cartes.

Passan déclina l'invitation d'un sourire et partit à reculons. Il n'y avait plus rien à glaner ici pour lui. Il rejoignit sa Subaru au pas de course, indifférent au vacarme du trafic, à la puanteur acide de la rue. Levallois à cette heure charriait des travailleurs dans les deux sens. Ceux qui quittaient leur zone de travail – les blocs vitrés de la rue Anatole-France. Ceux qui tentaient de rentrer chez eux, en direction du pont de Levallois et au-delà.

Il consulta son portable. Encore un message de Naoko. Il l'effaça sans l'écouter. Il montait dans sa voiture quand l'appareil sonna. Il pensa à son ex mais c'était Fifi :

— L'institut médical Sainte-Marie d'Aubervilliers a brûlé, avec ses archives.

— Rien n'a été conservé ?

— Que dalle.

— Quand est-ce arrivé ?

— 2001.

L'année du retour de Guillard dans le 93.

— Un accident ?

— Y a eu de fortes présomptions en faveur d'un acte criminel mais aucune preuve tangible.

Passan relia les points. La tentative manquée du jeune Guillard de foutre le feu au dortoir de Jules-Guesde. L'incendie de Sainte-Marie. Les nourrissons brûlés...

— Recherche la sage-femme, les infirmières, les toubibs qui bossaient à l'hosto cette année-là.

— On a d'autres trucs en route, Olive, et...

— Tu les interroges et tu trouves l'identité de la mère.

— Personne s'en souviendra.

— Un môme au sexe atrophié, ni garçon ni fille, né sous X ? *Tout le monde* s'en souviendra. Identifie la mère et localise-la.

— C'est tout ?

— Non. Avec le dossier que je t'ai filé, tu as toute la jeunesse de Guillard. Tu remontes le temps et tu

214

vois s'il y a eu d'autres incendies criminels sur sa route.

— Tu penses qu'il est pyromane ?

— Fais-le et rappelle-moi.

35

— C'est pourtant pas sorcier de respecter le tempo !

Passan était à cran. Il était arrivé chez lui à 19 h 30, sans avoir appelé Naoko. Elle avait directement contacté Gaïa et découvert qu'à 19 heures, il n'était pas rentré. Quand il s'était enfin décidé à composer son numéro, il avait reçu un savon historique.

Au lieu d'enchaîner directement sur le dîner, il avait voulu passer par la case piano. Une manière de respecter la routine et de banaliser la soirée. Or, il était trop nerveux, et Shinji sentait sa fébrilité. Par contrecoup, le petit garçon multipliait les fautes.

— Merde ! Tu le fais exprès ou quoi ?

Shinji recommença le premier mouvement de la *Sonate facile* de Mozart en do majeur. Il butait toujours au même endroit : la succession d'arpèges après le deuxième thème. Assis à ses côtés, Passan battait la mesure de la tête et du talon, présence menaçante, presque effrayante. Lui-même voyait se rapprocher le passage critique avec anxiété…

En vérité, les leçons de piano ne se passaient jamais bien. Les garçons en ressortaient bouleversés et lui vidé, atterré d'avoir fait pleurer les êtres qu'il aimait le plus au monde. Pourtant, il tenait à ce que ses enfants deviennent de bons pianistes. Il avait lui-même réussi, de foyers en familles d'accueil, à acquérir des rudiments dans cette discipline.

Les arpèges arrivèrent. Et avec eux, les fausses notes. Passan frappa violemment le flanc du piano et se leva d'un bond. Shinji s'arrêta. Des milliers de volts claquèrent dans l'air. Diego fila derrière le canapé.

Olivier fit quelques pas rageurs. En bras de chemise, son .45 à la ceinture, il ressemblait plus à un flic en plein interrogatoire qu'à un père bienveillant.

— Bon Dieu de bon Dieu, s'acharna-t-il, tu la savais très bien il y a trois jours !

Shinji, perché sur son tabouret, tête baissée, restait muet. De l'étage parvenaient les sons nasillards d'un jeu vidéo. Hiroki tentait de se changer les idées, en attendant son tour. Passan allait ordonner à son fils de reprendre quand il remarqua que ses pieds ne touchaient pas le sol. Ce seul détail lui parut résumer la vulnérabilité de l'enfant – et l'inégalité du combat.

D'un coup, sa colère s'évanouit. Il ébouriffa les cheveux de Shinji et l'embrassa au sommet du crâne.

— Allez, finie la leçon. On passe à table dans dix minutes.

— Et Hiroki ?

— On verra demain.

Le garçon bondit sur ses pieds. Même si son frère passait carrément au travers de l'épreuve, il n'allait pas discuter. Il s'enfuit dans l'escalier, le chien sur ses traces.

Passan soupira et rejoignit la fenêtre. Dans la rue, Jaffré et Lestrade montaient la garde. Il avait bossé avec le premier à l'Antigang. Jaffré était présent lors de l'opération à Cachan, en 2001, qui avait coûté la vie à un des leurs – mais où aucun des truands n'avait survécu. Ce jour-là, Jaffré et lui avaient tué pour la première fois. Lestrade, lui, était du même alliage que Fifi. Un champion de tir sportif qui avait toujours l'air de sortir d'une rave-party – ou de Fleury-Mérogis.

Les deux hommes l'aperçurent et lui firent un signe de la main. À minuit, Fifi et Mazoyer, un autre dur à cuire, devaient assurer la relève. Chaque gars prenait sur son temps libre. Cette idée lui faisait chaud au cœur. Il n'était pas seul.

20 h 10. Passan fila dans la cuisine.

Il était en retard sur le planning instauré de longue date par Naoko : les enfants devaient être couchés à 20 heures, dents brossées, cartables bouclés. Il mit de l'eau à bouillir. Des carbonara : la seule chose qu'il savait cuisiner. Malgré l'heure tardive, il avait refusé que la nounou prépare quoi que ce soit. Toujours ses entêtements de père modèle.

Il fit rissoler des lardons dans une poêle pendant que les tagliatelles cuisaient. Il connaissait par cœur le timing. Le temps que les pâtes soient *al dente*, les fragments de couenne seraient saisis. Simultanément, il préparait la sauce : crème, œufs, noix de muscade. Son secret : une fois les lardons à point, il ajoutait un filet d'huile d'olive qui les dorait à nouveau et parfumait la crème quand il mélangeait le tout. Chaque fois, il servait son chef-d'œuvre avec la même blague : « Chez Papa, le meilleur restaurant du monde ! » Toute la famille était d'accord.

Le dîner se passa au mieux. Olivier, rongé par le remords, multiplia les plaisanteries et les mimiques.

À l'aide des *grissini torinesi* dont il agrémentait ses pâtes, il se livra à plusieurs imitations. Dents de vampire avec gressins au coin des lèvres. Défenses de morse avec gressins dans le nez. Antennes de Martien avec gressins derrière les oreilles. Shinji et Hiroki riaient aux éclats.

Tout en faisant le mariole, il admirait la beauté de ses enfants. Comme n'importe quel parent, sans doute, mais lui se réjouissait en prime de leurs origines métissées. Les symphonies d'Akira Ifukube ou de Teizo Matsumura unissent l'Extrême-Orient et l'Occident. Avec ses fils, il éprouvait la même sensation : les gènes de l'Est et de l'Ouest y faisaient l'amour.

Ils se brossèrent les dents tous ensemble, dans la salle de bains des enfants, et préparèrent les cartables, cahiers de texte ouverts. Puis ce fut une histoire pour chacun. Après les avoir couchés et embrassés, Passan laissa la porte entrouverte et la lumière allumée dans le couloir, tandis que la veilleuse lançait des étoiles vers le plafond.

Pour lui, le boulot commençait.

36

Il attaqua par le toit. *Rien à signaler*. Il siffla pour rappeler Diego qui trottinait le long des parapets puis reprit l'escalier. L'étage. Les chambres. Celle des enfants, qui dormaient déjà. Celle de Naoko, vide et silencieuse. Les deux salles de bains puis chaque penderie. Il n'allumait pas, se contentant d'examiner les vêtements, les recoins, le sol dans la pénombre. Au contact des robes et des chemisiers de Naoko, il n'éprouva aucune nostalgie. Plutôt un dégoût confus, l'impression obscure de transgresser un tabou.

Rez-de-chaussée. Rien non plus. Il était heureux de retrouver sa maison. Il planait ici quelque chose de pur, de strict, loin de tout pathos, de tout lyrisme, qui le mettait à l'aise, le confortait dans ses certitudes. Il songea à cette phrase du Viennois Adolf Loos, précurseur de l'architecture du XXe siècle : « L'homme moderne n'a pas besoin d'ornement. Il le déteste… »

Salon. Salle à manger. RAS. Il gagna la cuisine et stoppa devant le réfrigérateur. Il dut se faire violence pour l'ouvrir et attraper un Coca Zéro – Gaïa l'avait vidé, nettoyé puis de nouveau rempli. Passan s'interrogea encore : qui pouvait avoir fait ça ? Guillard, vraiment ? Après un tour au sous-sol, il conclut que tout était absolument normal. Il se prit à espérer : un avertissement sans suite ? Une farce macabre ?

Il attrapa son mobile et écrivit un SMS à Naoko. « Tout va bien. » Il hésita puis ajouta : « Baisers. »

Il sortit sur le seuil de la villa. La nuit était noire, humide, trop fraîche. Il traversa la pelouse et s'adressa à ses hommes derrière les barreaux blancs de la clôture.

— Salut, les filles. La mer est calme ?

— Un putain de lac, tu veux dire.

Jaffré était un Black aux tresses collées sur le crâne. Il portait un pantalon à pinces en jean, aux coutures orange, qui semblait sortir du pressing. Lestrade multipliait piercings et tatouages. Il était vêtu d'une paire de jeans à franges, coupés au-dessus des genoux, et d'un tee-shirt représentant MC5, un groupe très bruyant des années 60.

— Une ronde toutes les vingt minutes, ça vous va ?

— *Jawohl*, mon colonel !

— Vérifiez les plaques de chaque voiture, continuat-il sans relever. Appelez les sommiers. Vous mettez pas vos gilets ?

— T'en fais pas un peu trop ?

— Le mec qui s'est introduit chez moi n'est pas un enfant de chœur.

Ils opinèrent, sans conviction.

— À minuit, Fifi et Mazoyer prennent le relais. Vous pourrez retourner sauter vos gonzesses.

Il les salua d'un signe de tête et regagna la maison. Son portable sonna dans sa poche. Il espéra une fraction de seconde un appel de Naoko.

— J'ai retrouvé les parents de Guillard, annonça Fifi.

— Où sont-ils ?

— Au cimetière. Ils ont brûlé vif, tous les deux.

— Continue.

— La mère s'appelle Marie-Claude Ferrari.

Ferrari. Comme le célèbre constructeur dont les garages de Guillard reprenaient les syllabes. Soi-disant une allusion à son rêve de jeunesse : travailler pour la marque rouge. Il avait menti : ces noms étaient sans doute des références à celui de sa génitrice. Provocation, haine secrète, il avait choisi ces lettres comme il aurait craché au visage de sa mère indigne.

— Elle tenait un salon de coiffure à Livry-Gargan. J'ai pas eu de mal à retrouver sa trace parce que la sage-femme de la maternité se souvenait de…

— Parle-moi de sa mort.

— Elle a grillé dans son salon, un soir de juillet 2001, dans des circonstances non élucidées.

Toujours l'année du grand retour de Guillard. Après avoir détruit l'hôpital de sa naissance, il avait immolé sa propre mère. Guillard le pyromane. Guillard le parricide.

— Quelle date l'incendie ?

— Le 17 juillet. Le jour d'anniversaire de Guillard. C'est lui : y a aucun doute. L'enquête a rien donné mais l'origine criminelle du feu est une certitude.

— Son mari était avec elle ?

— T'as pas compris. Le père biologique s'appelle Marc Campanez. Le type n'avait pas vu Marie-Claude depuis près de quarante ans. Il est mort à mille kilomètres de distance. Et deux mois plus tard.

— Comment tu l'as retrouvé ?

— La sage-femme, toujours. Elle se souvenait de Marie-Claude. La coiffeuse n'arrêtait pas de pleurer avant l'accouchement, disant que Campanez l'avait abandonnée à cause de son enfant malformé.

Passan suivait, comme une flamme dans l'obscurité, la colère de Guillard. Lui aussi avait dû mener sa propre enquête. Il avait recueilli les mêmes éléments et découvert que ses parents l'avaient rejeté parce qu'il était un monstre.

— La sage-femme, on est déjà venu l'interroger sur cette affaire ?

— Elle m'a rien dit.

— Qu'est-ce qu'on sait sur la mort de Campanez ?

— Il avait pris sa retraite dans l'arrière-pays sétois. On a retrouvé son corps dans sa bagnole carbonisée en pleine pinède. L'homicide est clair. Les sièges étaient imbibés d'essence. Selon l'autopsie, il est mort asphyxié. Les flics avaient plusieurs pistes mais au final, ils ont rien trouvé.

— Pourquoi plusieurs pistes ?

— Jadis, Campanez était flic dans le 9-3. On a pensé à une vengeance. Mais l'enquête a tourné court. Affaire classée.

Guillard, enfant de flic, enfant de personne… Olivier sentait la chaleur des brasiers, le crépitement des flammes. Il voyait le vieil homme griller sous les pins méditerranéens. Le corps de la mère se tordre alors que les touffes de cheveux coupés et les bombes de laque s'embrasaient…

— C'est tout ce que t'as trouvé ?

— Tu m'as mis sur le coup y a deux heures.

223

— Gratte encore sur les parents. Je veux le maximum d'infos sur eux. Voir leur gueule, connaître leur pedigree. Sur le reste, t'as avancé ?

— Quel reste ?

— Les éventuels incendies dans les zones où a vécu Guillard.

— J'ai pas eu le temps !

— Tu t'y mets maintenant.

— Il est 22 heures !

— Appelle les pompiers. Les gendarmes. Les assureurs. T'as les lieux. Les dates. C'est pas sorcier.

— Tu parles. En plus, je dois être chez toi à minuit.

— Oublie : je me démerderai avec Mazoyer.

Passan avait maintenant la vision très nette d'un adolescent foutant le feu à son école ou à son immeuble, parce que lui-même brûlait dans cette peau hybride qui l'emprisonnait.

— Comment ça se passe chez toi ? demanda le punk.

— Tout va bien.

— Alors essaie de dormir quelques heures.

Il remercia son adjoint et raccrocha. Il réalisa qu'il puait toujours – la sueur, la peur, le singe – et que son jardin, avec ses senteurs nocturnes, ne faisait pas le poids.

37

Il aurait pu prendre sa douche comme d'habitude au sous-sol mais il voulait rester près des enfants. Il devait donc utiliser la salle de bains de Naoko, à l'étage.

Après avoir posté Diego devant la porte des garçons, il se risqua dans la chambre de son ex. Ils l'avaient partagée pendant cinq ans mais désormais, Naoko se l'était appropriée. L'espace était devenu plus japonais que jadis. Non pas qu'elle ait accroché des estampes aux murs ou fourré des kimonos dans les placards. *Surtout pas*.

C'était beaucoup plus fin que ça.

Beaucoup plus subtil.

Couette rouge. Coussins mordorés. Tapis orange. Naoko aimait les couleurs et considérait le *dress code* parisien (« tout le monde en noir ! ») comme une offense à la vie, une répression sinistre pesant sur les êtres et les esprits. Ces couleurs vives entretenaient un lien mystérieux avec l'Orient. Il y avait aussi ici quelque chose d'ordonné, de discret qui rappelait le Japon. Une harmonie indéfinissable, où pas un millimètre carré n'était perdu ni négligé. Une sorte de politesse innée des lieux et des choses…

Passan s'assit au bord du futon et, sur une intuition, ouvrit le tiroir du meuble de chevet. Le *kaïken* était là, dans son fourreau de jacquier noir. Il n'était pas surpris que Naoko ne l'ait pas emporté – elle avait toujours détesté ce cadeau, symbole de la violence et du fanatisme du Japon d'antan.

Plus étonnant, elle avait oublié sa « boîte à sommeil », où était rangé un kit pour bien dormir. Un *eye pillow*, comme on en donne dans les avions, des boules Quies, un testeur d'humidité (elle ne pouvait dormir à moins de 40 % d'hygrométrie), une boussole (le lit devait toujours être orienté vers l'est), des gouttes pour reposer les yeux…

Cette boîte et son contenu résumaient un trait majeur de sa personnalité : la quête perpétuelle du bien-être. Naoko cherchait, d'une manière presque scientifique, à bien dormir, bien manger, bien respirer… Elle ne se séparait jamais de son humidificateur, prétendant que l'air de Paris était trop sec. Elle se nourrissait de curieux produits, algues, graines, gelées, censés équilibrer son système digestif. Elle avait même acheté une montre qui captait la circulation sanguine et la réveillait au moment où son cycle circadien était le plus calme. Rien à voir avec un quelconque égoïsme ni même un goût du confort. Il s'agissait de vivre en harmonie avec le monde. D'une manière paradoxale, Naoko s'écoutait avec modestie, afin de respecter les lois de la Nature. Elle voulait se fondre dans le Grand Tout, le plus discrètement possible.

Il vérifia son portable. Pas de SMS. Cette soirée en solitaire ne lui valait rien. Il se leva et pénétra dans la

226

salle de bains. *Le temple de Naoko.* L'espace était scindé en deux parties : une première zone carrelée, abritant un lavabo et une cabine de douche modernes ; une seconde pièce, entièrement lambrissée de pin, où trônaient d'une part un baquet rectangulaire aux hautes parois et d'autre part un pommeau de douche, à utiliser assis sur un tabouret en cèdre.

Il se tourna vers les étagères et considéra les brosses. Kitagawa Utamaro, le plus grand peintre du XVIIIe siècle, renforçait la noirceur des chevelures par une seconde impression d'encre de Chine. Celle de Naoko était digne de ces estampes : elle offrait un noir si plein, si total qu'on se disait que le pinceau de la Nature était repassé deux fois pour en accentuer la densité.

Naoko avait aussi laissé des produits de soin, des crèmes de beauté, alignés avec précision. Les doigts de Passan effleurèrent les flacons, les conditionnements avec la même appréhension que lorsqu'il avait ouvert les placards. Pour emmerder ses copines, Olivier prétendait que Naoko était cent pour cent naturelle. En réalité, il n'avait jamais vu une personne utiliser autant de baumes, de laits, de lotions, de sérums, de gels. À ce stade, cela tenait du culte, du rituel de dévotion.

Il était fasciné. Il considérait Naoko comme un sommet de sophistication. Une sorte d'œuvre d'art façonnée par elle-même. Il songeait toujours à l'ouverture du film de Kenji Mizoguchi, *Cinq femmes autour d'Utamaro*, une biographie romancée du peintre. Des femmes hiératiques, au visage absolument blanc, à haute coiffure en coques, vêtues de lourds kimonos aux motifs chatoyants, marchaient d'un pas solennel sous des ombrelles de papier huilé, tenues par des hommes qui semblaient être leurs esclaves. Spectacle en soi sidérant de beauté.

Ce n'était pas rien.

Ce n'était pas tout.

À cadence régulière, elles effectuaient un pas de danse étrange. De leur pied droit, elles dessinaient lentement un arc de cercle sur le sol, révélant leurs socques de bois hauts de vingt centimètres, tout en fléchissant l'autre jambe, puis elles marquaient un temps d'arrêt avant de faire une nouvelle boucle. Des compas féminins, traçant des courbes mystérieuses, appliquant des calculs nés d'une féerie inconnue...

Subjugué, Passan avait montré ces images à Naoko pour savoir qui étaient ces princesses célestes et quelle tradition était ici représentée. Naoko avait simplement répondu, d'un ton distrait :

— « Ce sont des putes. Des *oïran* du quartier de Yoshiwara. »

Passan avait encaissé le coup et voilà ce qu'il s'était dit : un pays où les courtisanes ont plus de noblesse que n'importe quelle princesse occidentale, un pays où on désigne le sexe féminin par l'expression « là-bas » et où on évoque une personne bisexuelle en disant qu'il a « deux sabres » est un pays où il fait bon faire l'amour.

Il se déshabilla, posa son calibre au bord du lavabo et passa sous la douche. Il ferma les yeux au contact de l'eau. Un bref instant, il se sentit bien. Il se prit même à chantonner, à voix basse. Mais le crépitement du jet l'isolait du reste de la maison – et il n'aimait pas ça. Se savonnant énergiquement dans la vapeur, il décida de faire vite et de s'installer sur un matelas devant la porte de la chambre des enfants.

Il dormirait avec Diego.

Deux chiens de garde veillant sur le sommeil des petits.

Soudain, il ouvrit les yeux. Il baignait dans une vapeur rose. Son torse était constellé d'éclaboussures rouges. À ses pieds, une flaque saumâtre faisait des bulles. Il releva la tête et constata que les carreaux des parois étaient maculés de longues traînées d'hémoglobine.

Il était blessé. *Bon Dieu*. Il pissait carrément le sang. Toujours sous les rais de la douche, il se palpa, s'observa, inspecta son entrejambe. Rien. Pourtant, c'était bien du sang, coulant sur les murs, moussant sur le sol en une écume abjecte.

À tâtons, il coupa l'eau, se cogna contre la porte vitrée et parvint à sortir en trébuchant. Sa poitrine, son pubis, ses cuisses étaient écarlates. Il tendit le bras, s'accrocha au lavabo, se releva.

Il attrapa son .45 et fit monter, par réflexe, une balle dans le canon.

Les enfants.

Il bondit dans le couloir, calibre au poing. Avec précaution, il ouvrit la porte alors que Diego s'écartait mollement, ne comprenant pas ce qui se passait.

Rien à signaler. Shinji et Hiroki dormaient paisiblement.

Ruisselant, il retourna dans la salle de bains, fit sauter la balle du calibre puis replaça le cran de sécurité. En état de choc, il aperçut son reflet dans le miroir. À travers la buée rose, il ressemblait à une carcasse de bœuf, suspendue à un crochet.

Il chercha son mobile. D'une pression, il composa un numéro mémorisé puis se laissa glisser le long du mur et replia ses jambes. Le sang coagulait déjà, tirant sur sa peau.

— Allô ?

Passan parla à voix basse :

— Fifi ? C'est moi. Faut qu'tu rappliques. Tout de suite.

— Mais tu m'as dit...

— Appelle aussi l'IJ. Je veux Zacchary en personne. Avec toute son équipe.

— Qu'est-ce qui se passe, putain ?

— Des voitures banalisées. Pas de combinaison, pas de logo, pas de gyrophare. Et surtout pas de sirène ! Pigé ?

Il raccrocha. Se blottissant contre le mur, il se rendit compte qu'il balançait son torse d'avant en arrière, à la manière d'un musulman récitant ses sourates. Il se sentait cerné par des ondes d'épouvante.

Il jeta un regard apeuré vers la cabine de douche.

On aurait dit une plaie béante.

38

— La combine est assez simple.

— Parle moins fort. Mes mômes dorment à côté.

La salle de bains affichait complet. Passan avait enfilé un jean. Son .45 était glissé dans son dos. Isabelle Zacchary était accroupie dans la cabine – l'humidité plaquait sa combinaison sur ses formes mais personne n'avait la tête à ça. Deux autres techniciens s'affairaient au-dessus du lavabo dans la même tenue : blouses de papier, masques antipoussière, charlottes, gants de chirurgien et surchaussures...

Fifi se tenait sur le pas de la porte, en sueur, ahuri. Derrière lui, les deux durs censés monter la garde. Ils avaient l'expression de gars qui se sont pris une toiture de zinc sur le coin du nez. Mazoyer aussi venait d'arriver – pour rien.

— Ton mec a congelé du sang dans de fines gouttières, reprit Zacchary un ton plus bas. (Disant cela, elle mimait l'opération de ses doigts gantés.) Il a ainsi obtenu des espèces de tiges qu'il a placées là-haut, sur l'arête du carrelage.

Il régnait une chaleur d'étuve entre les quatre murs. Le parfum du bois de cèdre planait, incongru.

— Quand tu as pris ta douche, tu as créé une source de chaleur. Le sang s'est liquéfié. Deux litres à peu près…

Passan écoutait les explications, abasourdi. Le pourtour de ses paupières l'irritait, comme s'il avait fixé pendant des heures l'incandescence d'un haut fourneau. L'ennemi faisait preuve d'un machiavélisme qui dépassait tout ce qu'il avait vu – et il n'était pas un perdreau de l'année.

— C'est du sang de primate ?

— Du sang humain, intervint un des deux techniciens.

Il tenait un tube à essai, contenant une boue couleur de prune sombre.

— La réaction antigènes/anticorps ne laisse aucun doute.

Passan s'approcha. Malgré la chaleur, le sang coagulait toujours sur son épiderme, lui tirant les poils comme des griffes. Il sentait son cœur se rétracter sous sa cage thoracique. Il imaginait un caillot. Une concrétion dure. Un noyau de peur dont le fruit était sa chair.

— T'as déjà le groupe ? demanda Zacchary.

— Ça vient…

Le deuxième technicien manipulait d'autres fioles. Son masque antipoussière lui donnait l'allure d'un guerrier médiéval.

Les secondes s'écoulèrent, se transformant en lentes gouttes de sueur.

— Voilà, fit enfin l'homme masqué. AB. Un groupe plutôt rare.

Passan se rua dans le couloir, bousculant Fifi puis les trois autres flics.

Le punk le rattrapa :

— Qu'est-ce qui se passe ?

— Mes mômes sont du même groupe.

Il ouvrait déjà la porte de leur chambre avec précaution. Malgré lui, il retint sa respiration. Durant les premières secondes, il ne vit rien, puis ses yeux s'habituèrent à la pénombre.

Il s'approcha d'abord du lit de Shinji. Un genou au sol, il redressa lentement l'enfant endormi. Il l'avait déjà examiné quelques minutes auparavant mais cette fois, il observa plus en détail ses poignets, ses avant-bras, remontant lentement vers l'épaule.

Son cœur lui parut exploser. L'enfant portait de minuscules traces de piqûre dans les plis du coude. Éclairées par les étoiles qui tournoyaient dans la pièce, les marques apparaissaient puis disparaissaient. Passan se recroquevilla, le crâne entre les mains, serrant les dents pour ne pas hurler.

Il rejoignit le lit de Hiroki, le cerveau lacéré par les questions. Il releva ses manches, ouvrit ses bras, reconnut les marques et sentit d'un coup son corps se glacer. Qui était venu ici voler le sang de ses enfants ? Quand ? Comment ? Pourquoi ni lui ni Naoko ne s'était rendu compte de ces visites ?

Il embrassa l'enfant et laissa retomber sa tête sur l'oreiller. Il parvint à se mettre debout puis recula jusqu'au seuil. Sans bruit, il referma la porte.

— Alors ? demanda Fifi.

Passan balança un direct dans le mur opposé à la chambre.

39

— Il faut vous déshabiller.

— Quoi ?

— Je ne parlerai que lorsque vous serez nu.

— Qu'est-ce que c'est que cette connerie ?

— J'ai vu ça dans un film et l'idée m'a paru bonne.

— Tu crois que je porte un micro ?

Jean-Pierre Levy l'avait tutoyé d'emblée. Lui s'en tenait au vouvoiement. Plus classe, plus approprié.

— Déshabillez-vous.

— Pas question. Si tu sors pas le fric dans les cinq secondes, j'me casse. Mes gars viendront te chercher ce matin, avec les pinces. C'est moi qui mène le jeu, mon salaud.

Il sourit : le flic mentait. Le fait de vendre des voitures profilées et surpuissantes lui assurait une clientèle presque exclusivement masculine. Parmi ces machos, plusieurs officiers de police avec lesquels il entretenait des relations cordiales, presque amicales. Il lui avait suffi de passer quelques coups de fil, en prétextant vouloir s'assurer de la solvabilité de Levy. Les condés s'étaient d'abord montrés réticents – le devoir de réserve – puis les langues s'étaient déliées. Jean-Pierre Levy était connu pour ses frasques. Joueur, flambeur, endetté, deux fois divorcé : le flic courait après son ombre. Sans compter l'IGS qui n'attendait qu'une occasion pour le coincer.

Comment avait-on pu confier son dossier à ce type aux abois ? Les mystères de l'administration française. Il ne pouvait pas se plaindre : face à un autre enquêteur, le coup des gants l'aurait directement envoyé derrière les barreaux.

— Vous connaissez le pari de Pascal ?

— Le fric, nom de Dieu.

— Si vous repartez maintenant, sans me vendre ce que je veux acheter, j'aurai perdu. Mais si je vous donne l'argent et que vous m'avez trompé, j'aurai perdu aussi. Soyez raisonnable. Déshabillez-vous. Dans dix minutes, tout sera fini.

Les secondes s'étirèrent. Il ne bougeait plus, ne prononçait pas un mot. La meilleure méthode pour faire plier les volontés. Il avait appelé Levy à 2 heures du matin pour lui proposer ce lieu de rendez-vous : le sommet d'Avron, à Neuilly-Plaisance, un des rares promontoires du 93. Le plateau abritait des pelouses boisées qui s'ouvraient à cent quatre-vingts degrés sur la plaine Saint-Denis.

Le flic était sans doute parti aussi sec pour repérer le site. Lui était venu à 5 heures et avait garé sa voiture un peu plus loin. À travers les broussailles, il avait localisé Levy déjà en planque, près des grilles du parc. Enfin, à 6 h 30, les deux prédateurs étaient sortis de leur trou. Il avait déverrouillé le portail – il avait un passe – et guidé son adversaire jusqu'à un sentier retiré. Personne ici avant 8 heures : pas le moindre jogger ni le moindre passant. Idéal pour l'échange.

Il regarda sa montre : une minute s'était écoulée. Sans un mot, sans un geste.

Enfin, Levy souffla une injure et s'exécuta. Par décence, il lui tourna le dos et fit quelques pas. Il faisait frais. Le vent jouait parmi les feuillages, les ronces et les chardons. Les arbres clairsemés donnaient un air de savane africaine à l'esplanade.

Quelques secondes plus tard, Levy avait ôté ses chaussures, sa veste de treillis, son pantalon et dégrafé le holster contenant son calibre. Il pesait déjà moins lourd.

Il revint au paysage. Le soleil se levait, perçant l'hémorragie de l'aube. La vallée se dissolvait dans une brume de pollution qui évoquait le chatoiement d'une mer secouée de vaguelettes.

Le miracle se produisait. Le rayon vert de la banlieue.

Durant quelques secondes, à ce moment précis, la tristesse des villes du 93 s'évanouissait. On ne voyait plus leur laideur, leur misère, leur désordre. Seule une plaine miroitante se déployait, brillante comme un bouclier, prête pour le combat.

À cet instant, et à cet instant seulement, tous les espoirs étaient permis.

— Voilà.

Levy n'avait conservé que son caleçon. Il n'était pas gros, mais flasque. À peu près aussi dynamique qu'une chambre à air crevée. Chauve, couvert de poils ternes, qui se mêlaient à sa chair grise, il paraissait imberbe.

— Où est le fric ?

236

Il ne répondit pas tout de suite, le laissant encore mijoter.

— Vous avez ce dont vous m'avez parlé ?

— D'abord le fric.

— Bien sûr. Un instant.

Il retourna au pied de l'arbre où il avait posé son cartable en cuir. Parvenant près du fût, il lança un bref coup d'œil à Levy : il s'était rapproché de son arme posée parmi les herbes. Il eut un sourire rassurant et attrapa le cartable. Il savait que le Juif ne tirerait pas tant qu'il ne serait pas sûr que l'argent était à l'intérieur.

Il revint vers lui, faisant craquer sous ses pas les herbes sèches.

— Pose la sacoche et ouvre-la, très lentement.

Levy parlait comme s'il le tenait en joue. Il lui accorda cette illusion. Des oiseaux chantaient, dissimulés parmi les frondaisons. Il se sentait étrangement détendu. Il posa son soi-disant magot dans l'herbe. Il avait calculé le poids approximatif de cinq cent mille euros en liasses de billets de cinq cents euros. Un kilo de cash.

D'une main, il fit claquer les boucles du cartable.

— Recule, ordonna l'autre.

L'homme nu s'approcha du butin, sans le quitter des yeux. Il plaça un genou au sol et jeta un regard déclic entre les soufflets de cuir. Quand il se redressa, c'était trop tard : il avait la seringue plantée jusqu'à la garde dans la nuque. Il tenta de balancer un coup de poing mais ne trouva que le ciel. Tout était fini.

Trente millilitres d'Imagene. Effet immédiat.

Le flic s'affaissa parmi les herbes. Le vainqueur lança un regard aux alentours – personne – puis regarda sa montre. 6 h 40. Il disposait maintenant d'une heure et demie environ pour exécuter son plan.

Placer le prisonnier à l'abri.

Le réveiller et le faire parler.

Préparer l'intervention chimique.

Puis rentrer chez lui, par le chemin qu'il avait emprunté le matin même.

40

Trente minutes plus tard, il parvenait dans le box d'un parking de Rosny-sous-Bois. Un site à l'abandon depuis qu'une campagne de désamiantage était prévue et sans cesse remise. Les propriétaires avaient été indemnisés, les voitures évacuées. Restait ce lieu sous la terre, vide, empoisonné, que même les voyous fuyaient, de peur d'être intoxiqués.

Il avait emprunté exclusivement les rues secondaires, évitant les commissariats, les cités et tous les points chauds que les flics surveillaient. Le 93 était son territoire. Il pouvait s'y orienter les yeux fermés. Le département avait laissé une marque au fer rouge au fond de sa chair. Personne ne pourrait jamais le suivre ni le rattraper dans ce labyrinthe.

Après avoir ligoté le maître-chanteur à une chaise de métal, dont il avait lui-même rivé les pieds au sol au fer à souder, il lui fit une nouvelle injection pour le réveiller. Le temps qu'il reprenne ses esprits, il poussa à fond le système de climatisation afin d'obtenir une chaleur maximale. Le vrombissement des pales, associé aux murs noirs et au plafond très bas, évoquait un puissant vaisseau qui aurait plongé vers le noyau incandescent de la Terre.

— Qu'est-ce qui se passe ?

Il ne répondit pas, travaillant à ses réglages. Pour cette phase de l'opération, la nudité de l'ennemi était essentielle.

— Qu'est-ce que tu m'as fait ?

Levy venait de remarquer la perfusion fichée dans son bras gauche.

— QU'EST-CE QUE TU M'AS FAIT, ENCULÉ ?

Lentement, il s'approcha du flic et désigna d'un signe de tête le pousse-seringue installé sur l'établi, au fond du box. Levy ne pouvait pas le voir mais son moteur ronronnait comme celui d'un aquarium.

— Une solution saline, cria-t-il, couvrant le fracas des machines. Pour te requinquer !

— Tu t'prends pour un toubib ?

— J'ai passé la moitié de ma vie dans des hôpitaux. Je suis médecin comme les taulards sont avocats et les déments psychiatres. Pure déformation profession-nelle.

Levy changea d'attitude, comme s'il avait compris la folie de son interlocuteur. Il se mit à ricaner.

— Tu m'enculeras pas, pédé.

— Nous ne sommes pas assez intimes.

Il s'approcha de l'établi et ouvrit une trousse d'intervention. À l'intérieur, un autoclave de petite taille. Il enfila de nouveaux gants de nitryle – il ne supportait que ce modèle, étant allergique au latex. Il ouvrit le couvercle d'acier, libérant un nuage de fumée, puis saisit une seringue. Ensuite, dans une des poches de la trousse, il choisit un flacon sous plastique, en déchira l'enveloppe et planta l'aiguille dans l'embout de caoutchouc.

Le flic sursautait à chaque bruit – il ne voyait rien de ces préparatifs.

— Qu'est-ce… qu'est-ce que tu fais ?

— Où sont les gants ?

Levy hurla :

— Qu'est-ce que tu vas m'faire, enfoiré ?

— Les gants.

Les flics ont la couenne dure. Le tout est de savoir jusqu'à quel point. Il se plaça face à lui pour achever de remplir sa seringue. Levy se tordait comme un serpent pris au piège et secouait la tête dans un mouvement de négation obstiné.

Avec calme, il expulsa quelques gouttes au bout de l'aiguille afin d'éliminer les bulles d'air.

— Je m'y connais en piqûre, commenta-t-il d'une voix forte. Je suis obligé de me faire régulièrement des injections de testostérone.

Levy sanglotait. Alors il passa au tutoiement. Dans cette fournaise, mêlée de haine et de peur, on pouvait enfin parler de proximité.

— Où sont les gants, Levy ? Ne m'oblige pas à jouer au nazi.

— Va te faire mettre ! hurla l'autre.

Il attrapa du coton et une solution antiseptique. Il en badigeonna le pli du coude droit du prisonnier.

— Tu noteras que je fais tout pour t'offrir un avenir.

Il se pencha vers lui et respira l'odeur acide de son exsudation. Le processus était en marche.

— Du camphre, lui glissa-t-il à l'oreille. La souffrance va courir dans tes veines assez rapidement. Tu n'es pas si vieux et ce n'est pas de chance. La souffrance, c'est comme le cancer. Elle se nourrit de la force de sa victime.

— Non.

— Mengele et sa clique injectaient ce produit à leurs prisonniers.

— Non.

— Où sont les gants ?

— NON !

Il enfonça l'aiguille dans le pli du coude.

— Tu peux t'en sortir, Levy. À Auschwitz, tes frères n'ont pas eu cette chance. Pense aux tiens ! Tu le leur dois !

— NON !

— Les gants.

Il appuya sur le piston.

— Ils sont dans un coffre de banque.

— Quelle banque ?

— HSBC. 47, avenue Jean-Jaurès, dans le 19e.

— Le numéro du coffre ?

— 12B345.

— C'est ta banque habituelle ?

— Pas cette agence.

— Ils te connaissent ?

— Je n'y suis allé qu'une fois. Pour ouvrir le coffre.

— Quand ?

— Hier soir, quand j'ai récupéré les gants.

Il évalua ses chances. Physiquement il ressemblait au flic. Avec ses papiers d'identité, il pouvait tenter le coup. Il retira l'aiguille et se détendit. Il avait emporté les vêtements de Levy, qu'il comptait brûler une fois que tout serait fini. Il palpa les poches de la veste, trouva le portefeuille. La photo de la pièce d'identité datait d'au moins dix ans mais l'homme était déjà chauve : ça pouvait marcher. Il retourna une carte de crédit et évalua la signature. Il l'imiterait sans problème. Et de la main gauche encore.

Il rangea son matériel puis se posta face au prisonnier. La chaleur devenait insoutenable. Levy avait fait sous lui. Cette odeur de merde, saturant l'espace, lui plut. Avec la climatisation réglée jusqu'à l'asphyxie, le maître-chanteur allait littéralement se dissoudre dans ses propres déjections.

D'un seul mouvement, il releva le rideau de fer, ménageant une ouverture d'un mètre de hauteur.

— Où tu vas ? couina l'autre.

— Vérifier tes informations.

— Me laisse pas…

Il éteignit la lumière. Il tenait à la main sa trousse de secours, ainsi que les vêtements du flic. Il n'avait pas quitté ses gants. Le bourdonnement de la climatisation parut se renforcer dans l'obscurité.

— Je serai de retour dans quelques heures ! cria-t-il. Si j'ai les gants, on pourra envisager ton avenir. Si je ne les ai pas, je choisirai une autre option.

— C'est… c'est quoi cette chaleur ?

— Tu dois transpirer. Tu dois exsuder l'anesthésique.

— ME LAISSE PAS !

— Ne te fatigue pas. Ce sous-sol n'a pas vu une voiture depuis trois ans. À tout à l'heure.

Il rabattit le rideau et marcha rapidement jusqu'à sa voiture. 7 h 30. Tout allait bien. Il disposait d'une demi-heure pour rejoindre Neuilly, se garer boulevard d'Inkermann, traverser les jardins par l'arrière et regagner sa tanière par la voie secrète qu'il empruntait toujours.

Il tourna la clé de contact et régla la climatisation au plus bas. Il ferma les yeux durant quelques secondes sous l'effet de la fraîcheur bienfaisante puis démarra en faisant hurler la gomme. Une fois chez lui, après une bonne douche, il n'aurait plus qu'à attendre 9 heures pour monter dans sa Classe E, conduite par son chauffeur, sous le regard attentif de sa garde rapprochée.

Une nouvelle journée commencerait.

Il était surpris par sa propre décontraction. Au fond, toute cette histoire avec Levy n'était qu'un problème collatéral. Seul comptait le combat avec l'Ennemi.

L'affrontement mais aussi le rapprochement...

41

— Tout s'est bien passé cette nuit ?

— Super.

— Ils se sont couchés tôt ?

— Aucun problème.

— T'as une drôle de voix.

— Je suis à la bourre.

— Je t'ai appelé tout à l'heure. Je voulais leur parler.

— Tu sais comment ça se passe le matin.

Naoko ne répondit pas. Elle connaissait le rythme du lever des garçons, du petit déjeuner, de la course vers l'école. Que Passan n'ait pas eu le temps de la rappeler ne l'étonnait pas.

— T'es sûr que ça va ? insista-t-elle.

— Très bien, je te dis ! Je suis en retard. Je te laisse.

Il raccrocha. Naoko resta interloquée. Elle s'en voulait d'implorer des nouvelles, elle qui plaidait pour deux camps bien séparés. Mais la situation autorisait des entorses à la règle.

Elle choisit une tenue parmi les affaires qu'elle avait rapidement fourrées la veille dans un sac.

Quelque chose n'allait pas. Une dissonance, une fêlure dans la voix. Paradoxe pour un flic : Passan ne savait pas mentir.

Contrariée, elle enfila une robe bleu pastel. Le tissu était froissé. Nomade de sa propre vie, il fallait qu'elle s'habitue. Elle avait opté pour un hôtel à Neuilly, le Madrid, situé sur l'avenue du même nom, proche de la Défense. La veille, en sortant du bureau, elle avait tourné au hasard dans ce coin et avait été frappée par la rumeur cuivrée qui planait sous les platanes. Elle avait repéré l'établissement et s'était décidée, sans réfléchir.

Elle s'était mise au lit après avoir reçu un SMS rassurant de Passan mais n'avait pas réussi à s'endormir. Elle avait pris un somnifère et s'était recouchée, comme on s'acquitte d'une tâche funèbre. Elle avait sombré quelques heures, par fragments noirs.

À l'inverse de Passan, Naoko ne faisait jamais de mauvais rêve. Pas même des songes compliqués ni inquiétants. Seulement des épisodes anodins : un feu rouge ne passait jamais au vert, elle achetait des pâtisseries et se retrouvait avec des poissons dans son sac. Des rêves de ménagère. Cette nuit n'avait pas dérogé à la règle.

C'était quand elle se réveillait que le cauchemar reprenait. Elle pensait à ses enfants. Au singe écorché dans le réfrigérateur. À la menace qui pesait sur sa maison, son foyer...

9 heures. Dans une demi-heure, sa première réunion débutait. Elle s'observa dans le miroir de la salle de bains. Son maquillage était nerveux, acéré, comme une écriture fiévreuse. Les financiers s'en contente-

246

raient : vu les chiffres qu'elle allait leur servir, ce serait le cadet de leurs soucis.

Elle ignora l'ascenseur et dévala l'escalier de service, faisant claquer ses talons. Toute la nuit, le soupçon sur Passan était revenu en leitmotiv. Parfois, l'idée lui paraissait absurde. D'autres fois, elle se disait qu'on ne connaît jamais personne *en profondeur*. Elle se remémorait les signes qui démontraient que son mari, au fil des années, avait progressivement basculé dans la violence, le déséquilibre, voire la folie. Ses accès de colère. Son amour pour ses enfants, qui ne fonctionnait que par à-coups, par excès. Ses engueulades avec elle, où ses griefs s'écoulaient comme du pus – on aurait dit qu'il vidait une plaie profonde. Ses ricanements sardoniques, inexplicables, lorsqu'il regardait la télévision. Ses sorties ordurières au téléphone avec ses collègues…

Dans ces moments-là, la réalité la rattrapait : elle vivait avec un homme qui avait tué d'autres hommes. Ces mains qui portaient ses enfants, la caressaient avaient *aussi* brisé des os, appuyé sur la détente, frayé avec la mort et le vice…

Même sa passion pour le Japon avait viré à l'obsession mortifère. Il ne parlait que de seppuku, de règles d'honneur qui légitimaient la destruction, le suicide. Toutes ces conneries qu'elle avait fuies à toutes jambes – notamment parce qu'elles lui rappelaient son père.

Mais tout cela suffisait-il pour faire de lui un cinglé déterminé à la terrifier ? Non. D'ailleurs, elle était sûre que cette affaire avait à voir avec une de ses enquêtes. Qu'il connaissait le vrai coupable. Une sombre histoire de vengeance, quelque chose de ce genre, dont il refusait de parler.

La circulation était fluide sur l'avenue Charles-de-Gaulle. Elle se faufila jusqu'au boulevard circulaire. Un autre problème se greffait à cette sinistre matinée. La veille, en fin d'après-midi, elle avait vu son avocat, un dénommé Michel Rhim. Elle lui avait raconté l'épisode du singe écorché. Pire encore : elle s'était laissée aller à évoquer ses soupçons au sujet d'Olivier. Rhim avait exulté. Il avait parlé d'expertise psychiatrique, d'enquête sociale... Il avait promis une victoire totale : garde exclusive des enfants, prestation compensatoire, pension alimentaire... Naoko lui avait expliqué qu'elle ne voulait rien de tout ça mais l'autre était lancé. Elle lui avait fait jurer de ne prendre aucune initiative sans la prévenir.

Dans le parking, elle coupa le moteur et croisa les bras sur le volant. La journée commençait à peine et elle était déjà épuisée. Son activité dans cette tour colossale... L'angoisse liée à l'intrus dans la villa... Le combat avec Passan... Tout cela lui paraissait insurmontable. Elle se redressa et fut traversée par une révélation.

Rentrer à Tokyo. *Définitivement.*

En douze ans, c'était la première fois qu'elle y pensait.

Tout de suite, elle rejeta l'hypothèse. Sa vie était ici. Sa famille. Sa maison. Sa carrière. Un tel départ serait une fuite. Face à l'agresseur. À son divorce. À Passan. C'était aussi une question d'orgueil. Quand on s'exile, ce n'est pas pour rentrer sans boulot, sans mari, avec deux gosses sur les bras. De toute façon, elle ne pouvait plus faire machine arrière – revenir aux codes, règles et obligations de son pays après avoir connu la liberté européenne.

Les Japonais ont une métaphore pour décrire le phénomène : ils se comparent aux bonsaïs, à la fois soutenus et entravés par de minuscules tuteurs. Libérez-les dans la nature et ils se déploient aussitôt. Impossible de les replacer dans leur pot.

Elle traversa résolument le parking désert. Elle devait assumer son destin, ici, maintenant. Même s'il s'agissait d'un naufrage annoncé. Devant l'ascenseur, elle sonda encore plus loin son âme et toucha la strate la plus dangereuse. Au fond, tout au fond d'elle-même, elle acceptait cette chute. À quoi s'attendait-elle ?

Elle avait menti. Elle avait dissimulé des secrets. Son existence n'était qu'un château de cartes, qui devait, fatalement, s'effondrer un jour.

Les portes chromées s'ouvrirent. Elle plongea dans la cabine, le regard perdu.

42

— Qu'en penses-tu ?

— On dirait bien des marques de prises de sang.

— Combien ?

— Difficile à dire. Ce type de traces s'atténuent rapidement. Tout ce que je peux te confirmer, c'est que les dernières datent de vingt-quatre heures tout au plus. D'après Zacchary, deux litres ont coulé dans ta douche. Si on imagine une moyenne de deux cents millilitres à chaque fois, ça fait pas mal de prélèvements...

Passan réfléchit. Cela signifiait que les derniers avaient été effectués durant la nuit du singe. Cela signifiait que l'intrus allait et venait chez lui à sa guise, depuis plusieurs semaines. Cela signifiait une préméditation terrifiante.

Dès 7 heures, il avait tiré du lit Stéphane Rudel. Le médecin légiste était arrivé juste avant le départ pour l'école : il avait examiné les enfants, sans un mot, puis avait attendu, café en main, le retour de Passan pour livrer son diagnostic. Ils étaient maintenant attablés dans la cuisine, une nouvelle tournée d'arabica était en route.

— La piqûre aurait dû les réveiller, non ? reprit Passan.

— Pas nécessairement. On a peut-être utilisé un gel anesthésiant.

Le flic attrapa la verseuse et remplit les chopes :

— Et sur leur état de santé général ?

— Tout va bien. Ils sont en pleine forme.

— Les prélèvements ne les ont pas affaiblis ?

— Non. La plupart des éléments constitutifs du sang se régénèrent rapidement.

— Il n'y a pas de risque d'infection ?

— Qu'est-ce que tu veux dire ?

— Si les prises de sang ont été effectuées sans asepsie.

— On peut lancer une analyse si tu veux, mais il faudrait un nouveau…

— Pas la peine : c'est déjà fait.

Isabelle Zacchary avait initié toutes les analyses possibles. En vérité, il ne pensait pas que le visiteur en ait profité pour injecter un produit quelconque aux enfants ou qu'il ait pratiqué ses interventions dans de mauvaises conditions. Tout dans cette affaire trahissait un pro, obsessionnel, organisé. D'autre part, on en était encore au stade des avertissements.

Cette nouvelle attaque avait totalement changé sa position : plus question de céder à une impulsion, de menacer Guillard ni de tout casser dans son garage. Les évènements de cette nuit démontraient l'habileté de l'adversaire, et sa puissance d'action. La guerre était déclarée – et ce n'était pas le moment d'agir inconsidérément.

— Pour une prise de sang, il faut une expérience médicale ?

— Pas du tout. C'est à la portée de la première infirmière venue.

Guillard revint dans le tableau. Monique Lamy, l'éducatrice de Jules-Guesde, avait parlé d'un traitement de testostérone dès l'adolescence. Depuis ce temps, il avait dû subir des centaines d'injections. Sans doute se les faisait-il tout seul. Un spécialiste des piqûres...

— Tu peux me dire ce qui se passe au juste ? demanda enfin Rudel.

— J'aimerais bien le savoir.

Le légiste se leva, se rechaussa dans le vestibule et disparut, à la manière d'un médecin de campagne dans un film de John Ford. Sur le seuil, Passan lui promit des explications dès qu'il en saurait plus. L'autre hocha la tête : *promesse de flic*.

Passan débarrassa la table. Il avait aussi contacté Albuy et Malençon, les cerbères qui surveillaient Guillard nuit et jour. Selon eux, il n'avait pas bougé de chez lui cette nuit. Ça ne signifiait rien : le salopard était assez malin pour leur fausser compagnie. Une seule certitude : il n'avait pas de complice.

Diego pénétra dans la cuisine. Une autre énigme. Comment le chien avait-il pu laisser un étranger s'introduire plusieurs fois dans la villa, sans même aboyer ? Devait-il revoir complètement ses soupçons, ses hypothèses ?

On sonna au portail. Les parois de fer s'ouvrirent sur Isabelle Zacchary et ses hommes. Ils étaient venus en voitures banalisées et n'avaient pas encore enfilé de combinaisons. Rien dans leur allure ne trahissait leur activité, à l'exception de leurs mallettes de polypropylène.

— Qu'est-ce que tu veux au juste ? demanda Zacchary.

— La totale.

— On n'a même pas les résultats de la dernière fois.
Ça te branche de claquer l'argent du contribuable ?

— Je peux m'adresser à une autre équipe.

Elle sourit :

— T'emballe pas, mon gros. On va faire ça pour toi.

43

Une demi-heure plus tard, Super Mario arrivait.

Dans le civil, l'ingénieur était un spécialiste des systèmes « home cinéma ». Il possédait un magasin dans le 18e arrondissement où il vendait tout ce qu'il faut pour transformer son salon en salle de projection high-tech. Il proposait aussi, sous le comptoir, du matériel de sonorisation, des caméras de surveillance, des capteurs d'alarme et des mouchards dernier cri. Des prodiges de technologie et de miniaturisation, à destination des voyeurs, des maris jaloux, des riverains paranoïaques.

À l'époque où Passan bossait au commissariat central du 10e, rue Louis-Blanc, il l'avait serré dans une affaire de voyeurisme : des images circulant sur le Net, prises dans des cabines d'essayage, des toilettes féminines, des vestiaires de piscine… L'installateur, de son vrai nom Michel Girard, avait crié à l'innocence – il n'avait fait que fournir le matériel. Passan avait vérifié : il disait la vérité. Il avait zappé son nom de la procédure, en échange de quoi il pouvait désormais l'appeler à n'importe quel moment du jour ou de

254

la nuit pour une sonorisation express, indétectable – et gratuite.

— J't'ai ramené la complète, fit le bonhomme, une valise dans chaque main. Tu veux quoi au juste ?

— Rentre. Je vais t'expliquer.

Tout le monde le surnommait Super Mario parce que, dans le domaine du renseignement, on appelle les poseurs de mouchards des « plombiers ». De plus, Girard, avec sa casquette rouge et ses moustaches noires, cultivait la ressemblance avec le héros de jeux vidéo. Mais c'était un Mario de première génération. Âgé d'une soixantaine d'années, il avait la peau ridée, les yeux cernés, le nez rond, grêlé comme une pierre ponce.

Ils s'installèrent dans la cuisine où les relevés étaient terminés. Passan ferma la porte, offrit du café et le briefa, sans donner de détails sur la situation :

— Je veux tout voir, tout entendre, vingt-quatre heures sur vingt-quatre.

— C'est comme si c'était fait.

— Tu m'en fous partout. Sauf dans les chiottes et les salles de bains.

L'installateur lui fit un clin d'œil égrillard :

— T'en veux pas dans les salles de bains, t'es sûr ?

— Ta gueule. On est chez moi, là.

Girard esquissa une grimace offusquée :

— Le PC de contrôle, où on le place ?

— Sur la table basse du salon.

— Tous les moniteurs ?

— Tous.

Son portable sonna. Fifi. D'un signe de tête, il donna carte blanche au plombier et sortit dans le jardin, par la porte de derrière.

— Qu'est-ce que tu branles ? demanda-t-il sans dire bonjour.

— Je peux pas venir.

— Quoi ?

— On a du boulot ici.

— Où ça ?

— Au 36. Le groupe est rentré. J'te l'ai dit hier. On a deux homicides dans le 10e. Reza nous fout la pression.

— Et moi, j'ai pas la pression ?

— Je te comprends, Olive, mais…

— T'as avancé sur ce que je t'ai demandé ?

— Je t'ai envoyé un mail sur ton Iphone. Tout ce que j'ai trouvé sur les parents de Guillard.

— Et les capucins ?

— Toujours en cours. Mais je sais pas si j'aurai le temps de…

— Les incendies volontaires ?

— J'ai mis Serchaux sur le coup. Il a bossé toute la nuit. J'attends de ses nouvelles. Merde, Olive, qu'est-ce que tu crois ? Qu'on va retourner tout le sud de la France en deux heures ?

Passan se calma. Sans saisie, sans moyen, sans autorité légale, avec un nouveau supérieur sur le dos, c'était déjà un miracle que Fifi en soit là.

— Et du côté de Levy ?

— Que dalle.

— Le juge ?

— Rien. Si on veut des infos, autant acheter le journal.

— Essaie tout de même d'en savoir plus.

— Je fais mon max.

Passan raccrocha et vérifia ses mails. Fifi lui avait envoyé plusieurs pages de texte. Rétrospectivement, il éprouva un remords de l'avoir engueulé. Il alla chercher son ordinateur portable puis s'installa dans sa voiture.

Marie-Claude Ferrari avait toujours été coiffeuse. D'abord salariée, puis propriétaire d'un salon à Livry-Gargan. Mariée et divorcée trois fois, elle avait eu deux enfants de lits différents – deux garçons – en plus de Guillard. L'un vivait à Carcassonne, l'autre dans les Yvelines. Rien à signaler de ce côté-là. En clair, le pyromane les avait écartés de sa vengeance.

Par ailleurs, elle avait toujours mené une vie de bohème, plus ou moins dissolue. Un an avant sa mort, elle s'était installée avec un Portugais de vingt ans son cadet, qui faisait des chantiers au noir et qui avait aussi un casier de dealer. Il faudrait interroger tout ce petit monde. Mais pour Passan, ils étaient déjà hors cadre.

Fifi avait ajouté, en pièces jointes, des clichés de la coiffeuse avant sa mort, en 2000. Une petite bonne femme bien en chair, aux cheveux orange coupés court, portant des bustiers échancrés, des minijupes ras la touffe ou des survêtements Adidas moirés. À soixante ans, elle arborait un tatouage de scorpion entre les seins. *La classe.*

Marc Campanez avait un pedigree tout aussi chic, version fonctionnaire. Jamais le moindre fait d'arme, ni la moindre notation au-dessus de la moyenne – hormis plusieurs blâmes pour alcoolisme. Une carrière à La Courneuve et à Saint-Denis, qui s'était éteinte comme elle avait commencé : dans la plus stricte indifférence. À cinquante-deux ans, il avait pris sa retraite à Sète avec le grade de lieutenant.

Le flic n'avait qu'un terrain de gloire : la drague. Le tombeur du neuf-cube, le Robert Redford des 4000 : c'était sa réputation de l'époque. Fifi avait glané quelques témoignages : le play-boy ne s'était marié qu'une fois, avait divorcé vingt ans plus tard, en ayant fait trois enfants officiels. Sans compter, sans doute, les balles perdues.

D'après les photos, Campanez avait un physique de mac. Cheveux crépus taillés court, teint bronzé au monoï, chemise ouverte sur un torse velu et une médaille de baptême. Le Don Juan de ces dames avait tout pour provoquer la stupeur chez les autres hommes : comment un mec pareil pouvait-il séduire ?

Guillard n'avait pas dû beaucoup regretter de tels parents. Il avait sans doute joui au contraire de les tuer – de détruire cette médiocrité qui s'était permis de le renier, lui. Passan referma son portable. Inexplicablement, sa conviction revint en force : le garagiste était l'intrus et il projetait de brûler sa villa, sa famille, sa vie.

Cette certitude lui fila de nouvelles crampes d'estomac et réveilla un point douloureux au plexus solaire. Un Lexomil lui aurait fait du bien – il connaissait la planque de Naoko. Mais il n'avait fait qu'une exception à sa règle – jamais de drogue – et c'était quand il était en pleine dépression.

De l'action, en guise de traitement.

44

Rien ne bougeait à l'intérieur de la concession d'Aubervilliers.

En réalité, Passan ne voyait rien. Le soleil frappait les baies vitrées avec violence et empêchait la moindre indiscrétion. Fenêtres fermées, climatisation réglée à fond, il s'était garé sur le parking face au garage, de l'autre côté de l'avenue Victor-Hugo.

À cent mètres de là, sur sa gauche, Albuy et Malençon faisaient les cent pas autour de leur véhicule. Plus près, le chauffeur de Guillard fumait une cigarette, appuyé à la Classe E du patron. Aucune chance qu'on l'ait repéré : il avait pris soin de se poster à contrejour.

Tout en gardant un œil sur son objectif, il feuilletait les *15 légendes de la mythologie*, le livre fétiche de Guillard à Jules-Guesde. « Prométhée enchaîné », « La conquête de la Toison d'or », « La renaissance du Phénix », « Le devin aux pieds noirs »… Les illustrations en noir et blanc possédaient une force particulière. On aurait dit que le dessinateur avait gratté le papier avec sa plume dans l'intention d'écorcher les nerfs du lecteur.

Il était certain que l'hermaphrodite avait fondé sa folie meurtrière sur un de ces mythes. Lui, l'être doté de deux sexes, persécuté par ses camarades, toujours seul, malheureux, méchant, parlant aux oiseaux et aux vers de terre, s'était forgé une identité à travers ces pages, une parenté originelle avec un de ces personnages.

Passan songea au feu et s'arrêta sur Prométhée, le voleur de foudre. Ça ne collait pas : le Titan était un perdant, condamné à un supplice éternel par Zeus. Hermaphrodite ? L'histoire ne racontait que le destin d'un être bisexué. Pas de brasier, pas de destruction. Le Phénix, en revanche, pouvait convenir. L'oiseau légendaire n'avait pas de sexe. Ni mâle ni femelle, il se reproduisait lui-même en mettant le feu à son propre nid et renaissait de ses cendres, solitaire, autonome, incandescent. Les sacrifices des nourrissons jouaient-ils le même rôle ?

Il releva les yeux. Sous le soleil, les embouteillages prenaient une ampleur assourdissante. Malgré ses vitres closes, il pouvait sentir la puissance asphyxiante de la zone en mutation. Un quartier à l'américaine, piétonnier sans piéton, « chaleureux et humain » sans chaleur ni humanité, mais crachant un flot ininterrompu de voitures, de gaz, de bruits, de puanteurs. Le long de l'avenue, les immeubles rouges flambant neufs semblaient se tenir au-dessus du chaos. Pourtant, dans quelques années, sales et dégradés, ils feraient partie intégrante de l'enfer.

Passan se dit soudain qu'il était idiot. Il était là pour surveiller Guillard, et plus précisément pour vérifier s'il pouvait s'esquiver en douce. Or, il s'était posté exactement dans la même fenêtre de tir que les cerbères. Si le garagiste voulait agir de manière discrète, il utiliserait une autre voie, connue de lui seul.

Il démarra, quitta sa planque et fit le tour du bloc. Il tournait pour la deuxième fois sur la droite quand il tomba sur la rampe d'un parc souterrain. Une Classe A en jaillit au même instant et partit dans la direction opposée, porte d'Aubervilliers. Dans l'éclat miroitant du pare-brise, il discerna un homme portant casquette et veste grise. Guillard ? Il ne pouvait vraiment croire à un tel coup de pot. Mais peut-être la loi des équilibres était-elle à l'œuvre. Dans cette affaire, il n'avait cessé de jouer de malchance : il était temps que le vent tourne...

Passan braqua, forçant plusieurs voitures à freiner, et appuya sur l'accélérateur. Une minute plus tard, il était dans le sillage de la Merco sur le boulevard périphérique nord. Se rapprochant, il distingua le conducteur. Sous la casquette, un pansement lui barrait la nuque. *Guillard*. Il laissa passer deux véhicules et cala sa vitesse sur sa cible. La porte de la Chapelle était en vue. Peut-être le fuyard avait-il l'intention de rejoindre l'aéroport Roissy-Charles-de-Gaulle et de disparaître à jamais ? Mais l'autre ignora l'embranchement de l'autoroute A1. *Où allait-il ?*

Un kilomètre plus loin, la Classe A prit la porte de Clignancourt. Passan sortit du périph à son tour. Il négocia avec les carrefours et les artères qui s'entrecroisaient, cernés par les boutiques du marché aux puces. Guillard venait de se parquer boulevard d'Ornano, près de l'entrée du passage du Mont-Cenis. Le flic le dépassa quand il sortait de sa voiture. Un frisson le traversa. Il tenait son tueur, en pleine échappée clandestine. Cette fois, il ne le raterait pas.

À cet instant, l'autre disparut dans la cohue. Passan étouffa un juron et s'arrêta sur le premier bateau venu. Il jaillit de sa Subaru. Pas de Guillard. Seulement le bruit, la blancheur, le vertige… Soudain, il le repéra à nouveau. Il portait une veste de treillis informe, largement usée, qui tranchait avec ses costumes habituels, signés Brioni ou Zegna.

Le temps de quelques éclairs de soleil – les voitures qui filaient – et Passan le vit s'engouffrer dans la bouche de métro. Il glissa sa main dans son habitacle, rabattit son pare-soleil siglé « Police », arracha la clé du contact. Il traversa le boulevard d'Ornano au pas de course et plongea à son tour. Guichets. Portiques. Signalisations. Peu de monde à cette heure-ci mais déjà plus de Guillard. Cette station est le terminus de la ligne 4. Il n'y avait donc qu'une direction possible : la porte d'Orléans.

Il acheta un ticket, franchit le portillon, descendit les escaliers. Guillard était sur le quai, mains dans les poches, innocent parmi les innocents. Le flic se posta en retrait. Il sentait monter en lui la fièvre de l'excitation et goûtait en même temps la fraîcheur du lieu, où planait une odeur de gomme brûlée. Dos au mur, il regardait la voûte de carrelage en imaginant la pression des tonnes de terre au-dessus de lui.

Un grondement se fit entendre. La rame arrivait. Guillard monta. Le flic attendit la sirène et bondit, in extremis, dans la dernière voiture. Debout parmi les voyageurs, il reprit ses esprits, chassant de son cerveau les questions qui l'assaillaient.

Simplon. Les portes s'ouvrirent. Le quai. Pas de Guillard. Passan en profita pour monter dans la voiture suivante et se rapprocher.

Marcadet-Poissonniers. Toujours rien. Une autre voiture.

Château-Rouge. Le tueur ne se montrait pas. Le monde affluait : une population noire et bigarrée, la clientèle de la rue Myrha. Passan recula. Il serrait la barre à la tordre et voyait avec angoisse la foule grossir. Il sentait son aorte claquer dans sa poitrine, comme une douille qu'on éjecte d'un calibre. Où allait ce putain d'enfoiré ?

Barbès-Rochechouart. Ça sortait, ça rentrait, avec cette morne régularité des usagers, dociles et fatigués. Trille de la sirène. La casquette grise jaillit sur le quai. Passan eut juste le temps d'abaisser son bras pour empêcher la fermeture des portes et se jeta dehors. Il se demanda si cette sortie à la sauvette était calculée. Le signe que Guillard se sentait suivi. L'androgyne se faufilait déjà parmi la foule, en direction de la ligne 2 – Nation par Barbès.

Passan accéléra. Dans le troupeau, Guillard marchait le long de la paroi carrelée, petit format, fessier rebondi, visage baissé sous la visière de sa casquette. Au passage, il nota ce qu'il avait déjà remarqué du temps des filatures : contrastant avec sa carrure de culturiste, l'hermaphrodite avait une démarche de petit garçon, sautillante, saccadée. Ses pieds partaient légèrement en canard et ses épaules se balançaient à contretemps. Il roulait des mécaniques en gardant les bras le long du corps.

Escaliers. Couloirs. Guillard s'orienta vers la droite, rejoignant le quai en direction de Nation. Passan suivait toujours. Il ne cessait de se répéter : *Tu brûles*. Un courant d'air s'engouffra sous la voûte. Il imaginait un gigantesque système respiratoire, dont les poumons étaient les stations. Le métro arrivait. Sa proie monta dans l'avant-dernière voiture, lui se glissa dans la suivante. Sirène. Fermeture des portes. Coup d'œil vers le sas vitré. Trop de monde. Le convoi s'ébranla.

D'un coup, il se retrouva en pleine lumière. Ébloui, il porta la main à son visage. Avec un temps de retard, il se souvint que la ligne devenait ici aérienne. Nouveau vertige. Les vitres chauffées à blanc par le soleil de midi. Les ombres filant sur les visages, au rythme des arches du viaduc. Sa main poissait la barre. Il éprouvait un mélange de jouissance et d'appréhension. Seul au monde avec sa proie. *Hors la loi.*

La Chapelle. Bousculade. Pas moyen d'accéder au seuil. Il se hissa sur la pointe des pieds et lança un coup d'œil par la fenêtre.

— PARDON !

Guillard venait d'apparaître parmi le flux du quai. À coups d'épaules, Passan se fraya un chemin et s'arracha du wagon alors que l'autre se pressait vers la sortie. La casquette de toile grise se perdait parmi les têtes qui descendaient les escaliers. Olivier joua encore des coudes et se rapprocha de sa cible. Il sortit sur le boulevard de la Chapelle, se prenant de plein fouet l'agitation du quartier, sous les feuillages des arbres. Guillard se faufilait entre les voitures, gagnant le trottoir d'en face, où se succédaient les épiciers srilankais, les bazars pakistanais, les restos indiens.

Le flic courut et comprit que quelque chose déconnait.

L'homme ne marchait plus d'un pas sautillant. Il ne portait plus de pansement sur la nuque. Un mètre encore et Passan, sachant qu'il était déjà trop tard, l'agrippa par l'épaule. Il découvrit la gueule burinée d'un SDF sans âge. Sous la veste, il était vêtu d'un bleu de chauffe et d'une chemise hawaiienne décolorée. Guillard lui avait refilé son déguisement. Le clodo tenait encore le bifton de cinquante euros qu'il avait récolté.

Passan n'interrogea même pas le gars qui lui souriait de sa bouche édentée. Il recula et laissa échapper un rugissement vers le ciel. Au-dessus du brouhaha des voitures, le sifflement du métro aérien s'éloignait.

45

D'une manière ou d'une autre, il devait rattraper la rame. Réquisitionner un véhicule, armé de sa carte de flic ? Le meilleur moyen pour aggraver son cas. Il y avait une autre solution. Après quatre ans au commissariat de la rue Louis-Blanc, il connaissait le quartier. Ses rues, ses ethnies, ses réseaux. Il savait que la ligne 2 effectue ici une large boucle au-dessus de la place Stalingrad. Mieux : en prenant la rue Louis-Blanc, qui part de la place de la Chapelle pour rejoindre à l'oblique celle du Colonel-Fabien, il avait une chance de rejoindre la rame, deux stations plus loin. En piquant simplement un sprint.

Il s'élança vers la place de la Chapelle puis tourna sur la droite, à contresens du trafic. Il voyait défiler les boutiques. Les passants. Les feuilles des platanes qui brisaient la lumière du soleil en milliers de fragments éblouissants.

Au premier croisement, rue Perdonnet, il regarda vers la gauche. Il eut juste le temps d'apercevoir la fin de la rame qui disparaissait derrière les immeubles. Il repartit de plus belle. Deuxième croisement. Un pont, au-dessus des voies ferrées de la gare du Nord. À travers les grilles de la passerelle, la ligne s'était éloignée : cent cinquante mètres sur la gauche. Mais il gagnait du terrain sur la rame : il pouvait voir plusieurs voitures, blanc et vert, qui défilaient. Il baissa la tête et se concentra sur son souffle.

Les arbres se resserraient, les cimes s'abaissaient, les façades s'obscurcissaient. Il avait l'impression de traverser un sous-bois. Troisième croisement : la rue du Château-Landon. Des enfants sortaient de classe. Au-dessus des petites têtes, les arches du métro se découpaient, toujours plus lointaines. Aucune trace de la rame. Avait-il perdu son avance ? Débraillé, en sueur, il accéléra, sous le regard inquisiteur de l'agent en civil qui faisait traverser les écoliers.

Le rythme. Les battements de son cœur lui faisaient l'effet de coups de couteau dans sa gorge. Il était passé de la fièvre à l'incandescence pure. Les panneaux de sens interdit, rouges, palpitants, ressemblaient à des signaux d'alerte. Deux rues s'ouvrirent en ciseaux vers le boulevard de la Chapelle : Faubourg-Saint-Martin, La Fayette. Les arceaux de fer se trouvaient maintenant à plus de trois cents mètres, minuscules, hors de portée. Désespérément vides. Il s'arrêta, brisé en deux par un point de côté. La fatigue alourdissait ses membres d'un poids indicible.

Il n'avait pas couru assez vite. Il avait été semé par le convoi. Tout à coup, il releva la tête, les deux mains en appui sur les cuisses. Au contraire : *il avait pris de l'avance*. La rame s'était arrêtée à Stalingrad. C'était le point faible de son plan : Guillard pouvait aussi bien descendre à cette station qu'à la suivante, Jaurès. Mais aussi le point fort : ces arrêts allaient lui permettre de rejoindre le premier la place du Colonel-Fabien.

Il se remit en marche, cherchant un nouveau rythme. Son point de côté était toujours là mais il l'ignora. Quand il était môme, il utilisait ce truc : il continuait à courir, le plus régulièrement possible, insensible à la douleur, jusqu'à ce qu'elle se résorbe dans sa propre indifférence…

Il ralentit de nouveau. Le centre de police du 10e. Des groupes de flics se déployaient sur le trottoir, alors que des véhicules lançaient des flashs bleutés dans la rue grise. Commandant ou pas, il n'avait pas le temps pour des explications. Or, en langage de flic, un homme qui court en solitaire dans une rue, ça signifie « délit de fuite ». Il croisa les keufs sans un regard, marchant comme un quidam, et sut qu'il était invisible.

Au bout de cinquante mètres, il repartit au petit trot, puis à grandes enjambées, jusqu'à galoper à nouveau. Il vit son reflet se disloquer dans les murailles de verre du conseil de prud'hommes de Paris. Était-il dans les temps ? En guise de réponse, il tomba sur la grande trouée du canal Saint-Martin qui déployait ses perspectives de part et d'autre de la rue.

Les arches du métro s'étaient rapprochées. La boucle revenait vers son objectif. Mieux encore : la rame était là, étincelante. Il pouvait capter son sifflement dans l'air chaud.

Il se remit à courir à pleines foulées. La rue lui paraissait morcelée, trouée, frémissante d'ombre et de lumière. *Plus que deux cents mètres…* Il ne voyait que la vaste place circulaire devant lui, qui cuisait dans le soleil. Il avait l'impression d'avaler chaque mètre pour trouver un peu d'air… Un vacarme sur sa gauche : les wagons s'engouffraient sous la terre. Le tronçon aérien s'achevait ici. Il courut encore, dévala les marches de la station, trébucha, se rattrapa et se retrouva bloqué par les portillons.

Il poussa violemment un usager qui compostait son ticket et franchit le péage. Direction Nation. Il dégringola de nouvelles marches. La sirène se répercutait contre les voûtes. Les portes se fermaient. Ses épaules bloquèrent le mécanisme. Il se tortilla entre les mâchoires de caoutchouc et parvint à pénétrer dans le wagon.

Les voyageurs le regardaient, atterrés. Il esquissa un sourire, à la cantonade, et s'essuya le visage. Il réalisa qu'il était dans la voiture qu'il avait quittée à La Chapelle et se souvint que Guillard était monté dans celle d'à côté. Peut-être avait-il assisté à son petit numéro de passe-lacet.

Il se dirigea vers la porte du sas pour tenter de l'apercevoir. Il ne cherchait plus à se cacher. Il plaça ses mains de part et d'autre de son visage et observa les usagers de l'autre côté de la vitre. Pas de Guillard. Passan ne pouvait pas le croire. Le métro ralentit : Belleville.

Étouffant un rugissement, il sortit de la voiture et pénétra dans la suivante. *Pas de Guillard*. Saisi par la rage, il ressortit encore et, au son de la sirène, se glissa dans la troisième. *Toujours pas de Guillard*.

Le salopard était descendu à Stalingrad ou à Jaurès.

Cette évidence le calma d'un coup. In extremis, il s'extirpa de la voiture et s'effondra sur un siège du quai. Il crut qu'il allait vomir. Le sang lui battait les tempes. D'autres pulsations lui répondaient, provenant de son ventre, de son entrejambe. Il demeura visage baissé, comme un homme qui vient d'être passé à tabac, absorbant les ondes de douleur.

Le métro disparut. Le silence s'imposa.

Alors seulement, il se rendit compte que son portable sonnait.

— Allô ?

— C'est Fifi. Tout le monde te cherche, putain ! Où t'es ?

Il leva les yeux vers le panneau « Belleville ».

— Nulle part.

— Je t'attends à Nanterre. Magne-toi. J'ai les infos de Serchaux et j'ai contacté moi-même les pompiers des régions où a vécu Guillard.

Avec un temps de retard, Passan comprit à quoi il faisait allusion :

— T'as trouvé des incendies criminels ?

— C'est plus une bio : c'est un feu d'artifice.

46

Avenue Jean-Jaurès, il pénétra dans un bazar et acheta une nouvelle casquette et une veste de toile, toutes deux de couleur grise. Peu à peu, il retrouvait son calme. Il ne pouvait croire que le Cavalier de la nuit ait pris de tels risques. Malgré l'injonction de la justice. Malgré l'échec de Stains. Malgré son esclandre de la veille. Cette filature constituait un signe supplémentaire. Le combat frontal n'était plus qu'une question d'heures. Passan ne pouvait plus abandonner – *c'était au-dessus de ses forces*.

Et lui ne vivait plus que pour cet affrontement.

Il marchait maintenant d'un pas léger sur l'avenue éclatante. Semer l'Ennemi n'avait pas été si difficile. Passé la première surprise, il avait réagi avec sang-froid et usé d'un stratagème enfantin. Il aperçut l'enseigne HSBC. La longue vitre noire opposait sa rectitude à la crasse des trottoirs et au vacarme de la circulation. Par ricochet, il songea à ses propres garages qui dressaient leurs surfaces sombres, impeccables, dans le chaos de la ville. Des oasis d'ordre et de rigueur.

Il franchit le sas de sécurité et pénétra dans la banque. Une salle immense, neutre. La fraîcheur de la climatisation le figea. Il lui fallut quelques secondes pour régler son métabolisme. Il y avait beaucoup de monde, de nombreux guichets. La taille de l'agence était son meilleur atout : personne ne se souviendrait ici de Jean-Pierre Levy.

Il prit la file d'attente. Il se sentait serein, en pleine possession de ses moyens. Sa victoire sur Passan le rassérénait – et le grisait légèrement. Son tour vint. Un jeune métis, sans doute d'origine antillaise, attrapa le formulaire qu'il venait de remplir, le parcourut puis compara les deux signatures. Il saisit la pièce d'identité, regarda la photo et leva les yeux.

— Vous voulez bien retirer votre casquette et vos lunettes, monsieur ? demanda-t-il tout sourire.

— Non.

Pour appuyer son refus, il plaça la carte de police de Levy sur le comptoir. L'autre chercha désespérément de l'aide autour de lui. À l'échelle de son quotidien, la scène prenait l'ampleur d'une catastrophe. Enfin, il parvint à bredouiller :

— Veuillez attendre quelques secondes, monsieur.

Le sous-fifre disparut. Aussitôt, un autre homme émergea d'un bureau protégé par des stores. L'imposteur resta de marbre, le visage fermé.

— Un problème, monsieur ? demanda le nouvel arrivant d'une voix onctueuse de maître d'hôtel.

— Demandez ça à votre collègue.

Le cadre sourit, l'air de dire : « Pas la peine : le problème est déjà réglé. » Il tenait la carte de Levy entre ses mains, avec la même précaution que s'il s'agissait du Régent, le plus pur diamant de la Couronne de France.

— Je vais vous accompagner à la salle des coffres, fit-il en lui rendant sa pièce d'identité.

Il emboîta le pas du banquier, sans lancer un regard au jeune agent qui digérait l'humiliation. Au fond, il se sentait solidaire du métis. Il éprouvait une empathie naturelle avec tous les avaleurs de couleuvres de la Terre. Il savait qu'il avait rendu service au petit gars : une humiliation par jour et son cuir deviendrait aussi dur qu'un blindage riveté. *Merci qui ?*

Sous-sol. La fraîcheur descendit encore de quelques degrés. Un antre d'acier et de béton. Le domaine du concret. Du vrai pognon. Celui qui claque sous les doigts et se consume sous les désirs.

Leurs pas résonnaient comme dans une église. Il imaginait les visiteurs recueillis. Mains crispées sur leurs liasses. Regard fasciné par leurs bijoux. Lèvres en prière face à leurs actions et obligations. Il pouvait sentir le frémissement de la ferveur, de la passion, du culte de l'avoir avec un grand A. Voilà l'encens qui brûlait ici. Le dieu qui saturait la nef souterraine.

Lui s'était toujours moqué de l'argent. C'était pour ça qu'il en avait gagné autant. Il avait bossé par passion du métier, pas pour obtenir *autre chose*.

Ils atteignirent la salle des coffres. Le banquier déverrouilla la grille. Les parois étaient tapissées de casiers. Ils se postèrent devant son coffre. Le visiteur fit jouer sa clé. Le lieu évoquait plutôt un columbarium. Ces niches numérotées auraient aussi bien pu abriter des urnes funéraires. En un sens, il s'agissait de ça. Des cendres de rêve et de vie, croupissant dans des boîtes closes.

— Pardon.

Le banquier se glissa près de la cavité et en tira lui-même une boîte en fer. Il la lui remit avec respect et l'abandonna dans une pièce aux murs peints, meublée seulement d'une table et d'une chaise.

Levy n'avait pas menti. Les gants étaient là, dans deux sacs à scellés distincts, ainsi que les résultats d'analyses des laboratoires de Bordeaux et Strasbourg. Il vérifia : il s'agissait de documents originaux. Les versions numériques traînaient quelque part mais personne n'aurait jamais l'idée de les comparer.

Il fouilla encore. Plusieurs liasses de milliers d'euros, quelques lingots d'or, des montres, des bijoux. Levy avait placé là tous ses biens, en vue sans doute d'une fuite imminente. Un calibre barrait le butin à l'oblique : un Sig Pro SP 2009, équipé d'un désignateur laser et d'un réducteur de son. De quoi solder les derniers comptes avant le départ.

Il empocha les sacs à scellés, plia les rapports des laboratoires et les glissa dans son dos. Il ne toucha rien d'autre. Un bref instant, il demeura ainsi, debout, à contempler les vestiges de la pauvre vie de Levy. Il se sentit triste pour lui. Le Juif avait passé son existence à poursuivre les malfrats, mais plus encore à lutter contre ses propres démons.

Il effectua soudain un brutal zoom arrière et se vit, lui, dans cette pièce fermée. C'était la même désespérance. Il s'assit sur la chaise, redoutant une crise. Mais non. Beaucoup plus simple : la tristesse. Malgré le mythe qu'il avait édifié, la force qu'il avait conquise, le désespoir ne l'avait jamais quitté.

Et les mêmes souvenirs le meurtrissaient, encore et toujours.

— Tout va bien, monsieur ?

Il se rendit compte qu'il pleurait. Sans doute le banquier avait-il entendu ses sanglots. Il s'essuya les yeux et chercha en lui de nouvelles ressources de dissimulation. Quelques secondes passèrent. Quand il ouvrit la porte, il avait retrouvé sa contenance. Casquette, lunettes noires, visage verrouillé. L'autre s'inclinait déjà, reprenant la boîte avec déférence. Il patienta pendant qu'on rangeait « son » coffre puis regagna la surface.

Dehors, le soleil l'éblouit. Il décida, malgré son retard, de marcher jusqu'à la porte de Pantin. Ici, Paris n'avait rien à voir avec une ville de lumière. Tout était laid. Des constructions disparates, crasseuses, des boutiques bon marché, des enseignes dont les couleurs juraient entre elles. Des offres de misère pour des porte-monnaie de fauchés. En définitive, c'était dans cette laideur, cette pauvreté qu'il se sentait bien. Cet enfer était son creuset originel, son magma primitif.

Il songea aux gants dans sa poche et en éprouva un vague soulagement. Il ne craignait pas d'être démasqué. Au contraire, son Œuvre était sa fierté. Mais c'était lui, et lui seul, qui déciderait du moment et du lieu de sa révélation.

Où les détruire ? Il fallait un endroit spécial. Un lieu sacré. Ces gants possédaient une importance particulière. Non pas en tant que pièce à conviction, plutôt comme un souvenir, à la fois douloureux et voluptueux. Une preuve de sa lâcheté – il se revoyait détaler dans le terrain vague – mais aussi un vestige du contact avec l'Ennemi. Il avait encaissé les coups assénés par le Chasseur. Elle avait *adoré* ces chocs qui étaient aussi des étreintes.

Il vit passer un taxi, leva la main : le véhicule s'arrêta.

— Au parc de la Butte-du-Chapeau-Rouge.

— C'est où ?

Il prit une inspiration, exaspéré :

— Prenez la porte de Pantin puis les boulevards extérieurs. Boulevard d'Algérie, je vous indiquerai.

47

Il se fit déposer devant la fontaine du parc, boulevard d'Indochine. De l'autre côté de la grille, une femme nue dressait ses formes imposantes au-dessus des bassins qui s'échelonnaient en paliers, évoquant des terrasses liquides. La statue elle-même semblait tombée des piédestaux du palais de Chaillot – ce qui était le cas : elle était une réplique d'une œuvre façonnée pour l'Exposition internationale de 1937.

Il paya et remonta le long des grilles pour trouver une entrée. Les jardins étaient déserts. Il en descendit les pentes parsemées d'essences rares : gingkos, séquoïas, féviers, sophoras pleureurs... La topographie du parc trahissait le style monumental des années 30 : grands espaces, lignes symétriques, larges escaliers. Cet ordre et cette rigueur lui calmaient les nerfs. Il y avait quelque chose de fasciste, de stalinien dans cette gestion des volumes – et il aimait ça.

Il parvint de nouveau aux pieds de cette Ève, à la fois colossale et languide. Secrètement, il s'identifiait aux statues féminines de cette époque. Larges épaules, petits seins, pieds lourds : il se reconnaissait dans ces formes primitives, plus assyriennes que grecques. Ces œuvres évoquaient aussi les Titans, ceux qui avaient été tués ou chassés pour laisser place, dans la cosmogonie hellénique, aux dieux de l'Olympe, plus proches des êtres humains.

À l'époque de l'école des voleurs, il venait ici le mercredi, avec son livre fétiche. Il dévorait ces histoires mythologiques, cherchant, sans le savoir, une justification à sa propre existence. Il avait vécu l'enfer à Jules-Guesde. On l'avait frappé. On avait uriné dans sa nourriture. On l'avait violé. Mais il ne se souvenait que de ces après-midi solitaires, dans ce square. Il imaginait alors sa vie comme un bas-relief de granit, lustré par les siècles.

Il avait fait d'autres recherches. Il avait lu le mythe d'Hermaphrodite, enfant d'Hermès et Aphrodite, dont la nymphe Salmacis était tombée amoureuse. Il avait découvert les androgynes primordiaux, évoqués par Aristophane dans *Le Banquet* de Platon. La légende perse de Kainis, fille du roi des Lapithes, qui avait demandé aux dieux, après avoir été violée, de devenir un homme. Puis il avait rencontré le Phénix…

D'abord il ne s'était pas reconnu dans l'oiseau de feu. Ce n'est qu'après sa deuxième opération et ses injections de testostérone qu'il avait compris. À chaque piqûre, son corps brûlait, et il renaissait. Il était le Phénix. Ni homme ni femme. Ou plutôt les deux. Autonome et immortel. L'oiseau n'avait pas de géniteur, pas de sexe, et il s'engendrait lui-même par les flammes, qui étaient à la fois son linceul et sa matrice. Il n'avait besoin de personne. Il était un Tout.

Il avait consulté d'autres livres et obtenu confirmation. Il était l'héritier de l'oiseau rouge qui renaissait de ses cendres en Grèce, mais aussi du Phénix d'Égypte, aigle géant aux plumes de feu. Du Simurgh de la mythologie persane, du Nan Fang Zhu Qué de la cosmogonie chinoise, de l'Oiseau-Tonnerre amérindien, de l'Oiseau Minka aborigène… Ces rapaces, aux quatre coins du monde, constituaient son arbre généalogique. Sur la Terre, il avait été le symbole de la puissance de Rome, aigle mythique, androgyne et immortel. Plus tard, il avait accompagné les images du Christ, sur les retables du Moyen Âge, sur les tableaux de la Renaissance…

Il regarda autour de la fontaine : personne. Il s'agenouilla, tournant le dos au trafic des Maréchaux. Il sortit les gants des sachets et vida sur eux la fiole d'alcool qu'il avait apportée. Son Zippo fit le reste. Une étincelle contre la pierre du briquet et les deux mains de nitryle furent enveloppées aussitôt par une autre main, brillante, incandescente. En quelques secondes, les pièces à conviction devinrent deux fragments filandreux et noirâtres.

Il brûla aussi les rapports d'analyses puis ferma les yeux, murmurant une prière à sa divinité :

— Je suis né sous le signe du dégoût et du reniement. J'ai grandi sous un torrent d'injures et d'immondices. Comme le Christ, c'est cette misère qui a forgé ma grandeur. C'est ce martyre qui m'a transcendé et révélé. Je suis l'Unité. Je suis le feu et la paix. La mort et le salut…

Il dispersa les cendres dans l'eau puis se releva. Un nuage passa juste à cet instant. La lumière s'éclipsa. Tout devint sourd, argenté, comme à l'approche d'un orage. Il n'entendait plus les bruits de la circulation, des travaux du tramway. Il percevait des voix discordantes, des déclamations de chœur antique. Il sentait l'électricité dans l'air. Des picotements au bout des doigts.

Il regarda sa montre : 13 heures. Il allait rater le déjeuner du personnel.

Il balaya le problème d'un mouvement d'épaule. Tout cela n'importait plus. Sa vengeance touchait à sa fin.

48

En sortant de l'ascenseur, Passan tomba sur Fifi qui l'attendait dans le hall du deuxième étage. Dans ce décor impersonnel, il ressemblait à un coursier égaré dans une compagnie d'assurances.

— Faut que tu mates ça, dit le punk en lui tendant un document plié.

C'était une carte du sud-est de la France : Paca, Languedoc-Roussillon, Rhône-Alpes... On avait entouré en vert les villes où Guillard avait vécu et en rouge d'autres zones : sans doute des foyers d'incendie. Les cercles se croisaient par paires et formaient des sous-ensembles, comme dans les cours d'initiation aux mathématiques.

Fifi pointa son index sur l'un d'entre eux :

— En 87, à seize ans, Guillard a été envoyé dans un centre, près du Vigan.

— Les Hameaux.

— C'est ça. Six mois plus tard, un incendie criminel détruit cinq cents hectares de végétation entre Le Vigan et Saint-Hippolyte-du-Fort. Pas de coupable. Affaire classée.

L'index se déplaça :

— 1989. Guillard est apprenti dans un garage aux environs de Sommières, l'atelier Lagarde. Fin août, le feu prend dans le sud de Ganges. Plusieurs centaines d'hectares brûlés. Un camping part en fumée. Par miracle, pas de victime. L'enquête tourne court mais on pense à un acte volontaire.

Ils étaient debout dans le hall, au centre d'une flaque de lumière. Passan avait l'impression de cuire une nouvelle fois. Il était sale, chiffonné, maculé de sueur. Son costard était bon pour le pressing, et lui pour une douche bien fraîche.

— 1990, continua Fifi. Un nouvel incendie entre Quissac et Nîmes. Le vent aggrave la situation. Mille hectares sont touchés. Les pompiers mettent deux jours à arrêter le merdier. Des villages sont évacués. Des centaines d'hommes mobilisés. À l'arrivée, trois victimes. Pas de coupable, pas d'explication. Mais les experts sont catégoriques : le départ de feu est criminel. On est à moins de trente bornes de Sommières.

Passan observait la carte et ses cercles : une véritable radiographie de la folie de Guillard. Pourtant, on pouvait encore parler de coïncidences.

L'adjoint parut lire dans ses pensées.

— T'en veux encore ? 1991 : Guillard se casse à Béziers.

— Le garage Soccart.

— L'année suivante, la clinique des Champs, dans le centre-ville, prend feu. Pas de victime. L'enquête ne donne rien, comme d'habitude.

Passan voulut faire un commentaire mais Fifi était lancé.

— 1997. Guillard dirige le garage des Roches, à Montpellier. Six mois plus tard, la maternité Notre-Dame-du-Salut brûle dans le quartier Mosson. Encore une fois, le pire est évité de justesse. À l'évidence, Guillard s'attaque maintenant aux cliniques.

Passan fit un pas sur la droite, cherchant de l'ombre. Au fil des années, la pulsion pyromane de Guillard s'était précisée. Sa rage, son désir de destruction s'étaient focalisés sur les lieux de naissance. Pas difficile d'imaginer pourquoi.

Fifi replia sa carte aux trésors et enchaîna :

— Le plus beau, c'est la suite. En 99, Guillard liquide tout et part aux États-Unis. Il bosse dans plusieurs États. En 2000, il est à Salt Lake City, dans l'Utah. La même année, la maternité de l'hôpital universitaire s'embrase. Six mois plus tard, un début d'incendie est signalé dans la banlieue de Tucson, Arizona. Guillard vient d'arriver là-bas.

Passan se souvint d'une série de meurtres de prostituées en Allemagne, dans les années 80. En suivant les allées et venues du principal suspect, on avait découvert que des meurtres similaires avaient été commis à Los Angeles, alors même qu'il s'y trouvait. Cette coïncidence avait suffi à le faire condamner. Serait-ce suffisant pour inculper l'hermaphrodite ? Tout cela était trop loin, trop ancien.

Il éprouvait une autre intuition. La relation intime de Guillard avec le feu. Le monstre n'avait sans doute jamais goûté au sexe. Ses seules jouissances lui étaient venues des flammes. Il ne pouvait pas avoir d'érection, encore moins d'éjaculation. Pas non plus d'orgasme féminin. Restait cette sensation funeste du brasier qui détruit, purifie, métamorphose…

— Personne n'a jamais fait le lien entre tous ces faits ?

— À des milliers de kilomètres de distance ? Pour trouver l'aiguille, il faut la botte de foin.

Du temps des premiers incendies, Guillard avait découvert sa puissance : des milliers d'hectares grillés, des villages évacués. Puis il avait frappé d'une manière plus précise, mais aussi, d'une certaine façon, plus cosmique. En visant les maternités, il avait voulu frapper l'espèce humaine dans son développement même.

Cette psychologie grossière n'aboutissait qu'à une conclusion, terrifiante : Guillard allait faire cramer sa maison, et sa famille avec. Sans rien ni personne pour l'en empêcher. Même pas lui, qui s'était fait semer comme un bleu cet après-midi.

— T'as bien bossé, admit-il.

— Faut surtout remercier Serchaux.

— Et depuis son retour dans le 9-3 ?

— On s'en occupe. Comme je t'ai dit, on a d'autres dossiers à traiter.

— Et pour le reste ? Les prélèvements dans ma baraque ?

— Double zéro. J'ai les premiers résultats de Zacchary. On tombe toujours sur les mêmes empreintes. Les vôtres a priori. On attend les analyses ADN d'après les fragments organiques mais…

— Le porte-à-porte ?

— Que dalle. Personne a rien remarqué d'anormal.

Passan hocha la tête. Malgré l'absence de résultats, il se sentait réconforté par cette agitation. Ses gars ne l'avaient pas oublié.

— On a gratté aussi du côté de la famille de Marc Campanez. Ses trois enfants avaient l'air plutôt surpris qu'on se préoccupe à nouveau de la mort de leur père. Ils n'ont subi aucune agression, aucune menace. On a aussi interrogé le mec de Marie-Claude. Il est pas clair mais il n'a rien à voir avec tout ça.

Passan discernait, dans le foisonnement des faits, des feux, des mobiles, le sillage de la colère de l'homme-femme. Une ligne précise qui avait la densité et la netteté d'un rayon laser.

— Sur les gants, rien de neuf ?

— J'ai fait passer le message aux gars de Levy. Je crois qu'ils sont allés fouiller le terrain vague. Ils n'ont rien trouvé.

— Levy, il en est où ?

— Pas moyen de savoir.

Fifi fit un pas en arrière et parut tout à coup se rendre compte de l'état de son interlocuteur :

— Et toi, où t'étais ? T'as l'air de sortir d'une essoreuse.

— J'ai suivi une piste et c'était un cul-de-sac.

— Quelle piste ?

— Laisse tomber.

— Je vois que c'est la grosse transparence.

Passan ne releva pas. D'une manière intuitive, il sentait que son adjoint n'en avait pas fini.

— Et toi, t'es sûr que t'as rien d'autre à me dire ?

— Si. Y a un problème.

— Quel problème ?

— On t'attend à l'étage du dessus.

— L'IGS ?

— Non. Un expert psychiatrique.

— Envoyé par les bœufs ?

— Non.

— Si c'est l'avocat de Guillard, je…

— Non plus.

— Arrête de jouer aux devinettes.

— C'est l'avocat de Naoko, un dénommé Rhim. (Le punk hésita.) Il a ordonné une expertise psychiatrique dans le cadre de votre procédure de divorce et…

— QUOI ?

— Il paraît que c'est fréquent.

Passan avala la boule de rage qui lui obstruait la gorge.

— C'est un jeune, tenta d'atténuer Fifi. Plutôt sympa.

— Où il est ? demanda Passan d'une voix de matraque.

— Calme-toi. Il m'a dit que c'était simplement un rendez-vous préliminaire. Il…

— OÙ IL EST ?

— Calme-toi, putain. Là-haut. En salle de réunion.

49

Fifi n'avait pas menti : le psychiatre avait l'air sympa. Une trentaine d'années, un costume propret qui lui donnait l'allure d'un étudiant passant le grand oral. Mèche fauve, monture d'écaille, sourire spontané. En même temps, ses traits avaient quelque chose de laqué, d'ordonné, qui semblait ne rien laisser au hasard. Passan se dit que ce type-là aurait exactement la même tête dans trente ans.

Pour ne pas lui casser la gueule tout de suite, il avait pris le temps de se passer le visage sous l'eau froide dans les toilettes de l'étage. Il avait rajusté sa cravate, lissé son costume et ravalé sa colère. *On peut y aller.*

Le psychiatre, perdu dans la grande salle de réunion, se leva à son arrivée et s'avança, le bras tendu. Le flic avait les mains encore fraîches. Par contraste, celle de l'expert lui parut bouillante.

— David Duclos. Merci de me recevoir, commandant. Comme vous l'a sans doute dit votre collègue, il s'agit seulement d'un rendez-vous préliminaire.

Passan accentua son sourire :

— J'ai tout mon temps. Nous pouvons procéder à l'interrogatoire tout de suite.

Duclos agita les mains en riant :

— Il ne s'agit pas d'interrogatoire ! Simplement d'une conversation qui…

— Docteur, je suis flic depuis vingt ans. Je lisais des expertises psychiatriques de salopards qui violaient leurs enfants quand vous hésitiez encore entre droit et médecine, alors ne perdons pas de temps.

Le psychiatre ouvrit les bras, l'air de dire : « Comme vous voudrez. » Plutôt mince, l'homme avait une gestuelle accentuée. Ses mouvements soulignaient son vocabulaire, l'enveloppaient de chaleur et de conviction. Passan avait d'autres mots pour caractériser ce genre d'attitude, mais cela parlait de sodomie et de vaseline.

Ils s'assirent de part et d'autre de la longue table vernie. Le décor était au diapason des couloirs et des bureaux. Environnement neutre, sans charme ni chaleur, qui déteignait sur la vie des hommes : attitudes superficielles et pensées convenues.

— Vous voulez boire quelque chose ? s'enquit Passan, signifiant par là qu'il était l'hôte.

— Non, ça ira. Merci.

Le commandant attrapa un combiné posé au bout de la table et appela une secrétaire du deuxième étage. Il lui demanda, le plus gentiment possible, de lui apporter un café. Non pas le breuvage pisseux de la machine mais le nectar qu'elle préparait elle-même, à l'aide d'une petite cafetière italienne.

Finalement, il n'était pas mécontent de cette pause. Il était meurtri par la trahison de Naoko mais rouler ce blanc-bec allait le détendre. Après la course-poursuite du métro, son échec et sa conviction que Guillard n'en avait pas fini, il n'avait pas envie de se replonger aussitôt dans le cauchemar.

— Au risque de me répéter, commença Duclos, vous n'êtes pas obligé, aujourd'hui, de répondre à mes questions.

— Pourquoi ne m'avez-vous pas prévenu de votre visite ?

— J'ai appelé ce matin mais vous n'étiez pas là.

— Pour ce type d'expertise, on envoie un courrier des jours à l'avance.

— L'avocat de votre épouse, maître Rhim, est, disons, très efficace. C'est lui qui a tenu à accélérer le mouvement.

— Pour me cueillir par surprise ?

Duclos se contenta de sourire. Il sortit de son cartable un dossier relativement épais, fermé par une courroie de tissu. Passan se crispa : ce type, ou plutôt l'avocat de Naoko, enquêtait sur lui depuis un moment. Il se demandait ce qu'il pouvait y avoir dans un tel classeur : les évènements de sa carrière étaient strictement confidentiels.

— Ma femme est au courant ou c'est une initiative personnelle de son avocat ?

Nouveau sourire. Passan connaissait par cœur cette expression : « Les questions, c'est moi » – il l'utilisait chaque jour face aux suspects et aux témoins.

Le psy posa son téléphone portable au milieu de la table :

— Ça ne vous dérange pas que j'enregistre notre conversation ?

Olivier accepta d'un signe de tête, sans cesser d'observer les gestes de son interlocuteur. Son dossier

289

contenait plusieurs chemises de papier bourrées de liasses. Première chemise, frappée des initiales de la Préfecture de Police. Il avait donc eu accès aux archives de la Boîte. Comment ? Grâce à qui ?

— J'ai vu vos états de service, fit l'expert en feuilletant les pages. C'est impressionnant.

— Laissez tomber la pommade.

— Vraiment. Vous êtes un héros comme on n'en fait plus.

Il ne releva pas. L'autre continuait à faire semblant de lire les PV d'audition, les rapports, les coupures de presse. Les techniques du psy s'apparentaient aux méthodes des flics. Endormir la méfiance de l'adversaire pour mieux attaquer.

Le premier assaut ne tarda pas :

— Pour en arriver là, vous avez dû parcourir une longue route.

— Vous faites allusion à ma folle jeunesse ?

Rajustant ses lunettes, Duclos ouvrit la deuxième chemise. Passan tressaillit : c'étaient des extraits de son dossier de l'Aide sociale à l'enfance. Comment ce débutant avait-il pu se les procurer ? Il serra les poings sous la table. *Pas le moment de s'énerver.*

— Foyers. Familles d'accueil. Centres d'observation. Pas mal d'ennuis avec les forces de l'ordre quand vous étiez encore mineur.

— Il y a eu amnistie.

Duclos leva les yeux au-dessus de ses verres :

— Dans mon domaine, il n'y a jamais d'amnistie.

Une phrase d'intimidation. Une formule de flic. Passan se demanda soudain si ce gars était bien envoyé par l'avocat de Naoko. Il n'avait exigé ni papier ni document officiel. À l'idée de le faire main-

tenant, une immense lassitude s'abattit sur lui : il préférait encore se laisser porter.

On frappa à la porte : son café arrivait. Passan le but
directement, en se brûlant la gorge.

— Après cette période… tourmentée, reprit l'autre,
vous faites votre droit puis entrez dans la police. Vous
adoptez alors une attitude exemplaire.

— C'est une expertise ou une psychanalyse ?

— Comment expliquez-vous ce revirement ?

— Disons que j'ai trouvé ma voie.

Le binoclard écrivit sur son bloc. Pas un mot : un
sigle, un gribouillis. Troisième chemise. Même à
l'envers, il reconnut les documents. Son « dossier
scolaire ». C'était ainsi qu'il appelait l'ensemble des
évaluations, bilans médicaux et psychiatriques, commentaires signés par ses supérieurs. La Boîte fonctionnait
comme dans l'enseignement, avec notes, apprécia-
tions, bons points. Un système qu'il n'avait jamais
supporté.

— Durant votre passage à la BRI, vous avez plusieurs fois fait usage de votre arme.

— J'ai abattu deux hommes pendant des opérations,
si c'est ce que vous voulez dire.

— Qu'avez-vous ressenti à ce moment-là ?

Passan éclata de rire :

— Vous arrivez après la bataille, mon vieux. Ça
remonte à dix ans. J'ai subi des tests, des interrogatoires, des évaluations. Vous les avez d'ailleurs sous
les yeux. On m'a même envoyé à l'enterrement d'un
des salopards pour me mettre à l'épreuve. Ne vous en
faites pas, j'ai eu mon compte. Tout est digéré.

Le psychiatre demeurait imperturbable – il prenait
de l'assurance au fil des questions :

— Mais vous, qu'avez-vous éprouvé... sur l'instant ?

Olivier se pencha au-dessus de la table.

— Quand j'ai prêté serment, j'ai accepté de courir de tels risques. C'était dans le cahier des charges, *capisce* ? Je fais mon métier, un point c'est tout.

L'expert, impassible, prit encore quelques notes. Il désigna l'arme fixée à la ceinture de Passan :

— Vous la portez en permanence ?

— Comme vous voyez.

— Ce n'est pas la règle à la Brigade criminelle.

— Chacun sa règle.

— Quel calibre ?

D'un geste, Passan sortit le flingue et le posa sur la table. Le Px4 Storm SD, bien qu'en polymère, produisit un bruit menaçant. Un objet qui appartenait à un autre monde, où les gestes pesaient plus lourd.

— Beretta. Calibre .45. Un des plus puissants du marché. Celui de Leonardo DiCaprio dans *Inception*.

Il vit l'autre déglutir. Le psy paraissait se concentrer pour ne manifester aucun signe de crainte.

Il se racla la gorge et continua :

— Cela vous donne un sentiment de puissance ?

— Je vais avoir droit au chapitre de la substitution phallique ?

— Vous considérez-vous comme violent ?

— Mon métier est violent. J'ai choisi ce boulot pour lutter contre cette violence. Pas parce que j'aime ça. Je n'ai jamais levé la main sur quiconque en dehors de mon travail.

L'expert prit encore des notes. Il donnait l'impression de remplir un quizz. Olivier vit jaillir des ordonnances. Jusqu'où avait fouillé cette bleusaille ? Qui lui avait fourni ces documents confidentiels ? Soudain, il comprit et son ventre se déchira : *Naoko*. Ces papiers provenaient directement de ses archives personnelles. Il ne pouvait croire qu'elle ait livré de telles munitions à son avocat.

— Je vois que vous avez suivi un traitement d'anti-dépresseurs.

— Et alors ?

— Que vous est-il arrivé ?

— Un passage à vide, fit Passan d'une voix rauque.

— Cette période… était-elle liée aux actes de violence que vous aviez dû commettre ?

— Non. Regardez les dates. Ça n'a rien à voir. C'était en 98.

— L'inconscient ne connaît pas les dates. Vous…

Passan leva la main :

— Gardez votre *bullshit* de psy !

Duclos se recula mais soutint son regard.

— Pourquoi ce traitement ?

— Je sais pas…, grogna Olivier. Je tenais plus le coup.

— Dans votre boulot ?

— Dans mon boulot… Et aussi dans ma vie. Je ne me sentais plus capable d'assumer tout ça. Une baisse de régime. Ça arrive à tout le monde.

La défense sonnait pauvre.

— Vous avez suivi une psychanalyse pendant huit ans.

— Exact.

— Comment vous sentez-vous aujourd'hui ?

— J'ai arrêté depuis cinq ans. Tout va bien.

L'autre se tut mais son silence signifiait : « Chacun ses illusions. » Les psys, au contraire des médecins généralistes, s'évertuent à vous convaincre que vous n'êtes pas guéri – que vous ne le serez jamais. Ce qui pose la question métaphysique de leur utilité.

Mais pour l'instant, la seule interrogation d'Olivier était : pourquoi Naoko lui faisait-elle ce coup en vache ? Pour obtenir la garde exclusive des enfants ? S'approprier la maison ? L'hypothèse la plus probable était la pire : elle avait, réellement, peur de lui. Peur de sa violence. De sa psyché torturée. De ses réactions imprévisibles. Elle voulait être sûre qu'il était capable de s'occuper des garçons.

Cette idée lui serra la gorge. Il était un simple tueur, perdu pour la cause, qui n'avait rien à faire dans le monde des gens sains et normaux.

— Enchaînez, docteur.

Une autre chemise. Tout cela était savamment orchestré, en mode crescendo. Avec stupeur, Passan reconnut le dossier de Patrick Guillard. Pas son dossier d'accusé, son dossier de *plaignant*.

— Un suspect a porté plainte deux fois contre vous.

— Ce n'est pas un suspect, c'est un coupable.

— Il est en liberté.

— Plus pour longtemps.

Duclos parcourait les feuilles agrafées : les rendus du jugement, l'ordre d'injonction, les PV de plaintes... L'avocat de Naoko avait décidément ses entrées. Passan en tira un sombre espoir : ce n'était peut-être pas elle qui lui avait fourni tous ces documents.

— Il vous accuse de le harceler. Et même d'avoir tenté de le tuer.

— Il ment. L'enquête suit son cours.

— Sans vous. Vous avez été dessaisi.

— Vous avez les réponses, fit-il en s'agitant sur son siège. Pourquoi me poser les questions ?

— Vous avez reçu des menaces, récemment ? Des agressions dans votre foyer ?

Passan ne parvint pas à dissimuler sa surprise. De nouveau, le soupçon sur Naoko. Elle s'était livrée à son avocat.

— Quel rapport avec mon divorce ?

— Vous pensez à une vengeance ? Quelqu'un qui vous en voudrait ?

Le flic se pencha à nouveau. Le calibre .45 trônait toujours entre les deux hommes. Le canon pointé vers le psy.

— Où voulez-vous en venir ?

— La vengeance de quelqu'un que vous auriez brutalisé ? Arrêté par erreur ?

Le débit du médecin s'accélérait. Il avait peur mais ne cédait pas. Il en avait vu d'autres. Alors que Passan, acculé dans les cordes, se préparait à une autre attaque frontale, il subit un coup totalement inattendu :

— Ces menaces pourraient vous rapprocher de votre femme.

— Pardon ?

Le psychiatre ôta ses lunettes et essuya ses paupières. Il était en sueur. Le flic aussi était en nage. La climatisation était sans effet sur ces deux combattants.

— Vous ne tenez pas vraiment à divorcer. Ces menaces pourraient donner un sens nouveau à votre rôle… dans votre couple. Un rôle de protecteur.

Passan se cramponna à la table. Il sentait sa chaise s'enfoncer dans le sol.

— Vous m'accusez d'avoir organisé ce bordel ?

— L'idée n'est pas de moi.

— Qui t'a dit ça ?

L'autre se tassa sur son siège, livide. Passan bondit sur la table de réunion et se jeta sur lui. Ils roulèrent à terre. Le flic avait saisi son calibre au passage.

Il plaça le canon sous la gorge du toubib :

— Qui t'a dit ça, enculé ? QUI ?

— L'avocat de votre femme… C'est elle qui…

Passan fit monter une balle dans la chambre du Beretta :

— ENFOIRÉ !

Il ne put achever son geste. Alertés par le bruit, Fifi et d'autres hommes se précipitaient pour le désarmer.

50

Jean-Pierre Levy était inanimé, tête pantelante. L'éclat de la lumière électrique ne le fit même pas sursauter. Ce n'était pas l'effet de la perfusion. Plutôt une conséquence de l'obscurité, de la chaleur – la ventilation soufflait toujours ses tourbillons brûlants.

Il s'approcha. Levy ruisselait de sueur. Tout son corps brillait comme une armure. Le Phénix sourit et vérifia le pousse-seringue. Près d'un litre et demi du liquide avait déjà été injecté – et le Juif en avait exsudé plus de la moitié. Il était à point.

En quelques gestes rapides, il se déshabilla puis revêtit sa robe. Légèreté de l'étoffe, sensation bienfaisante. Il n'avait pas besoin de miroir. Il savait qu'avec son crâne chauve et ce drapé orange, il ressemblait à un moine bouddhiste.

Il secoua Levy, qui finit par reprendre ses esprits. Il s'ébroua, cherchant à comprendre pourquoi il se réveillait ligoté à un siège en fer, au fond d'une cellule de béton. Puis il considéra l'homme qui se tenait immobile face à lui et éclata de rire.

— Ne ris pas, conseilla le Phénix. Dans l'Antiquité, les prêtres en charge des arts divinatoires s'habillaient en femmes. Ils étaient des médiateurs. Entre les dieux et les hommes, entre les hommes et les femmes. Ils symbolisaient l'origine du monde, l'union du Ciel, principe masculin, et la Terre, principe féminin.

— Pauvre taré... Tu as les gants ?

Le Phénix pouvait sentir l'odeur de transpiration du flic, aigre, soufrée, charriée par la ventilation.

— D'ordinaire, cria-t-il pour couvrir son bourdonnement, les flics s'aventurent dans la jungle des criminels avec prudence. Ils ne s'écartent jamais de la lumière, du sentier. Tu as franchi la ligne, Levy. Avec ton misérable chantage, tu t'es risqué sur mon territoire. Là où tes lois n'ont plus cours...

Le Juif s'agita sur sa chaise soudée au sol et hurla :

— Je comprends rien à ce que tu racontes, espèce de cinglé. T'as les gants ou non ?

Il fit un pas vers le prisonnier. La ventilation faisait jouer les plis de sa robe :

— L'Antiquité présente une contradiction. Les Grecs vénéraient des dieux doubles, à la fois masculins et féminins, capables de se reproduire seuls.

Levy changea d'expression. Son effroi palpitait sous le masque de sueur.

— Tu... tu vas me tuer ?

— Pourtant, ils avaient en horreur l'hermaphrodisme chez les humains. Si un enfant naissait avec des organes génitaux ambigus, on le noyait aussitôt, on le brûlait ou bien on l'exposait au regard de tous jusqu'à ce qu'il meure. Personne ne voulait se souiller en faisant couler son sang. À l'époque, cette malformation passait pour un signe de la colère des dieux.

Soudain, il se pencha et arracha la perfusion :

— Je vais te dire : ils avaient raison. Je suis la colère de Dieu.

Levy parut soudain comprendre que ces confidences le condamnaient.

— Je t'en supplie, sanglota-t-il, libère-moi... T'as retrouvé les gants ? Laisse-moi partir... Je dirai rien... J'ai déjà tout oublié...

— Je vais t'apprendre une dernière vérité, Levy. Pour que tu ne meures pas idiot. Dans la Grèce antique, les prêtres pratiquaient l'*anasyrma* : déguisés en femmes, ils relevaient leur robe et dévoilaient leurs organes génitaux aux fidèles. D'un coup, ils étaient hommes et femmes. Ils étaient les forces réunifiées des origines du monde.

Il remonta le tissu safran, exhibant son sexe atrophié.

— NON !

— Rince-toi l'œil, Levy.

Le prisonnier détourna la tête :

— J'ai rien vu, j'ai rien vu...

— Regarde au contraire. Je n'ai pas besoin de me déguiser en quoi que ce soit. Je suis, naturellement, l'homme et la femme. En réalité, je ne suis ni l'un ni l'autre. Je suis au-dessus des sexes. Je suis le Phénix !

— Non..., gémit Levy.

Il rabaissa sa robe et saisit sa fiole d'alcool. Quelques gouttes perlaient encore à l'intérieur.

— Je t'ai injecté du soufre, continua-t-il. Tu as beaucoup transpiré. Tes glandes sébacées ont produit au contact de cette sueur soufrée des bactéries qui se transforment en sulfure d'hydrogène. Tu comprends ? Non ?

Levy hurla, comme pour couvrir les paroles de son bourreau. Ses yeux effarés lui sortaient des orbites.

— Ta sueur est devenue inflammable. « Levy la bombe humaine »...

Le Phénix recula d'un pas et attrapa son Zippo. Son bon vieux Zippo. Celui qui lui avait servi pour les maternités. Pour ses parents. Pour les enfants.

— NON !

Il ouvrit le capuchon, approcha le briquet du flacon et fit jouer la mollette d'un coup de pouce. Une étincelle suffit. L'embouchure du tube cracha une auréole bleutée.

— NON !!!!!!

Il lança la fiole vers l'entrejambe du maître-chanteur. Son sexe et ses cuisses s'embrasèrent d'un coup. Ses hurlements furent aussitôt avalés par le bruissement des flammes. Il se tordait sur son siège, impuissant à se défaire de ses liens – des courroies de distribution ignifugées, les meilleures du marché.

Les minutes passèrent. Le Phénix sentait l'haleine brûlante de l'autodafé, s'ajoutant à la chaleur du site. La fumée était à la fois soufflée et aspirée par le système d'aération poussé à fond. Il n'était pas inquiet pour le flic : son sacrifice rééquilibrerait son karma et lui permettrait de se réincarner dans un corps meilleur.

Il était inquiet pour *lui*.

Face au brasier, il n'éprouvait plus rien – aucune sérénité, aucun soulagement. Le feu ne jouait plus son rôle apaisant. L'avait-il jamais joué ? Il lui donnait la force, l'excitation – *jamais la paix*. Il se souvenait de son insatisfaction après l'élimination de ses parents. Même les sacrifices du 93 avaient montré leurs limites. La Renaissance était chaque fois moins puissante, moins profonde…

Le maître-chanteur ne brûlait plus. Cambré sur son siège, visage disloqué, mains retournées. La position rappelait celle des cadavres pétrifiés de Pompéi.

Il coupa la ventilation et, dans le silence soudain, ôta sa robe maculée de particules noires. Nu, il commença à faire le ménage. Il éprouvait un abattement incommensurable. Les signes se multipliaient. Il n'y avait pas de solution pour lui. Pas d'autre paix que l'ultime envol.

Équipé de gants protecteurs, il traîna la dépouille à l'autre bout de la pièce et ouvrit la trappe destinée d'ordinaire aux vidanges. L'odeur âcre et mordante de l'acide le prit à la gorge. Il aperçut son reflet à la surface du bassin. Une ombre pâle, formidablement sculptée, troublée par les rides noires qui ne demandaient qu'à détruire…

La certitude revint en force.

Ce soir, le Cavalier de la nuit serait là. Sur ses traces. Guettant le moindre de ses faits et gestes. Alors il serait temps d'agir.

Du pied, il fit rouler le cadavre et recula afin d'éviter les éclaboussures. Alors qu'une fumée abjecte s'élevait de la fosse, accentuant l'odeur de chair grillée, il ferma les yeux et ouvrit les bras.

L'Ultime Renaissance était pour ce soir.

51

On l'avait isolé dans une cellule de dégrisement, au sous-sol de la DCPJ, rue des Trois-Fontanot. Il ignorait si c'était pour le protéger des autres ou au contraire pour les protéger, eux, de sa folie. De l'autre côté des murs, lui parvenaient des cris, des grognements – poivrots en proie à des hallucinations, pseudo-innocents hurlant à l'injustice, cinglés incontrôlables attendant leur transfert à l'infirmerie psychiatrique de la Préfecture de Paris.

Recroquevillé sur le banc solidarisé à la paroi, sans ceinture ni chaussures, il ne maîtrisait pas ses pensées : son cerveau, dans un cocon ouaté, dérivait selon des courants imprévisibles. Sous l'effet du calmant qu'on lui avait injecté, il se sentait sonné, à la fois flottant et engourdi – et étrangement décalé. Pas assez toutefois pour oublier ses obsessions…

Sortir de là.

Il ne pensait pas vraiment au psychiatre. Un bleu qui avait fait une gaffe – et qui s'en souviendrait longtemps. L'aurait-il vraiment fumé ? Impossible de répondre. Il songeait plutôt à Guillard. Où était allé le salopard à midi ? Que préparait-il ? Par réflexe, il jeta un regard à son poignet mais on lui avait aussi piqué sa montre.

Sortir de là.

Ne plus le lâcher d'un millimètre. Au moindre écart, ce serait une balle dans la tête. Encore une résolution meurtrière... En moins de soixante-douze heures, il avait failli broyer le crâne de son suspect, abattre un psy – et il était maintenant résolu au pire.

Le cliquetis de la serrure le fit bondir sur ses pieds.

— Assieds-toi.

Fifi avança d'un pas et la porte se referma dans son dos.

— Assieds-toi, j'te dis.

Passan s'effondra de nouveau sur le banc et ramena les pans de sa veste sur ses flancs, comme s'il se trouvait sur le pont d'un cargo en plein vent. La sueur avait séché sur sa peau, crispant sa chair.

— Tu vas voir le proc.

— Pas le juge ?

— Duclos ne porte pas plainte. T'as le cul bordé de nouilles, ma poule. En revanche, son rapport risque d'être salé.

Olivier se prit la tête entre les mains. Il allait perdre la garde des enfants. Il allait être mis à pied. Il allait...

Il releva les yeux :

— On a prévenu Naoko ?

— Pas nous. Mais t'en fais pas : ça va remonter jusqu'à elle. Je fais confiance à son avocat. Je me suis renseigné sur lui. Un salopard de première. Un mec qui a ses entrées partout, et notamment chez nous. Je me demande où elle a déniché un lascar pareil.

Passan se frottait les épaules : les accointances du juriste expliquaient en partie les informations de Duclos. Naoko ne l'avait peut-être pas trahi tout à fait.

— Qu'est-ce que t'as foutu ce matin ?

— Rien.

— T'es allé planquer chez Guillard.

— Non.

— C'est pas une question, c'est une affirmation. Albuy et Malençon t'ont repéré sur le parking, en face de la concession.

Il préféra garder le silence.

— Qu'est-ce que t'as vu ? insista Fifi.

Pas question de raconter sa course pitoyable. Il se tut encore, recroquevillé dans l'angle du mur, regard rivé au sol. Ce qu'il ne comprenait pas, c'était *pourquoi* son adjoint l'interrogeait ainsi. À l'évidence, un évènement était survenu. Un évènement lié à son emploi du temps – ou à celui de Guillard.

— Qu'est-ce qui se passe ? demanda-t-il finalement.

Fifi portait un large tee-shirt sur lequel Peter Tosh, dieu du reggae, s'envolait dans un nuage de cannabis.

— Levy a disparu.

— Comment ça ?

— Il est pas venu au bureau ce matin. Il répond pas à son portable. Sa bagnole est introuvable.

Compte tenu du profil, il pouvait y avoir mille explications à son absence. Gueule de bois monstrueuse. Passage à tabac ordonné par des créanciers. Élimination à la suite d'une de ses énièmes combines. Fuite à l'étranger…

— Ses dernières nouvelles ?

— Hier soir. Il est allé voir Guillard.

— Tout seul ?

— Plus que tout seul : il a envoyé les gars boire un coup pendant l'entrevue.

— Où ça s'est passé ?

— Au garage d'Aubervilliers.

— Combien de temps ça a duré ?

— Trente minutes. Albuy et Malençon sont revenus, Levy s'est tiré. Depuis, plus de nouvelles.

— Et Guillard ?

— Il est rentré tranquillement chez lui.

Hypothèse. Levy avait découvert quelque chose. Il avait voulu foutre les jetons à Guillard – ou le faire chanter. Cela lui avait été fatal. Un lien avec la course de midi ? Il secoua la tête pour lui-même : trop rocambolesque.

Pourtant, une certitude demeurait : si Levy avait voulu jouer au plus fin avec Guillard, il était déjà mort.

— Tu penses comme moi ?

Olivier ne répondit pas. Les murs de sa cellule lui parurent d'un coup plus proches, plus menaçants.

Fifi frappa violemment la porte. Il lui balança un regard par-dessus son épaule :

— On y va. Profil bas avec le proc, Olive. C'est ton seul ticket de sortie.

52

19 heures. Postée en retrait, près de la maison, Naoko attendait Passan. Elle préférait ne pas voir les enfants. Trop dur ensuite de s'en séparer. D'où elle était, elle entendait leurs bruits de rigolade dans le bain et c'était déjà assez douloureux...

Elle se réfugia auprès de l'espace protégé de Passan : son jardin zen. Il s'étendait à l'ombre d'un grand pin thunbergii dont les branches poussaient à l'horizontale et d'un érable qui donnait en automne des feuilles rouges comme du sang. Il les avait fait planter dès l'achat de la maison, avant même le début des travaux. Il avait ajouté ensuite deux autres pins du Japon, à la naissance de Shinji et de Hiroki, et, bien sûr, un cerisier. Au centre, il y avait une oasis de graviers gris, soigneusement ratissés. Plus loin, sur la droite, derrière quelques rochers, se dissimulait un plan d'eau, à peine plus grand qu'une flaque, cerné de roseaux et de fougères, surplombé par un saule. Si on s'approchait, on apercevait des nénuphars – pure image d'immersion tranquille. Au-dessus, une fine cascade vernissait quelques pierres.

Naoko ne le lui avait jamais dit mais d'un point de vue strictement japonais, son site était approximatif. Ainsi, il s'était trompé sur l'orientation du soleil. Traditionnellement, une « mer de cailloux » est toujours placée au nord-est, ce qui n'était pas le cas. Mais ce qui la touchait, c'était que le lieu dressait un portrait en creux de Passan. Derrière ces buissons, ces fougères, ces « pierres flottantes », elle voyait la passion, la patience de celui qui avait aligné ici chaque rocher, orienté chaque mousse avec la ténacité du Facteur Cheval.

Dès qu'on l'avait informée de la catastrophe de l'entrevue psychiatrique, elle s'était rendue à la villa. Sans réfléchir. La compassion n'était pas son fort mais, cette fois, tout était de sa faute. Elle avait parlé à son avocat. Elle lui avait livré ses soupçons – auxquels d'ailleurs elle ne croyait pas. Rhim avait exploité le filon. Et joué ce coup sans lui en parler…

Le portail s'ouvrit. Passan et Fifi apparurent, l'un en costume chiffonné, l'autre en épouvantail post-rock. Livides, hirsutes, ils avaient l'air de rentrer d'une nuit blanche alors que le soir n'était pas encore tombé. Derrière, Naoko aperçut les cerbères qui montaient la garde. Dans quel monde vivait-elle ?

Le punk leva la main en signe de salut et pénétra dans la villa. Passan, sans un sourire, se dirigea vers elle. Il avait pris dix ans. Son visage s'était creusé. Sa barbe de trois jours évoquait une forêt sauvage, affamée.

— T'es venue chercher les enfants ? demanda-t-il avec méfiance.

Tout son être suintait d'une violence retenue mais aussi d'une lassitude, une vulnérabilité qui touchèrent immédiatement Naoko.

— Pas du tout. C'est ta semaine, on change rien.

— *Ta semaine.* Je me demande ce qui est le plus fort chez toi ! L'entêtement, l'orgueil ou la fidélité à la règle.

— Tu veux dire que je suis japonaise ?

Sa mauvaise humeur s'évanouit en un éclat de rire. Il se passa la main dans les cheveux :

— C'est exactement ce que je veux dire. On marche ?

— On ne va pas piétiner tes sentiers.

— C'est bon. On n'en est plus là.

Ils s'engagèrent sous les frondaisons du pin thunbergii. Ce fut comme s'ils entraient dans une autre dimension. Tout devint vert dans la pénombre du soir. Un vert tamisé, à la fois réconfortant et triste, frappé de mille clairs-obscurs. La lumière paraissait mouvante, comme au fond d'un aquarium. Elle ferma les yeux et respira les effluves humides. Elle ne marchait plus dans un jardin : elle marchait dans son enfance.

— Je suis venue m'excuser, fit-elle à voix basse.

— Ça ne te ressemble pas.

— Mon avocat ne m'a même pas prévenue : il se croit en guerre.

— Le psy n'a pas inventé ce que tu as dit.

Naoko secoua lentement la tête, trop épuisée pour l'affronter :

— Écoute… J'ai déconné. J'ai dit n'importe quoi. Mon avocat a utilisé ça et t'a envoyé ce psy…

— Qui lui a donné mes ordonnances ?

— Quelles ordonnances ?

— Quand j'étais en… dépression.

Elle comprit, avec un temps de retard, que Rhim et l'expert avaient mené une véritable enquête. Ils

308

avaient creusé dans les galeries les plus profondes du passé.

— Je n'y suis pour rien, plaida-t-elle. À cette époque, nous n'étions même pas ensemble. Ils ont dû appeler les hostos, je ne sais pas. Je te répète que mon avocat croit mener un combat.

— Pas toi ?

Elle s'arrêta. Debout sur une *tobi-ishi*, ces dalles à fleur de terre qui guident le promeneur, elle se sentait imprégnée par les parfums d'eau qui flottaient dans l'air. Elle était une mousse parmi d'autres.

— Non. Nous sommes d'accord pour divorcer, essayons au moins de ne pas nous engueuler sur les modalités.

Elle avait essayé de s'exprimer en douceur mais elle avait naturellement une manière trop sèche de parler, et son accent n'arrangeait pas les choses.

— Ce n'est pas moi qui ai voulu qu'on prenne deux avocats.

— J'ai pensé que ça serait plus clair.

— On voit le résultat.

— Il n'est pas trop tard pour changer de cap.

— C'est-à-dire ?

— On en cherche un autre. On le partage. On oublie l'expertise, toutes ces conneries.

— On aurait pu faire l'économie du premier.

— Je le prends à ma charge.

Le silence s'étira. Elle lui tendait la main mais il ne se pressait pas pour la saisir. Il fixait un point invisible en direction de l'eau, comme s'il pouvait voir au-delà de la ceinture de joncs et de roseaux.

— On verra, finit-il par murmurer en reprenant sa marche.

Elle lui emboîta le pas. D'ultimes rayons de soleil s'échappèrent des nuages et trouvèrent leur voie parmi les massifs. D'un coup, dans la lumière filtrée, les mousses crépitèrent de minuscules bulles d'argent. Les lichens, d'ordinaire vert bleuté, virèrent au mauve. Il y avait longtemps qu'elle n'avait pas apprécié ce site à ce point. *Pas si raté que ça, son jardin...*

— Tu vas avoir des problèmes au boulot ?

— En ce moment, je ne peux pas être plus bas.

Ils étaient parvenus près de l'eau dont la surface vert sombre avait la teinte pleine et puissante d'un vitrail. Au loin, des oiseaux pépiaient, mais discrètement. Comme s'ils avaient capté l'interdiction de Passan : « On ne s'approche pas. »

— Et l'enquête ?

— L'enquête ?

Il paraissait perdu, presque amnésique.

— Le singe dans le frigo.

— J'ai mis tous les gars sur le coup. Ne t'en fais pas.

— Dans le quartier, personne n'a rien vu ?

— Rien.

— Cette nuit, il s'est passé quelque chose ?

— Non.

Naoko sentit sa colère revenir : il mentait. Du moins, il ne disait pas tout.

— Ne t'en fais pas, répéta-t-il, comme pour couper court à toute autre question. À mon avis, ce salaud ne bougera plus. Dans tous les cas, je le coincerai, je te le jure.

Naoko ne mettait pas en doute sa parole. *Le meilleur des chasseurs.* Mais quel chemin lui faudrait-il encore parcourir pour atteindre ce but ? Que se passerait-il d'ici la capture de la proie ? Elle frissonna et ne trouva rien à dire – ni pour l'encourager ni pour le dissuader. Le territoire de Passan était celui de l'action : les mots n'y avaient pas leur place.

La nuit était tombée. Les pierres à eau *mizubashi*, creusées en vasques, riaient sur leur passage. Soudain, elle aperçut au fond du terrain la palissade en bambous contre le mur mitoyen. Plus que tout le reste, ce simple détail lui rappela le jardin de ses parents, lui-même imbriqué dans d'autres jardins, d'autres constructions. Au Japon, les maisons s'encastrent comme les éléments d'un Rubik's Cube. Elle avait grandi dans ce maillage, où le vide n'existe pas, excepté dans l'esprit de l'homme durant la méditation zazen.

Ils repartirent le long du sentier. Naoko ne disait plus rien. Le silence fondait dans sa gorge comme un glaçon. Une partie de son cerveau était attentive au moindre détail. Le rire de l'eau. L'odeur des végétaux. Les écorces rouges des pins obliques. Il ne manquait que les corneilles, dont les ailes auraient claqué derrière un mur de pisé. Elle sentait son cœur se gonfler, se remplir à la fois d'eau et de sang.

Soudain, elle demanda :

— Tu te souviens quand tu essayais d'apprendre le japonais ?

Passan s'esclaffa, sans marquer la moindre surprise. Son esprit avait suivi le même chemin.

— Et toi, quand tu essayais de prononcer les « r » ?

Elle éclata de rire à son tour.

— Il y a longtemps que j'ai abandonné.

Après un temps, elle ajouta d'une voix neutre :

— Je crois qu'on n'a pas beaucoup évolué.

Ils sortirent de l'ombre des pins et découvrirent la villa. Dans l'obscurité, elle avait la simplicité d'un dessin d'enfant. Cube blanc sur tapis vert. Elle lança un coup d'œil à Passan : une expression de tendresse se peignait sur son visage. Elle sentait qu'ils partageaient maintenant une sorte de gêne confuse. Quelque chose d'indicible, lié à tout ce qu'ils avaient vécu ensemble et dont maintenant, pour une raison inexpliquée, ils avaient presque honte. Sans doute, tout simplement, ne s'en sentaient-ils plus dignes.

— Tu veux embrasser les garçons ? demanda Passan, pour dissiper le malaise.

— Non, j'y vais. Respectons la règle.

— Bien sûr, fit-il comme s'il se souvenait à qui il avait affaire.

Elle désigna les fenêtres allumées :

— Fifi, il passe la soirée avec vous ?

— On doit bosser quand les petits seront couchés.

— Sur quoi ?

— Juste de la paperasse. Pour le boulot. (Il regarda sa montre.) Il faut que je prépare le dîner. Je te raccompagne ?

— Laisse tomber. Appelle-moi demain matin.

Elle prit le chemin du portail. Son trouble se dissipait. Elle avait l'impression de reposer le pied sur la terre ferme après un voyage instable dans un songe.

Des souvenirs amers revinrent lui cingler le cœur, malgré elle. Les dernières années, avec Passan, elle avait essayé de se raccrocher au moindre détail, au moindre geste. Un simple restaurant en tête à tête, et elle aurait de nouveau brillé pour quelques semaines. Un sourire, un regard attentionné, et cela lui aurait fait sa journée. Mais même ces petites attentions, il n'avait pas été foutu de les lui accorder. Et quand par miracle cela arrivait, c'était elle qui réagissait avec maladresse. Elle était trop avide d'amour, comme un affamé mord la main qui lui tend la nourriture.

Elle fouilla dans son sac à la recherche du bipeur. Elle ne pleurait pas. Ses larmes même appartenaient à une autre époque. Le temps où elle regrettait, où elle y croyait encore.

53

Son Ultima Ratio était doté d'une lunette Night-force avec réticule lumineux. À cette distance, il n'en avait pas besoin. Le grossissement de l'optique pouvait même être gênant mais cet attirail sophistiqué le mettait en confiance. S'en servirait-il ? Passan ne se posait plus ce genre de questions. Les derniers évènements lui avaient démontré que tout projet, toute préméditation étaient inutiles.

Depuis une heure, perché dans un arbre, vêtu d'un bonnet, un tee-shirt, un jean et une veste de treillis, uniformément noirs, il observait la terrasse située à quelque cent cinquante mètres, à travers ses jumelles à vision nocturne. La faible luminosité résiduelle, amplifiée plusieurs milliers de fois, baignait le décor d'un halo vert qui lui donnait l'impression d'être en opération en Afghanistan. En réalité, il n'était entouré que de façades aveugles, de cours d'immeubles et de jardinets, à peu près aussi menaçants que des stands au Salon de l'horticulture.

Il s'était pourtant placé en position de tir, le doigt sur la détente. Encore une attitude pour se rassurer. Il avait puisé dans son arsenal personnel pour s'armer de nouveau – on lui avait confisqué son calibre. Glock 17 à la ceinture, Sig SP 2022 à la cheville, couteau Eickhorn, glissé cette fois dans son dos. Il n'avait emporté aucun téléphone, ni GPS, ni ordinateur balistique, rien de détectable par des moyens techniques modernes.

Il avait décidé de considérer Guillard comme un ennemi au sens guerrier du terme, équipé, averti, dangereux – et beaucoup plus intelligent que la moyenne.

23 h 30. Rien à signaler sur la terrasse. Calme plat à l'intérieur. La proie était pourtant là, aussi éveillée qu'un nuisible aux aguets. Il savait d'instinct que cette nuit serait le théâtre d'une opération.

Après la troublante entrevue avec Naoko, il avait directement fait dîner les enfants, sans même évoquer la leçon de piano. Il les avait couchés, les confiant à Fifi, en poste dans le salon, face aux moniteurs installés sur la table basse. Les caméras tournaient. Les micros tournaient. Les flics, dehors, tournaient…

La villa était devenue une forteresse inviolable. Du moins il l'espérait.

À 21 h 30, il s'était préparé et Fifi avait fait la grimace en découvrant le sac de sport et la housse de fusil.

— Où tu vas, exactement ?

— T'en fais pas.

— Dès que tu sors de mon champ de vision, je m'en fais.

— Veille sur les garçons : c'est tout ce que je te demande.

À 22 heures, il atteignait les ténèbres silencieuses de Neuilly-sur-Seine. Aux abords du square de Chézy il s'était changé et avait attaqué une première ronde.

L'hôtel particulier de Guillard se trouvait au fond de l'allée bordée de villas et d'immeubles à l'élégance sobre. Grâce à sa clé universelle, Olivier avait franchi la première grille puis s'était avancé à couvert des voitures stationnées. Les deux cerbères étaient là, à fumer sous un réverbère, l'air de s'ennuyer ferme. Quoi qu'il arrive, il avait compris qu'il ferait sans eux. Il connaissait désormais la méthode du prédateur. La plus simple qui soit : la sortie des artistes. À Aubervilliers, il avait filé par le parking à l'arrière des bâtiments. Sa maison devait ménager une issue du même genre.

Passan avait contourné la villa puis s'était aventuré parmi les jardins, les patios, les cours, cherchant un point de vue satisfaisant. Il avait finalement trouvé un marronnier surplombant le mur d'enceinte. Enfoui parmi les frondaisons, il avait une vue parfaite sur le site.

L'édifice était doté d'un étage. Il était déjà venu fouiller la maison quelques semaines auparavant. L'intérieur lui avait plu. Murs blancs. Fenêtres rectangulaires sans balustrade ni balcon. Des pièces épurées, ponctuées de meubles design. Tout cela menait à la plateforme en teck, équipée de mobilier de jardin et d'un vaste parasol de toile blanche. L'ensemble paraissait sortir des pages glacées d'un magazine. Passan devinait que Guillard avait confié l'agencement de sa villa à un professionnel. Le tueur n'en avait personnellement rien à foutre. Il vivait ailleurs. Dans un monde de ténèbres et d'angoisse qui n'appartenait pas à cette réalité. Il aurait pu aussi bien habiter un cabanon de ferrailleur ou la cellule d'une prison.

Nouveau coup d'œil aux jumelles. Toujours rien. La fenêtre de la chambre, sur la droite, restait allumée mais elle était occultée par un store de toile claire. La course de l'après-midi avait peut-être calmé l'animal. Mais non. Sa haine à son égard, sa soif de vengeance – ou encore sa pulsion meurtrière – le pousseraient à sortir. Un vampire au gosier sec. Un prédateur en quête de chair fraîche.

Près de minuit. Il commençait à avoir des courbatures. La question revenait, lancinante : allait-il exécuter Guillard cette nuit, sans l'ombre d'une preuve ni le moindre procès ? Et après ? Pourrait-il encore se regarder dans la glace ? Qu'en penserait Naoko, elle qui le considérait déjà comme un chien enragé ?

Naoko.

L'entrevue dans le jardin l'avait déstabilisé. Jamais il n'avait ressenti aussi fortement l'atmosphère japonaise de son pauvre lopin de terre. Comme si sa femme, enfin, lui avait donné la clé qui ouvre le *fusei* des jardins zen. Parmi ces mousses mordorées et ces pins brillants, il s'était senti soudain transporté *là-bas*. À l'époque où ils se photographiaient sur la plate-forme du temple Kiyomizu-dera, au-dessus de Kyoto.

Naoko était venue faire la paix. Mais comme d'habitude, elle n'avait pas dit le quart du dixième de ce qu'elle pensait. Il ne lui en voulait pas : il y avait toujours, au fond de son silence, un autre silence. Une zone d'ombre d'une densité particulière, qui ne pourrait peut-être jamais se révéler. C'est ce secret qui les avait accompagnés ce soir, alors qu'ils marchaient sur les pierres flottantes.

Au début de leur relation, Passan, pour faire le mariole, lui avait dit : « Ce que j'aime le plus, c'est votre esprit. » Il mentait, bien sûr. Face à une telle beauté, pas un seul homme ne se serait soucié de sa conversation.

En retour, elle lui avait lancé : « Vous avez tort. Mon esprit est noir. » Beaucoup plus tard, elle lui avait avoué avoir répondu cela pour faire elle aussi l'intéressante.

Pourtant, sans le savoir, tous les deux avaient dit la vérité. Naoko était en effet d'une noirceur absolue – son esprit semblait parfois même absorber toute lumière, à la manière d'un trou cosmique. Et c'étaient ces ténèbres que Passan avait passionnément aimées – comme il avait aimé se perdre dans ses cheveux aux reflets de mort soyeuse.

Il tressaillit tout d'un coup. Une silhouette venait de traverser la terrasse, si furtivement qu'on aurait pu croire à une illusion. Rien n'avait bougé dans la maison : les fenêtres de l'étage étaient toujours éclairées. Aucune porte, aucune fenêtre n'avait claqué.

Passan se cramponna à ses jumelles et scruta le jardin. *Confirmation.* Une ombre s'enfonçait parmi les arbres. Escaladait le mur d'enceinte. Quand elle parvint au sommet, un rayon de lune passa sur son dos comme un reflet le long d'une lame. Guillard. Entièrement vêtu de noir. Une tenue de soldat-commando, dans le même esprit que la sienne.

Il se coula de l'autre côté puis disparut. Pour réapparaître une vingtaine de mètres plus loin, dans la cour-jardin d'un immeuble. Passan reconnut sa démarche. L'Accoucheur, en route pour le royaume de la nuit.

Le flic le mit en joue mais son index n'effleura même pas la détente.

318

Il n'était pas là pour ça. Il était là pour suivre son gibier et découvrir ce qu'il avait dans le ventre.

Il se redressa, rangea son fusil modulaire, déplia une jambe pour atteindre à son tour le haut du mur. Il parcourut l'arête, à la manière d'un funambule, rapide et silencieux. Quand il releva les yeux, Guillard s'était évanoui. Passan se laissa glisser de l'autre côté du mur et se mit à courir.

54

Depuis près de trente minutes, il suivait Guillard, à quelques voitures d'intervalle, sur l'A86. Les phares, les réverbères, les enseignes lacéraient la nuit. Mais les ténèbres, au-dessus, étaient plus fortes : le flic avait l'impression de s'enfouir dans un magma noir et compact.

L'assassin s'était faufilé parmi le dédale des cours pour déboucher sur le boulevard d'Inkermann. Aussitôt, il avait braqué une télécommande et réveillé une superbe Classe S, sombre et laquée comme un corbillard.

Prévoyant le coup, Passan avait garé sa Subaru à proximité. Le temps de fourrer son matériel dans le coffre et en avant. Guillard roulait posément selon la limitation de vitesse. Le flic pouvait sentir, à distance, son calme, son sang-froid. Il en avait la certitude : cette fois, au moment de l'affrontement, le tueur ne paniquerait pas.

Nanterre. Gennevilliers. L'Accoucheur se dirigeait vers son terrain de chasse – le 93. Bizarrement, au lieu d'emprunter le boulevard périphérique jusqu'à la porte de la Chapelle, il avait préféré traverser la Seine, partir vers l'ouest et pratiquer une large boucle au sein du 92. Passan, lui, s'efforçait de rouler au même rythme et cette cadence tranquille lui écorchait les nerfs.

Concentré sur la route surélevée, il devinait autour de lui la plaine obscure de la banlieue. Des nuages de fumée, très clairs, presque argentés, s'échappaient d'usines invisibles, dessinant des messages votifs en direction du ciel. Il lui semblait que la terre, sous ses roues, se déréalisait au point de devenir une galaxie lointaine, dont la distance se mesurait en siècles d'industrialisation.

Guillard sortit de l'autoroute pour prendre la D986, droit vers Saint-Denis. Ils regagnèrent l'autre rive. Soudain, le tueur accéléra, quitta l'axe principal et plongea dans un dédale de rues plus étroites. Olivier se mit au diapason, se demandant s'il l'avait repéré. Les lampes à arc lui paraissaient siffler au-dessus de sa tête. Guillard braquait, accélérait, tournait encore. Il ne conduisait pas comme quelqu'un qui cherche à semer un poursuivant, à l'aveuglette. Il suivait, précisément, sa route.

Passan essayait de ménager toujours quelque distance afin de donner le change. Plus le temps de lire les panneaux, ni de s'orienter – l'éclair lui vint que l'autre allait le larguer au beau milieu de cités hostiles et disparaître. Ils traversèrent alors des îlots de pavillons en meulière ; longèrent des boutiques, au pied des cités, volets fermés comme des paupières de fer ; sillonnèrent des quartiers administratifs, hérissés d'immeubles modernes, déjà obsolètes.

Puis ce furent de grandes artères désertes : entrepôts, usines, hangars… Guillard filait à cent kilomètres-heure sans plus respecter aucun feu. Passan suivait le mouvement, phares éteints – les réverbères éclairaient comme en plein jour.

Le paysage changea encore. Terrains vagues. Friches industrielles. Guillard braqua sur la gauche et disparut dans un nuage de poussière. La route n'était plus bitumée. Passan effectua la même manœuvre, dérapant, puis se redressant. Il maintenait sa vitesse mais ne voyait plus rien.

Tout à coup, il pila, manquant d'entrer en collision avec la Mercedes, blanche de scories, arrêtée en travers du sentier. Il sortit de sa Subaru, laissant le moteur tourner. Lentement, il s'approcha, braquant son Glock à deux mains. Les hypothèses cognaient son crâne, en afflux de sang brûlant. Le tueur avait perdu le contrôle de sa bagnole. Il avait buté contre un obstacle. Il avait perdu connaissance…

Passan s'approcha encore. La portière était ouverte, l'habitacle vide.

Autour de lui, les nuages de poussière retombaient. Il tourna la tête et découvrit une enceinte grillagée. Au-delà, un complexe industriel évoquait le centre Georges-Pompidou dans une version de fer, de feu et de fumée. Un énorme martèlement se faisait entendre. Une pulsation qui semblait sourdre de la terre pour entrer directement en résonance avec les nerfs. Le flic comprit que le combat s'était déjà déplacé : Guillard marchait en direction de l'énorme vaisseau constellé de lumières.

Il rengaina et entreprit d'escalader le grillage. Il parvint à l'enjamber et dégringola de l'autre côté. Guillard avait disparu, happé par le site colossal. Des rampes obliques, des cheminées, des silos…

Il prit la direction de l'usine alors que le battement pilonnait la terre. Pas rapides, pas prudents : il s'efforçait de ne pas se casser la gueule parmi les ronces, les détritus, les nids-de-poule.

Toujours pas de Guillard.

Un fracas métallique jaillit sur sa gauche. Un train arrivait – plutôt un convoi de bennes aveugles qui bringuebalaient sur des rails enfouis sous les herbes. Il laissa passer le cortège puis reprit sa course, accélérant encore. Le complexe n'était plus qu'à cent mètres. Des brûlots jaillissaient dans la nuit comme des rots incandescents. Les cheminées évoquaient des ruines fumantes. Les points lumineux, fixés aux tours, aux citernes, semblaient envoyer des signaux vers le ciel. Et le rythme ne cessait pas : bom-bom-bom-bom…

Comme il ralentissait, il vit surgir Guillard sur un escalier circulaire qui s'enroulait autour d'un silo. Avec son costume noir et son crâne blanc, il ressemblait à un prêtre grimpant en chaire. Même à cette distance, un détail lui sauta aux yeux : il portait des gants de nitryle.

Passan empoigna de nouveau son calibre et arma la chambre. Guillard l'amenait sur une nouvelle scène de crime.

Il trouva une porte grillagée entrouverte. Il fonça parmi les canalisations et songea à des racines monstrueuses. Il était perdu. Une puanteur corrosive, asphyxiante, le prit à la gorge. Il abaissa les bords de son bonnet – une cagoule du GIPN –, ajusta les trous sur les yeux et poursuivit sa course. Enfin, il découvrit des marches au pied d'un silo, empoigna la rampe et commença son ascension. Ses pas faisaient trembler les marches, battant à contretemps du cœur de la

323

machine. Il fit un tour complet du cylindre sans savoir s'il montait le bon escalier.

Comme une réponse, Guillard apparut deux anneaux plus haut. Passan repartit, étouffant sous les mailles en acrylique. Un nouveau tour et il scruta l'étage supérieur : rien. *Regarde mieux.* L'Accoucheur courait sur une passerelle. Un autre tour de réservoir. Hors d'haleine, les poumons brûlants, il parvint lui aussi sur la coursive.

Il releva sa cagoule pour avaler une bouffée d'air. Ce fut pire. L'atmosphère était devenue un poison. Il rabaissa le tissu et braqua ses yeux vers un autre pont emprunté par Guillard.

Il était là. Crâne nu, col Mao, poussière blanche.

Il l'attendait.

Par réflexe, Passan leva son arme : le fantôme avait déjà disparu. Il bondit et traversa la nouvelle passerelle. À l'autre bout, plusieurs voies s'ouvraient à lui. Il prit à droite et se faufila parmi une forêt de canalisations. Il dépassa des conduits surmontés de gros volants, comme à bord d'un croiseur de guerre. Il n'était plus à l'étage des racines, mais à celui des veines et des artères.

Une porte entrouverte. Des reflets de flammes contre la paroi…

— Non…, s'étrangla Passan. NON !

Il franchit le seuil, redoutant déjà une nouvelle victime.

Ce qu'il découvrit le stupéfia.

Dans une salle encombrée de tuyaux, Guillard était nu, assis en tailleur : immobile, il brûlait au milieu d'une flaque d'essence. Son crâne était auréolé d'un pourtour de flammes. Sa chair se craquelait, dans une lueur orange et noir. Olivier revit la célèbre image du bonze qui s'était immolé à Saigon, en 1963.

Il rengaina et se précipita vers le brasier, cherchant quelque chose pour l'éteindre. Il ôta sa veste de treillis et frappa le corps à toute force. La fumée redoubla mais les flammes reculèrent. Ne sentant aucune douleur, il tira le tueur de la fournaise. L'homme continuait à brûler.

Il s'acharna, parvenant à étouffer plus ou moins le foyer. Il s'agenouilla et tenta un massage cardiaque. Il se brûla les mains en touchant le torse fumant. Il attrapa de nouveau sa veste, s'en protégea les bras et essaya de nouveau.

Passan ne raisonnait plus. Il frappait mécaniquement la poitrine de Guillard à deux mains, tentant de ranimer son ennemi nu et noir. Alors, l'Accoucheur se redressa d'un coup, lui attrapa la nuque et l'approcha comme pour l'étreindre. À cet instant, il expectora. Du feu jaillit de ses lèvres. Un voile blanc explosa devant les yeux de Passan. Son visage s'embrasa.

Passan se roula en boule sans même pouvoir hurler. Il eut l'impression de plonger dans un lac de lave, des bulles aveuglantes lui dévorant la face. La morsure était au-delà de la douleur : c'était la douleur même qui refermait ses mâchoires sur sa figure.

Dans un coin de son cerveau, il comprit que Guillard avait conservé de l'essence dans la bouche pour en pulvériser son ennemi, à la manière d'un cracheur de feu.

Le piège de l'homme-femme.

De l'homme-flamme…

55

— Comment tu as pu me faire ça ? hurlait Naoko.

Passan avait du mal à la comprendre. À cause de l'accent, aggravé par la colère. À cause de la morphine qu'on lui avait injectée dès son arrivée, et des bandages qui lui enserraient la tête. Mais il était encore conscient : il la voyait faire les cent pas devant son lit de fer, électrique.

Si jamais il avait espéré la moindre compassion, c'était raté.

— Tu m'as toujours menti ! Toujours prise pour une conne !

Il ne bougeait pas. Son visage était couvert de tulle gras, chargé de pommade antalgique. Après avoir essuyé le baiser de feu de Guillard, il s'était évanoui. Quand il s'était réveillé, il était dans une ambulance – les vigiles du site, alertés par le système d'alarme, l'avaient découvert quelques secondes seulement après l'affrontement. Patrick Guillard était déjà mort.

Le flic avait été directement transféré à l'hôpital Max-Fourestier de Nanterre. Les toubibs lui avaient expliqué que ses brûlures étaient superficielles mais qu'il devait rester quarante-huit heures en observation. Olivier n'avait pas réagi : il avait plutôt l'impression d'être cuit à point.

À présent, une perfusion dans le bras, vêtu d'une simple blouse de papier verdâtre, la tête emmaillotée comme une momie, il regardait Naoko s'agiter devant lui.

Dans cette chambre d'hôpital vide, elle ressemblait à une actrice qui serait arrivée sur le plateau avec un jour d'avance. Déjà en costume, alors que le décor n'était pas installé. Autour d'elle, on ne voyait que la misère des murs, la crasse des plinthes, les cloques du plafond. Les infirmiers avaient éteint la lumière – ne filtrait par les stores que la faible lueur de l'aube. Il était près de 6 heures.

— Au fond, tu n'es qu'un salopard paranoïaque.

Hébété, il savourait le subtil décalage de la scène. Du cinéma encore. On avait assigné un rôle à Naoko mais elle se trompait de texte. Au lieu de s'enquérir des blessures de son héros de mari, elle le couvrait d'injures.

Dans une sorte de brouillard, Passan réalisa soudain que la furie aux cheveux noirs s'était tue. Elle marchait toujours, les yeux baissés, se tordant les mains, secouée de convulsions comme sous les chocs d'un défibrillateur.

Il remit une pièce dans la machine :

— Je te remercie pour ton soutien.

— Mon soutien ? fit-elle en écho, toute pâle dans la pénombre.

Elle repartit pour un tour. Au fond, il méritait ce savon. Ce qui avait mis le feu aux poudres, sans jeu de mots, ce n'était pas l'appel en pleine nuit, ni le fait qu'on ait dû secourir son époux au fond d'un site industriel, aux côtés d'un hermaphrodite immolé. C'était Fifi.

Il avait été la chercher à son hôtel et s'était empêtré dans ses explications. Finalement, il avait dû révéler l'épisode des prises de sang. Lorsque Naoko avait compris qu'un homme s'était introduit chez elle, plusieurs nuits, pour prélever le sang de ses enfants, elle avait explosé. Prise d'une espèce de terreur rétrospective, elle se déchaînait maintenant contre Passan.

Il finit par lever la main. Un signe de trêve pour demander la parole :

— Je crois que j'ai compris. Retourne à ton hôtel te reposer.

Sa voix n'était pas enrouée : elle était grillée.

— Me reposer ? répéta-t-elle. T'es cinglé ou quoi ?

— Essaie en tout cas. Ce soir, tu dois reprendre ton tour à la maison.

Elle secoua la tête, consternée :

— Mon tour… T'es vraiment à l'ouest.

Comme saisie par une nouvelle idée, elle se rua sur l'armoire en fer et fouilla les vêtements noircis de Passan. Ces seuls gestes suffirent à instiller dans la chambre une odeur écœurante de tissu calciné, de cendre froide.

Elle se tourna vers lui, mi-triomphante, mi-pathétique, brandissant ses clés :

— Tu ne fous plus les pieds à la maison.

Quand Naoko se raccrochait à des détails domestiques, c'était le signe qu'elle était au bord du gouffre. Souvent, il avait eu l'impression qu'une fournée de linge à laver ou un réfrigérateur à dégivrer l'avait sauvée du suicide par seppuku.

— Tu peux dire à Fifi de venir ? demanda-t-il de sa voix de corde.

Elle hésita. La rage tomba de ses traits. Sa peau avait cette pâleur caillée, presque jaunâtre, des masques de bois japonais. Dans ces moments-là, son visage paraissait aussi plat qu'une feuille de papier, avec quelques traits sommaires en guise d'expression.

— Tu me jures que tout est fini ? reprit-elle une octave plus bas. Les enfants ne craignent plus rien ?

— Je te le jure.

Dans la demi-clarté, il pouvait voir ses lèvres frémir.

— Essaie de dormir, murmura-t-elle en ramassant son sac par terre.

La porte se referma.

Le fait d'être hospitalisé dans ces lieux avait quelque chose d'ironique. En réalité, il connaissait bien l'endroit, quand il s'appelait encore la Maison de Nanterre. À l'époque, on y accueillait – ou plutôt on y détenait – tout ce que l'ouest de Paris et les Hauts-de-Seine comptaient de loqueteux, de mendiants, d'agonisants. Un lieu de sinistre légende qui avait préservé durant des décennies une cour des miracles issue d'une autre époque.

C'était là que les gosses de la DASS, affiliés aux foyers du 92, subissaient chaque année leur visite médicale. Olivier se souvenait des salles carrelées, des voûtes de pierre, de la galerie ouverte. Des courants d'air qui leur glaçaient les os alors qu'ils attendaient leur tour, en slip, dans l'antichambre du cabinet du médecin. Sans oublier les pensionnaires permanents, édentés, hallucinés, qui écrasaient leur trogne contre les fenêtres en se masturbant avec frénésie.

La porte s'ouvrit : Fifi, en vrac. Passan remarqua ses pupilles étrécies. Il se demanda si le flic n'avait pas repris l'héroïne comme d'autres reprennent la cigarette sous l'effet d'un stress.

— Ça va ? demanda nerveusement le punk.

— Ça va.

— Naoko m'a dit que tu voulais me voir.

— Juste un service. Il faut que tu me trouves un soum.

— Un sous-marin ?

— Tu fous tous les moniteurs de la maison à l'intérieur. Je ne veux pas que Naoko voie les écrans. Appelle Super Mario, il y installera le merdier.

L'OPJ tenait une clope allumée entre les doigts, au mépris de tout règlement.

— Je comprends pas. On arrête pas la vidéosurveillance ?

— Je veux des certitudes.

— C'est pas Guillard qu'a fait le coup ?

— Je n'en sais rien. Quand je l'ai vu griller comme un bonze, assis en tailleur, j'ai compris qu'il n'en pouvait plus. De son corps monstrueux, de cette folie qui le poussait à tuer, de cette menace aussi qu'un jour ou l'autre, je le coince… Il voulait mourir et m'éliminer en même temps. Pas effrayer Naoko. Pas se venger sur les garçons. Quelque chose déconne dans cette histoire…

Fifi ne répondit pas. Il paraissait avoir du mal à digérer les nouvelles infos.

— D'autres trucs ne collent pas, reprit Passan de sa voix de papier de verre. Des problèmes de dates. Les prises de sang ont commencé il y a plusieurs semaines. Bien avant Stains.

— On sait tout ça. Guillard pouvait avoir des idées de vengeance depuis longtemps.

— Ça ne cadre pas avec la prudence du personnage. Et n'oublie pas qu'il venait d'enlever Leïla Moujawad. Il devait avoir d'autres chats à fouetter.

— Donc ?

— On poursuit la surveillance.

— Tu préférerais pas déménager ?

— S'il y a quelqu'un d'autre, ce n'est pas un problème d'adresse. Des nouvelles de Levy ?

— Que dalle. Soit il est loin, soit il est sous terre.

— Tu trouveras le soum ?

Fifi se passa la main sur le visage et tira une taffe. Ses pommettes grêlées d'acné luisaient sous les rayons naissants du soleil. Ses yeux brillaient d'un éclat fiévreux.

— Je vais me démerder, fit-il enfin en ouvrant la fenêtre et en balançant son mégot d'une chiquenaude.

— Naoko ne doit rien savoir. Je peux compter sur toi ?

— C'est absurde, je la ramène. Elle va voir les écrans dans le salon, les câbles, les installations.

— Tu lui dis que tout sera enlevé dans la matinée. À partir de maintenant, la surveillance s'effectue *à l'extérieur* de la baraque. *Capisce ?*

Fifi acquiesça, sans conviction.

— Et tu retires la caméra dans sa chambre. J'ai pas envie que les gars matent ma femme à poil.

— C'est tout ?

— Non. Je veux deux flics devant l'école et des mecs pour filer Naoko. On renforce le dispositif.

— Je comprends pas. Ça continue ?

— Je ne prendrai plus le moindre risque. Je peux compter sur toi ?

Le punk s'approcha du lit, à contre-jour, et lui pressa l'épaule.

56

Les voies défilaient à travers le pare-brise. Routes, échangeurs, ponts suspendus : ce paysage, totalement désert, évoquait un réseau inutile, absurde, qui ne menait nulle part et ne servait à personne. Le soleil naissant était impur, comme du cuivre sale, et donnait aux nuages effilés la couleur du tabac brun. Au loin, on voyait des îlots de pavillons en meulière, des mers d'habitations indistinctes, des forêts de tours, dressées dans la lumière rougeoyante comme des arbres en feu.

Au Japon, les routes et les autoroutes semblent toujours percer une forêt, s'immiscer dans un domaine verdoyant, déranger la nature. Ici, la vie végétale est morte depuis longtemps. Les rares arbres, les parterres de gazon, les bosquets déplumés ressemblent au contraire à des intrus qui n'ont plus leur place dans le décor.

Naoko regrettait son attitude. Le moins qu'on puisse dire, c'était que son agressivité ne cadrait pas avec la situation. Le père de ses enfants avait failli mourir et elle n'avait su que l'engueuler comme un gamin pris

en flagrant délit de mensonge. En français, on disait :
« Il ne faut pas tirer sur l'ambulance. » Elle l'avait
carrément plastiquée.

Elle revoyait Passan. Son visage noirci, boursouflé
sous les bandages. En réalité, elle avait été submergée
par la tristesse – et aussi par son impuissance. La
meilleure défense, c'est toujours l'attaque.

— Il m'a dit qu'il risquait d'être mis en examen,
c'est vrai ? demanda-t-elle tout à coup à Fifi.

— C'est la procédure normale. T'en fais pas. Tout
va bien.

Elle ravala ses sanglots. Toujours cette volonté de
la rassurer, de la réconforter, même s'il fallait l'infan-
tiliser, lui raconter n'importe quoi.

— On est sûr que c'est bien ce type qui a attaqué la
maison ?

— Certain.

Fifi ne mentait pas mieux que Passan. Ils ne
croyaient pas que le danger ait disparu. Ils ne pouvaient pas affirmer que l'homme brûlé cette nuit était
l'intrus de la villa. Mais au lieu de partager leurs
doutes avec elle, ils continuaient à bluffer.

— Il n'y aura donc plus jamais de problèmes chez
nous ? insista-t-elle.

Le punk botta en touche en ricanant :

— Ça dépend de ce que tu appelles des « problèmes ».

— Un singe écorché dans mon frigo. Un vampire
qui saigne mes enfants.

— Tout ça est mort et enterré avec Guillard.

Pas la peine d'insister.

— Comment a-t-il pu me cacher ça ?

— Tout ce qu'il a fait, il l'a fait pour toi.

Elle laissa échapper un rire sec, puis asséna d'un ton définitif :

— Je ne veux plus de cette vie.

Cette vie. Au départ, le projet avait été valeureux. Passan agissait au nom de la justice. Il arrêtait les méchants, protégeait la société, défendait les valeurs de la République. Mais cette vocation était devenue un métier, et ce métier était devenu une drogue. Le Bien était désormais pour lui une valeur abstraite alors que le Mal était sa réalité de chaque jour.

— Je prends le circulaire, ça te va ?

Elle hocha la tête en silence.

Ils longèrent le quartier de la Défense. Un désert de schiste, de quartz et d'autres minéraux dont la composition chimique intégrait toujours la réfraction et la luminescence. Les fossiles d'une ère déjà révolue.

Coup d'œil à sa montre. Près de 7 heures. Complètement déboussolée, elle avait fait appel, une fois de plus, à Sandrine. En l'espace d'une nuit, ses enfants avaient été gardés par Gaïa, puis par un flic armé, alcoolique et camé. Ils avaient croisé leur père, qui s'apprêtait à tuer un homme. Bientôt, ils se réveilleraient auprès de Sandrine, dont la présence ne reposait sur aucune explication valable. N'avait-elle rien de mieux à leur proposer comme stabilité familiale ?

Une certitude : quels que soient les risques, elle ne déménagerait pas.

Même si Guillard n'était pas leur agresseur, même s'il restait une possibilité pour que la menace perdure, elle ne décamperait pas. Elle ferait front, avec ses enfants. Et sans doute d'autres flics dans les parages. Elle était sûre que Passan, malgré ses promesses, n'abandonnerait pas la surveillance de la maison.

De nouveau, furtivement, la tentation traversa son esprit. Retourner à Tokyo avec les garçons, à des milliers de kilomètres de cette violence. Les yeux brouillés de larmes, elle ne voyait plus le paysage. Tout semblait troublé, diffracté. Non. Ce n'était pas la solution. Ça ne le serait jamais. Les kilomètres n'avaient jamais résolu les problèmes. Et d'ailleurs, elle ne pouvait se fuir elle-même.

Rentrer à Tokyo, c'était rouvrir sa propre boîte de Pandore.

La voiture stoppa. Elle s'extirpa de ses pensées comme on se réveille d'un mauvais rêve. Elle reconnut, à travers ses larmes, le portail de la villa.

Sans ironie, la voix de Fifi annonça :

— Voilà. On est arrivés. Terminus.

III
TUER

57

— C'est Stevie Wonder qui donne une conférence de presse dans les années 70. Un journaliste inspiré lui demande si c'est pas trop triste de naître aveugle. Stevie Wonder hésite un instant puis répond : « Ça aurait pu être pire. J'aurais pu naître noir. »

Passan essaya de sourire. Ce simple effort provoqua une onde de douleur. Il avait l'impression que son épiderme, sous les bandages imprégnés de Xylocaïne, se craquelait.

15 heures. Sous morphine, il avait dormi toute la matinée. À midi, on lui avait changé ses pansements. Les brûlures s'étaient rallumées comme des flammes dans une chaudière. Nouvelle injection. Nouveau coma. Puis réveil pour découvrir Fifi à son chevet.

Le punk n'avait pas chômé. Il avait trouvé le soum. Avec l'aide de Super Mario, il avait retiré les caméras de la chambre de Naoko, transféré les moniteurs de contrôle à l'intérieur du fourgon stationné rue Cluseret, à quelques mètres de la villa. Deux flics étaient assignés à cette surveillance. Deux autres au quadrillage du quartier. Lefebvre avait soutenu Fifi. La tendance s'était inversée : désormais, les désirs de Passan étaient des ordres.

Assis à côté du lit, cigarette en main, l'adjoint poursuivait ses anecdotes. En matière de rock, il pouvait enchaîner les histoires, témoignages et autres citations plusieurs heures durant.

— Tu sais ce que dit Keith Richards à propos des musiciens actuels ?

— Non.

— « Où sont les mecs qui doivent nous ridiculiser ? Je ne vois que des chauves derrière des platines. »

La grimace de Passan essaya d'être plus convaincante.

— C'est censé me remonter le moral ?

— Seulement te changer les idées.

Il hocha la tête. Il étouffait sous ses pansements – le tulle gras lui tatouait les chairs, la morphine lui assourdissait les nerfs. Dans la chambre, des ombres pleines, noires, obliques, se confrontaient à des fragments de clarté éblouissants, coupants comme du verre.

Il ferma les paupières : ce fut pire. Quand il ne voyait pas le visage en feu de Guillard, des démons aux yeux de soufre avançaient en crabe au fond de son cerveau. Il chassa ces visions et tenta, encore une fois, d'analyser les informations de Fifi.

Elles se résumaient à zéro, ou presque. Le corps de Guillard reposait à l'IML de Paris. Le procureur et le juge Calvini avaient ordonné une perquisition à son domicile de Neuilly. On n'avait rien trouvé – ce qui n'étonnait guère Passan. On prévoyait maintenant de fouiller chaque garage, et en particulier les bureaux du siège. Il n'attendait rien non plus de ce côté.

Ironie du sort : l'inculpation posthume de Guillard ne reposait pas sur l'accusation de meurtre de quatre jeunes femmes mais sur la tentative d'homicide volontaire contre un commandant de police. Et encore cette procédure n'était étayée, pour l'instant, que par son propre témoignage. Or, rien n'était clair. Que faisait au juste Passan sur les traces de Patrick Guillard, lui qui ne devait plus l'approcher à moins de deux cents mètres ? Avaient-ils rendez-vous ? Qui avait convoqué l'autre ? Était-il plausible que Guillard, brûlé et moribond, ait craché de l'essence au visage de son adversaire ?

Une certitude : la salle où avaient été retrouvés les corps n'abritait pas de produits inflammables. Il y avait donc eu préméditation. Mais de qui était le piège ? Pour l'instant, on accordait du crédit à la version de Passan – ses brûlures faisaient foi.

C'était la parole d'un survivant contre le silence d'un mort...

Du côté du visiteur de la villa, pas plus de résultat. Les investigations sur le commerce des capucins n'avaient rien donné. Sur les techniques de prise de sang ou sur un éventuel voleur d'hémoglobine qui aurait déjà frappé ailleurs, rien non plus. Les prélèvements dans la maison n'avaient pas été plus concluants. Quant aux analyses ADN, il y avait fort à parier qu'on ne trouverait que des traces de la famille Passan, auxquelles s'ajouteraient celles de Gaïa, la baby-sitter.

— Je t'ai raconté la fois où j'ai roulé sur le pied de Joe Strummer, le guitariste des Clash ?

Passan eut un mouvement évasif. Fifi embraya mais il n'écoutait plus. Sur le coup des 13 heures, entre deux phases d'inconscience, il avait parlé à Naoko. Elle avait conduit les enfants à l'école, puis s'était rendue au boulot, comme chaque jour. Elle ignorait que deux flics étaient collés à ses pas, que la maison était toujours sous surveillance. Il voulait préserver la version officielle : le coupable était mort, toute menace éliminée.

Avec un temps de retard, il réalisa que Fifi s'était levé.

— Tu y vas ?

— Je repasse ce soir. Tu veux que j'allume la télé ?

Il refusa avec mauvaise humeur. Cette bienveillance l'enfonçait encore dans sa faiblesse.

— Des nouvelles de Levy ? demanda-t-il avant que l'autre ne sorte.

— Que dalle. L'information judiciaire est lancée. On va étudier ses comptes en banque pour vérifier s'il s'est pas barré quelque part.

— Si c'est le cas, il aura pris ses précautions.

— Nul n'est infaillible.

— Et s'il est mort ?

— Son corps finira par émerger. On checke la liste de ses ennemis.

— Y a du boulot.

Fifi esquissa un salut de cow-boy, index sur la tempe, et disparut. Passan se retrouva seul entre ses quatre murs. Il n'y avait rien à faire ici pour tuer le temps. Tout juste pouvait-on l'user à coups de réflexions, de pensées. Il ferma les yeux. Les flashs revinrent lui bombarder la tête. Il avait l'impression de subir un blitz permanent.

Un bruit le réveilla. Durant quelques secondes, il ne sut ni où il était ni ce qu'il entendait. L'instant suivant, il recadra la chambre, baignant dans une lumière grisâtre de fin d'après-midi. Il avait donc dormi plusieurs heures. Il identifia le trille qui résonnait dans la pièce : la sonnerie d'un portable qu'il ne reconnaissait pas. Il se souvint que son mobile avait grillé dans l'usine et que son adjoint lui en avait donné un nouveau.

Il aperçut le cadran qui s'éclairait sur la table de chevet.

— Allô ?

— C'est moi, Fifi. On a du nouveau sur Levy.

Passan songea à la veille de Noël, lorsqu'il était enfant. Il fermait les yeux dans son lit, impatient d'absorber les quelques heures qui le séparaient des cadeaux de l'aube. Il les rouvrait et le miracle était survenu : le Père Noël était passé. Aujourd'hui, ses cadeaux avaient bien changé...

— Vous l'avez retrouvé ?

— Plus ou moins. Il venait d'ouvrir un coffre dans une agence HSBC, avenue Jean-Jaurès, dans le 19e. Il s'y est rendu hier, en milieu de journée.

Passan se prit une suée grasse sous ses bandages.

— À quelle heure exactement ?

— 11 h 37.

Malgré la douleur lancinante, malgré la morphine, le déclic jaillit. La course-poursuite de la veille. Guillard était descendu soit à Stalingrad, soit à Jaurès. Or, Guillard et Levy se ressemblaient. L'imposture était possible.

— On est sûr que c'était lui ?

343

— Justement, non. Selon les témoins de l'agence, le type était bizarre. Il portait une casquette, des lunettes noires. Il a refusé de les retirer.

Aucun doute : Guillard.

— À l'agence, qu'est-ce qui s'est passé ?

— On lui a ouvert son coffre.

— À un type qui n'était peut-être pas le bon ? Qui a refusé de montrer son visage ?

— Le gars avait l'air sûr de lui. Et il avait une carte de flic.

— Ensuite ?

— Rien. Il s'est cassé, et basta. Mais si c'était Levy, on…

— C'était Guillard.

— Guillard ? (Fifi accusait le coup.) Pourquoi lui ?

— Je t'expliquerai.

Levy avait découvert un indice matériel. Il avait voulu le monnayer mais il avait sous-estimé son ennemi. Guillard l'avait tué, après l'avoir fait parler. Il s'était rendu à la banque pour récupérer la pièce à conviction.

Quel objet ? Quel document ?

Les gants. D'une manière ou d'une autre, Levy avait trouvé les gants de Stains.

— Ho, Olive ? T'es toujours là ?

— Écoute-moi bien, fit-il d'une voix ferme, tu vas contacter les trois labos génétiques qui bossent pour nous. Bordeaux. Nantes. Strasbourg. Vois si Levy leur a demandé une analyse ces derniers jours.

— Sur quelle affaire ? Avec quelle saisie ?

— Peu importe. Ce qui compte, c'est quel type d'échantillons il a fourni.

— Qu'est-ce qu'on cherche ?

— Des gants de nitryle.

— Tu veux dire…

— Levy a mis la main dessus. Au lieu de mener une procédure officielle, il s'est assuré que ces gants portaient d'un côté les fragments ADN de la victime et de l'autre ceux de Guillard. Il les a ensuite récupérés et a essayé de négocier. Guillard l'a tué et a repris son bien.

— Dans le coffre de Jaurès ?

Passan ne prit pas la peine de confirmer :

— Vois avec les labos. Ouvre tous les coffres de Guillard. Il doit en avoir d'autres. Démerde-toi avec Calvini. Et appelle les bleus de Stains, la BAC de Saint-Denis.

— Pourquoi ?

— Pour savoir comment Levy a retrouvé les gants. Il faut relancer le porte-à-porte.

— Ça va être chaud.

Il ne répondit pas. Malgré la brève excitation de ces nouvelles, la morphine l'avait rattrapé et plongé de nouveau dans un profond sommeil.

58

19 heures. Après ses cours, et une réunion de profs sans intérêt, Sandrine Dumas avait enfin pu partir. Depuis la porte de la Villette, elle avait mis près d'une heure pour rejoindre la porte Maillot puis remonter l'avenue Charles-de-Gaulle jusqu'à Nanterre. Un parcours du combattant, ponctué par une série de malaises. Des suées à essorer sa robe. Des démangeaisons à s'arracher la perruque... Elle avait encaissé tout cela dans un esprit de croisade. Aider les autres : c'était sa mission. Le comble pour une mourante...

L'objectif de ce soir était Olive. Depuis des années, ils n'étaient plus amis. Ils étaient même parfois ennemis, lorsque Sandrine prenait le parti de Naoko. Mais elle partageait le secret du flic. Un secret que personne ne connaissait et qu'Olivier lui-même occultait.

En 1998, il avait brutalement sombré. Alors qu'il poursuivait deux cambrioleurs sur le toit d'un immeuble de la rue des Petites-Écuries, il l'avait appelée. Il ne pouvait plus bouger. Il se tenait cramponné à une toiture de zinc, paralysé, terrifié, avec une seule idée en tête : sauter.

Elle s'était précipitée. Elle l'avait rejoint par l'étage des chambres de bonne et avait réussi à le ramener à l'intérieur. Passan ne pouvait plus parler. Elle n'avait perçu qu'un bruit, particulièrement horrible : celui de ses dents qui grinçaient.

Elle avait alors compris deux vérités.

La première : il s'était tourné vers elle parce qu'il n'avait personne d'autre. Ils s'étaient connus de la manière la plus banale possible. Un an plus tôt, elle s'était fait agresser et voler en sortant d'une boîte du 10e arrondissement : le flic avait enregistré sa plainte. Ils avaient dîné. Ils avaient vu. Ils avaient vaincu. Rien à faire ensemble. Mais ils avaient continué – d'une autre façon – à se fréquenter. Elle était devenue la bonne copine, la confidente. Celle à qui on dit tout et à qui on ne fait rien. Elle s'en était contentée.

Deuxième vérité : il ne traversait pas une mauvaise passe, cette crise de panique était le premier signe d'une sévère dépression. Elle l'avait installé chez elle. Il avait obtenu un arrêt maladie auprès du médecin-chef de la police. Officiellement, on lui avait diagnostiqué une insuffisance cardiaque et prescrit une liste d'examens médicaux longue comme le bras. Elle avait découvert qu'il avait pris des bêtabloquants afin d'être en hypotension lors de sa visite médicale. Jamais il n'aurait voulu passer pour un dépressif aux yeux de sa hiérarchie.

Durant plusieurs mois, elle s'était occupée de lui, l'avait nourri, veillé, surveillé. Elle avait planqué son arme de service. Elle l'avait réconforté lorsqu'il était submergé par des vagues d'angoisse – ou des paralysies soudaines. Tout le monde pensait qu'ils vivaient ensemble, ce qui était vrai. Mais leur relation était celle d'un malade et d'une infirmière.

Peu à peu, il avait repris le boulot. Il étouffait dans les tunnels, pleurait dans les toilettes, s'enfermait dans son bureau. Parfois, c'était pire : il reprenait du poil de la bête et traversait des phases d'hyperactivité, marquées par une agressivité incontrôlable. Il partait alors dans la nuit et revenait à l'aube, le regard vitreux, le costume taché de sang, sans le moindre souvenir. Sandrine était terrifiée. Cet homme d'une force colossale, armé d'un calibre et d'une carte de police, était un danger majeur pour la ville. Puis il retombait dans sa léthargie habituelle et elle le nourrissait à nouveau avec des petits pots pour bébé.

Elle avait eu le temps de réfléchir à son cas. Son idée – pas très originale – était qu'il tirait sur la corde depuis sa naissance. Il avait grandi seul, s'était débrouillé seul, s'était affirmé seul. Ce qui donnait l'illusion d'une forte personnalité n'était en fait qu'un forage continu dans ses propres forces. Aujourd'hui, le puits était à sec. Ne restaient que les pollutions effrayantes – peur du noir, angoisse de la mort, solitude chronique – que Passan avait cru éliminer…

C'est d'ailleurs ce qu'avaient conclu les psychiatres lors d'un internement en urgence à Sainte-Anne, en janvier 1999. Passan était parvenu au bout de son système. *À fond de cale.* Sans doute un évènement avait-il provoqué cette faille brutale. Pour l'identifier, et se prémunir contre d'autres séismes, il fallait qu'il plonge maintenant en lui-même. Une thérapie permettrait d'ouvrir sa boîte noire.

Antidépresseurs. Anxiolytiques. Analyse… Il avait réactivé les anticorps de son âme et les avait purifiés.

348

Côté boulot, l'honneur était sauf. Personne n'avait jamais soupçonné sa vraie maladie. Côté privé, ils s'étaient quittés bons amis et Passan avait alors trouvé sa raison de renaître : Naoko.

Sandrine accéda enfin au parking du centre hospitalier. Elle repéra le bâtiment sur le campus. Dans l'ascenseur, elle réalisa qu'elle était en nage. Encore cette odeur… Elle avait oublié son parfum. Elle haussa les épaules. Tout ça, c'était du passé.

Couloir. Chaleur. Relents d'éther, de désinfectant, d'urine. Ses visites quotidiennes à Saint-Antoine l'avaient définitivement guérie de l'angoisse des hôpitaux. Désormais, elle aurait pu camper dans une morgue sans éprouver la moindre gêne.

Elle frappa à la porte de Passan. Pas de réponse. Une main sur la poignée, elle risqua un regard.

— Salut.

Il était méconnaissable. Une partie de ses cheveux avait brûlé. Des pansements ceignaient son crâne. D'autres traversaient son visage, alternant gaze verdâtre et bandes blanches. Elle renonça à l'embrasser et s'installa sur une chaise, près du lit, sans ôter sa veste. Aussitôt, le silence l'oppressa. Le problème, avec les gens qu'on connaît trop, c'est qu'on n'a rien à leur dire.

— Tu as besoin de quelque chose ? hasarda-t-elle au bout d'un long moment.

Signe de tête : non.

— Tu as mal ?

Signe de tête, à l'indienne : ni oui ni non.

— Tu vas rester longtemps ici ?

— Une journée encore. Après ça, on me retire les pansements. Enfin, j'espère.

Sa voix semblait avoir brûlé avec son visage. Sandrine aurait pu l'interroger sur les évènements ou sur sa conviction à propos de Guillard. Elle y renonça : il mentirait, de toute façon.

— Je pense à Naoko, murmura-t-il comme pour proposer un sujet.

— Allons bon, fit-elle sur le ton de la plaisanterie.

— Hier, avant tout ça, on s'est vus dans notre jardin.

— Le fameux jardin zen ?

Elle ne lâchait pas son ton ironique. Passan n'eut pas l'air d'entendre. Il se parlait à lui-même.

— Je l'ai trouvée vraiment… belle.

— T'as rien d'autre comme scoop ?

Il tourna les yeux vers elle, entre les bandages :

— Je veux dire… (Sa respiration filtrait par la texture de la gaze.) C'était comme un vieux morceau à la radio. Un truc que t'as tellement écouté que tu l'entends plus… Et puis un jour, d'un coup, au volant de ta bagnole, t'as de nouveau le frisson.

— Et alors ? (Sa voix s'était chargée d'irritation.) Vous ne divorcez plus ?

Il agita lentement sa main. Elle regretta d'avoir durci le ton.

— Au contraire…, murmura-t-il. Mais hier, j'étais heureux de retrouver celle que j'ai aimée et non pas l'étrangère qui partage ma vie depuis des années.

De nouveau, le silence.

— Quand tu vas au Japon, reprit-il, tu n'arrêtes pas d'osciller entre deux états d'esprit. Parfois, tu as l'impression d'être sur la planète Mars. La seconde suivante, à travers une phrase, un détail, les Japonais te paraissent au contraire très proches.

— Où veux-tu en venir ?

— J'ai vécu ce va-et-vient pendant dix ans avec Naoko.

— Ça fait partie de son charme.

Il grogna quelques syllabes puis prononça plus distinctement :

— La dernière fois que je l'ai embrassée, c'était il y a au moins deux ans. J'ai eu l'impression d'embrasser ma propre main.

Elle s'approcha et lui parla comme un prêtre dans un confessionnal :

— Je ne sais pas pourquoi tu remues tout ça… Franchement, il y a d'autres urgences. Tu dois te reposer, tu…

Elle s'arrêta. Le visage de Passan s'était affaissé d'un coup, menton contre la poitrine. Il dormait. Cette image lui causa un choc : on aurait dit qu'il était mort.

Elle ramassa son sac et se leva, demeurant immobile quelques instants. Elle n'éprouvait ni empathie ni bienveillance.

Elle ne voyait qu'une vérité : Passan ne serait plus un obstacle pour son plan.

59

— Papa, il avait mis la télé dans la chambre !

— Papa fait comme il veut mais avec moi, la télé, c'est dans le salon. Et dans la chambre, c'est dodo !

Naoko n'avait pas la force de leur parler en japonais. Elle borda Hiroki qui avait déjà retrouvé le sourire.

Shinji apparut sur le seuil de la salle de bains.

— Il va mieux, papa ?

— Il va super.

— On ira le voir ?

— C'est lui qui va venir : il sort demain de l'hôpital.

Shinji secoua la tête, brosse à dents dans la bouche. Naoko l'observa : petite silhouette en pyjama d'éponge bleu, se détachant sur le rideau de douche, décoré de grenouilles et de nénuphars. Chaque fois, c'était le même émerveillement. Elle n'en revenait pas d'avoir réussi cela, envers et contre tout. *Un miracle*.

— Allez, viens te coucher ! fit-elle en maîtrisant son émotion.

Shinji sauta dans son lit. Nouvelle rafale de bisous.

Elle avait passé un accord avec les garçons. À la place de l'histoire habituelle, elle avait proposé quinze minutes de télé. Les gamins, surpris, avaient accepté avec enthousiasme. Globalement, Naoko était contre la télévision, et aussi contre les jeux vidéo et Internet. Tout ce qui, lui semblait-elle, ne sollicitait pas assez l'imagination. Mais ce soir, elle était épuisée. Pas question de bredouiller une histoire à chacun, en japonais, avec la gorge serrée comme un nœud de pendu.

Elle éteignit le plafonnier.

— Tu laisses la porte ouverte !

— T'éteins pas ma lampe !

Naoko leur était secrètement reconnaissante de se comporter, exactement, comme chaque soir.

— Message reçu.

Elle leur envoya un dernier baiser et rejoignit sa chambre. Diego avait encore disparu. Pour ce qu'il avait été utile jusque-là… Elle se fit couler un bain. Les questions tournaient sous son crâne. Se pouvait-il que l'intrus ne soit pas Guillard ? Qu'il soit un familier de la maison ? L'odeur de cèdre mouillé agit comme une caresse, un réconfort. Elle noua ses cheveux en chignon.

Accroupie sur son tabouret, elle se frotta énergiquement avec son *tenugui*, une petite serviette blanche, et du gel douche standard. Elle n'utilisait pratiquement pas d'eau. *Nettoyage à sec.* Une fois récurée, elle se rinça avec le pommeau de douche. Purifiée, abrasée, elle plongea dans la vapeur et s'immergea dans l'eau brûlante. Quarante-cinq degrés : la température idéale.

À chaque retour à Tokyo, elle accompagnait sa mère aux sources chaudes des environs, les *onsen*. Après le bain, vêtues de *yukata* légers, elles dégustaient de grosses huîtres au goût de varech et des tempuras de crevettes, frites et rousses, qui ressemblaient à des étoiles de mer croustillantes. Dans ces moments-là, elle se disait que les Japonais sont des mammifères marins parmi d'autres.

Elle ferma les yeux. Ce bain était comme une prière.

Soudain, des bruits interrompirent l'osmose. Son cœur s'arrêta net. Ses membres, malgré la chaleur, se glacèrent d'un coup. Elle parvint à s'extraire du bain en silence. Enfila un pantalon de jogging et un tee-shirt, sans prendre le temps de s'essuyer.

De nouveau, des coups légers, précipités. À peine perceptibles. Naoko ne pouvait y croire. La menace était de retour.

Cette fois ils étaient plusieurs.

Elle passa dans sa chambre. Du regard, elle chercha une arme, quelque chose pour se défendre, pour protéger ses enfants. Elle ouvrit le tiroir de la table de chevet et trouva le *kaïken*.

Les bruits, de plus en plus proches.

Ils provenaient de l'escalier. Elle pouvait donc couper la route aux intrus. Les empêcher d'atteindre la chambre des enfants. Dans son esprit, elle se voyait déjà morte mais cette mort serait le prix de leur vie. Cette idée même lui donna un courage insoupçonné.

Elle avança le poing serré sur le *kaïken*. Les pas continuaient, juste derrière le mur. Le cœur bloqué, elle ouvrit la porte et bondit, lacérant l'obscurité de sa lame. Tout ce qu'elle obtint, ce fut une chute en règle.

Deux hommes la tenaient en joue, pistolet braqué à deux mains. Elle mit plusieurs secondes à les reconnaître dans la pénombre : Fifi et un autre, un Black à dreadlocks, qu'elle avait vu plusieurs fois devant son portail.

— Ça va ? demanda Fifi à voix basse.

Elle lâcha le poignard et demeura à genoux. Ses jambes lui paraissaient mortes.

— Qu'est-ce... qu'est-ce qui se passe ?

— Un problème technique. Une des caméras ne marche plus.

— Des caméras ?

Les rouages de son esprit se mirent à fonctionner de nouveau. Bien sûr, la maison était toujours sous vidéo-surveillance... Passan ne croyait plus que Guillard ait été le visiteur du soir.

Et personne n'avait cru bon de l'en informer.

— Quelle caméra ? répéta-t-elle.

— La chambre des enfants.

Naoko se leva d'un bond et se précipita. Sans la moindre hésitation, elle ouvrit la porte de la chambre.

Son cœur ne battait plus. Ses poumons étaient bloqués et son cerveau figé.

Pourtant, quand elle découvrit le tableau, quelque chose d'autre en elle, plus profond, plus organique, se pétrifia pour de bon et pour toujours.

60

Dans le véhicule de police qui roulait à fond en direction du pont de Suresnes, Passan arrachait ses pansements avec une rage contenue. Il avait l'impression de réintégrer sa véritable peau – sa peau de flic.

La nouvelle de la nuit ne l'étonnait pas.

Guillard n'était pas le vampire. Il ne l'avait jamais été. L'intrus poursuivait sa vengeance et Passan devait repartir de zéro. Il aurait dû être abattu. Désespéré. Ou simplement en état de choc. Cette nouvelle guerre au contraire le galvanisait. Il ne sentait plus ses brûlures, ni l'effet de la morphine. L'adrénaline circulait dans son corps et maintenait ses sens en éveil. D'une certaine manière, seul le combat le gardait vivant.

— Coupe le deux-tons.

La voiture parvenait dans son quartier. Il était près de minuit, pas un rat dans les rues de Suresnes. Une bruine passait sur l'asphalte à la manière d'un service de nettoyage. Mais le ciel ne pouvait plus rien contre les souillures qui s'abattaient sur les hauteurs du Mont-Valérien…

Le chauffeur pila rue Cluseret. Les fourgons étaient déjà là, ainsi qu'une ambulance et les voitures de l'Identité judiciaire. Lumières tournoyantes, silhouettes en ciré, Rubalise fluorescent : sa famille vivait désormais dans un périmètre de sécurité. Ou plutôt une zone à risque où les flics arrivaient systématiquement trop tard.

Des coups à la vitre. Fifi se penchait vers lui. Son visage livide rivalisait avec la blancheur des phares. Olivier sortit de la voiture. Presque aussitôt, il dut s'adosser au flanc de la Peugeot. Un vertige, ou un retour de morphine…

— Ça va pas ?

— Je veux voir les enfants.

— Attends.

— Je veux les voir ! hurla-t-il.

Il s'achemina vers le portail mais Fifi lui barra carrément la route :

— Attends, je te dis. Ils sont okay. T'en fais pas.

— Et Naoko ?

— Tout le monde va bien. Mais il faut que je te montre quelque chose.

Passan l'interrogea du regard.

— Le soum.

Il suivit docilement son adjoint. Le bitume tanguait sous ses pas. Le fourgon de surveillance, maquillé en camionnette de chantier, était garé plus loin. Une vieille guimbarde poussiéreuse, aux vitres recouvertes d'une peinture grise qui permettait d'observer la rue sans être vu. Le camion puait le flic à un kilomètre à la ronde.

Fifi frappa la porte arrière qui s'ouvrit aussitôt. Jaffré apparut, les invitant à entrer. Tout de suite, les odeurs de sueur, d'urine, de McDo le prirent à la gorge.

— Je t'explique le contexte, fit le punk à voix basse.

Passan n'écoutait pas, les yeux fixés sur les moniteurs. Les caméras tournaient toujours : dans le salon, Naoko était assise sur le canapé, tenant dans ses bras Shinji et Hiroki apeurés. Des flics sillonnaient la pièce. Des hommes en combinaison blanche passaient au fond. La peur était tellement présente qu'elle paraissait parasiter les images, former une espèce de brouillard électrostatique.

Sur les autres écrans – cuisine, salle à manger, couloir, sous-sol : des bleus des techniciens de l'IJ s'agitaient. Tout le monde en alerte maximale. Un seul écran était opaque.

— À 22 h 15, expliqua Fifi, on est sortis fumer une clope.

— Personne n'est resté dans le soum ?

L'adjoint piétina le sol, provoquant un bruit de tôle ondulée :

— Putain, il s'était rien passé depuis trois heures !

— Continue.

— Quand on est revenus, on a tout de suite remarqué que quelque chose déconnait. Une des caméras ne fonctionnait plus.

Passan maintenait son regard sur l'écran noir.

— Celle de la chambre des enfants. On a foncé dans la maison.

— Vous avez prévenu Naoko ? Par téléphone, je veux dire ?

— Pas eu le temps. On est entrés et on s'est dispersés. Sous-sol. Rez-de-chaussée. Premier.

— Ensuite ?

— Moi et Jaffré, on a filé dans la chambre. Ils dormaient mais le chien était mort. Son cadavre reposait entre les lits.

Passan avait toujours les yeux rivés sur le moniteur éteint.

— Après ? demanda-t-il.

— Naoko a réveillé les enfants.

— Qu'est-ce que vous leur avez dit ?

— Rien. Naoko n'a pas allumé. On les a portés jusqu'au salon. Ils n'ont pas vu Diego.

— Comment ce bordel a-t-il été possible ?

Fifi tapa les touches d'un ordinateur. L'écran sombre s'éclaircit puis afficha des stries argentées.

— On s'est gourés, commenta-t-il, la caméra de la chambre n'a pas été coupée. On l'a *occultée*. En remontant la mémoire, on obtient ces images…

La pièce apparut en plan fixe : seules les étoiles de la lanterne de Hiroki tournaient sur les murs. L'objectif offrait l'angle caractéristique d'une caméra de sécurité : plongée s'ouvrant sur les deux lits, le seuil de la salle de bains, la porte de la chambre… Fifi actionna l'avance rapide.

Lecture. Les deux enfants dorment paisiblement. Les étoiles voyagent. Hormis ces points de lumière, aucun mouvement.

Soudain, sur le seuil de la salle de bains, une silhouette. Une femme de dos, arc-boutée, tirant quelque chose sur le sol. Elle porte une robe sombre qui lui tombe jusqu'aux pieds. Un kimono, dont les plis sont trempés de sang. L'ombre, toujours de dos, recule à petits pas, à la manière d'une vieille femme.

Passan songea, en un flash, à ces films de fantômes où la scène a été tournée à l'envers puis repassée à l'endroit afin d'accentuer l'aspect malsain de l'apparition.

Le spectre s'oriente vers le centre de la pièce avec une lenteur de cauchemar. Son fardeau laisse un sillage noir. Toute la séquence a une apparence maléfique. On distingue alors la forme qu'elle traîne : le chien éventré, dont les viscères tracent sur le sol un S immonde.

Fifi commenta d'un timbre étouffé :

— Elle l'a tué dans la salle de bains. On sait pas à quelle heure exactement mais forcément après 20 h 30, une fois les mômes couchés.

— On la voit passer sur d'autres moniteurs ?

— Non.

— Comment a-t-elle pu accéder à la salle de bains ?

— Aucune idée. En fait, c'est impossible.

— Et Naoko ?

— Quoi, Naoko ?

— Elle n'a pas bougé de sa chambre ?

— A priori, non. Mais il n'y a pas de caméra dans…

À l'écran, la créature vient de se redresser. Elle se tourne vers l'objectif. Les motifs sur la soie et les marques d'hémoglobine se confondent, comme si des organes mutilés respiraient à la surface du tissu. Sa ceinture, le obi, est mauve sanguin, comme une plaie béante.

Passan nota, d'une manière absurde, qu'un tel kimono devait coûter près de dix mille euros. Il avait toujours rêvé d'en offrir un à Naoko.

Mais le pire est ailleurs : le fantôme porte un masque de Nô. Deux yeux fendus au couteau dans la surface de bois jauni. Une bouche rouge et précise. Un sourire en forme de blessure, qui laisse entrevoir des petites dents cruelles.

Passan avait lu des bouquins sur le théâtre Nô et ses cent trente-huit masques, exprimant toutes les émotions. Que traduisait celui-ci ?

La créature regarde l'objectif quelques secondes, penche la tête de côté, dans un déclic interloqué. Des traînées de sang barrent ses épaules. Des taches ont éclaboussé son masque. Soudain, elle détend le bras et balance quelque chose vers l'optique.

— Elle a jeté un morceau du clebs sur la caméra, commenta Fifi.

— Quel morceau ?

Le punk hésita. Passan entendit sa propre voix répéter, comme à des kilomètres :

— Quel morceau ?

— Les organes génitaux.

— Naoko a vu ça ?

— Non. J'aurais dû lui montrer ?

Il ne répondit pas. Il fixait l'écran noir comme si quelque chose allait en sortir. Une explication. Une justification. Une cohérence.

Mais rien ne vint et il finit par souffler :

— Je veux voir la chambre.

61

La pelouse était brillante et bleue. Les gyrophares projetaient sur la façade de la villa des images dantesques. Il songea à une séance de cinéma en plein air. Le spectacle affichait complet. À chaque alerte, les forces en présence lui paraissaient augmenter.

À l'intérieur, on se marchait sur les pieds. Ils enfilèrent des surchaussures puis traversèrent la cuisine. Ils empruntèrent l'escalier sans approcher le salon. Étage. Un silence accablé l'escortait. On baissait les yeux à son passage. Ses brûlures le stigmatisaient plus encore. Aux yeux des autres, il était maudit.

Quelques pas dans le couloir et la chambre du sacrifice apparut. Les projecteurs de l'IJ étaient aveuglants. Passan ne s'attarda sur aucun détail. Il ne vit pas les techniciens qui s'affairaient. Ne salua pas Zacchary dans sa blouse ni Rudel qui tirait la gueule, lassé sans doute d'être appelé pour des cadavres d'animaux.

Il s'avança. Ses oreilles bourdonnaient comme s'il était en apnée. La pression, de plus en plus forte. *Je suis en train de descendre, et de descendre encore, au fond d'un gouffre.*

Enfin, il parvint à focaliser son attention sur ce qui créait une espèce de terreur sacrée au centre de la pièce. Le cadavre de Diego dans sa mare de sang coagulé. Il était couché sur le flanc gauche. Ses organes sortaient de son ventre béant, créant des nœuds et des torsions sombres. Les fragments semblaient bondir à chaque flash du photographe puis redevenir ce qu'ils étaient : des vestiges rabougris, ternes, déjà en voie de décomposition.

Passan restait pétrifié. Un grand vide creusait sa poitrine, comme si on lui avait arraché, à lui aussi, cœur et viscères. Il plaça un genou au sol et, machinalement, ébouriffa la nuque de l'animal. Il ne portait pas de gants mais personne n'osa intervenir.

Il n'avait jamais vraiment aimé Diego. Il gardait son amour pour ses enfants – et jadis pour Naoko. Accorder son affection à cette bête à poils, à l'intelligence limitée, lui semblait être une altération de ses sentiments, et d'une certaine façon une dégradation de son statut d'être humain. Maintenant que l'animal était mort, il comprenait qu'il s'était toujours trompé. Il avait adoré ce toutou placide et débonnaire, cette présence réconfortante. Diego était devenu un symbole. Un pôle d'amour qui avait échappé à toutes les lassitudes, à toutes les frustrations.

Il se releva avec cette conviction soudaine : ils allaient tous y passer. Naoko. Les enfants. Lui-même. L'hécatombe ne faisait que commencer. Il fixa son regard sur le légiste, qui rangeait ses instruments avec humeur.

— Qu'est-ce que tu peux me dire ?

— Rien de plus que ce que tu vois. Vous m'emmerdez avec vos bestioles.

Le flic ne se formalisa pas :

— Personnellement, je ne vois rien.

Le toubib leva un sourcil :

— Tu ne vois rien ?

— Il s'agit de mon propre chien. Nous sommes dans ma maison. Tout s'est passé à quelques centimètres de mes mômes endormis. J'ai du mal à être objectif.

Rudel boucla son cartable.

— On lui a ouvert le ventre et sorti les viscères. Du boulot de chasseur, ou de boucher. On lui a tranché les organes génitaux. On lui a arraché les yeux et coupé la langue.

— Pourquoi ne s'est-il pas défendu ?

— Qu'est-ce que j'en sais ? Il a peut-être été drogué. Il y a aussi des marques de liens sur les pattes.

— C'est tout ?

— J'en ai marre de vos conneries. Je suis pas véto.

— Fais un effort.

Rudel se planta face à Passan, sacoche en main. Le flic lui savait gré de ne pas le traiter comme un infirme défiguré. De ne pas lui poser la main sur l'épaule. De ne pas prendre un ton compatissant.

— On a utilisé un couteau à lame incurvée pour le charcuter. C'est à vérifier mais les plaies…

— Comme un sabre ?

— Un petit sabre alors. On voit les marques de la garde sur plusieurs blessures.

— Quelle longueur ?

— Je dirais vingt centimètres pour la lame.

— Quand pourras-tu m'en dire plus ?

— Je ne sais pas. Faut que je trouve un véto.

— Appelle-moi.

Le médecin disparut. Passan contourna la flaque de sang et s'arrêta sur le seuil de la salle de bains. Les murs étaient éclaboussés. Le fond de la baignoire souillé par des résidus d'hémoglobine, de chair, de peau et de poils. Le rideau de douche figé en plis coagulés.

Olivier resta dans l'embrasure. Des détails lui griffaient le cœur. Les brosses à dents de ses garçons, mouchetées de sang. Les jouets qu'ils utilisaient dans le bain, ternis par un film rougeâtre. Les giclées brunes sur le carrelage.

Il recula et tomba face à son reflet, au-dessus du lavabo. Plutôt une bonne surprise. Il était abîmé – mais pas méconnaissable. Un cratère rouge vif s'étirait le long de sa tempe droite. Ses cheveux de ce côté avaient disparu jusqu'au milieu du crâne. Des cloques boursouflaient sa joue gauche. Sa lèvre supérieure était aussi gonflée, côté droit, débordant à la commissure en une plaque orange cuivré.

Malgré tout, il s'en tirait à bon compte. Il puisa dans ce tableau un vague réconfort. Il se sentit prêt à affronter le regard de ses enfants et de Naoko. Au moins, il n'en rajouterait pas une couche dans cette nuit d'horreur.

62

Le salon ressemblait à un de ces hangars où on accueille les réfugiés après une catastrophe naturelle. Les réfugiés n'étaient que trois : Shinji, Hiroki, Naoko. Passan les vit d'abord de dos, blottis sur le sofa, enroulés dans la même couverture. Naoko avait groupé ses cheveux en chignon – la vision de ces trois nuques blanches, surmontées d'un petit dôme noir, lui fit plus d'effet que le corps de son chien ou le carnage de la salle de bains. Sa vie se résumait à ces trois têtes soyeuses – et il n'était pas foutu de les protéger.

Il contourna le canapé et leur fit face. La réaction des enfants fut immédiate :

— Papa !

Pas de répulsion ni d'hésitation : même défiguré, il était toujours leur père. À l'instant où il les serrait contre lui, son regard croisa celui de Naoko. Sur leur échelle de Richter, on atteignait des sommets.

Shinji se redressa et le dévisagea :

— Pourquoi t'as pas de pansements ?

— Parce que je vais mieux.

Hiroki intervint :

— T'es plus à l'hôpital ?

— Non. Mais je vais continuer à me soigner.

Shinji passa aux choses sérieuses :

— Diego, il est mort, papa.

— Je sais, ma puce. On va lui faire une tombe dans le jardin, avec plein de fleurs.

Il ne quittait pas Naoko du regard. Elle était livide. Des larmes voilaient ses yeux mais la peur et la colère l'emportaient sur le chagrin. L'analogie était facile mais elle ressemblait au masque de l'écran vidéo. Non pas l'expression : la matière – bois vernis, patiné, dont la teinte jaunâtre n'était plus un ton de surface mais un élément organique. *La couleur de la peur*.

Il posa ses fils à terre. Aussitôt, ils retournèrent se nicher près de leur mère. Une louve et ses louveteaux.

— Faut qu'on parle, dit simplement Passan.

— Sandrine va arriver. Ils vont finir la nuit chez elle.

Il acquiesça et s'adressa à Fifi :

— Tu les installes dans la chambre de Naoko en attendant ? Et tu fais gaffe là-haut.

Distribution de baisers. Les garçons suivirent docilement le flic en se frottant les yeux : ils n'allaient pas tarder à se rendormir.

Le silence s'imposa dans la pièce. Il ne restait plus que Naoko sur le sofa, Jaffré et Lestrade debout derrière elle, deux bleus sur le seuil du salon. Olivier aurait pu leur dire de sortir mais il n'avait pas envie de faciliter les choses à son ex. Il avait encore dans l'œil la silhouette au kimono ensanglanté.

— Y a certaines choses que tu ignores..., commença-t-il.

— Sans blague !

— Cette nuit, la maison était toujours sous surveillance.

— Et tu ne me l'as pas dit ?

Il fourra les mains dans ses poches et fit quelques pas.

— Pour ne pas t'affoler.

— Connard…, fit Naoko à voix basse.

— Personne n'a pu entrer ni sortir de la villa après 21 heures. Il y avait des capteurs, des caméras, tu comprends ?

Elle ne répondit pas : elle comprenait, oui. Ses lèvres frémissaient. Ses paupières s'agitaient comme les ailes d'un papillon aveuglé.

Passan se posta face à elle. Un véritable interrogatoire, tendance dure…

— Toutes les pièces étaient surveillées, sauf ta chambre et les salles de bains.

— Où tu veux en venir ? cria-t-elle soudain. Tu me soupçonnes, c'est ça ? D'avoir tué notre chien ? Dans la chambre des garçons ?

Il la considéra. Sa beauté formait une espèce de paroi entre elle et lui. Un élément extérieur au dialogue, à la fois sensible et invisible, qui brouillait les sens et déformait, mystérieusement, la perception de ses interlocuteurs.

Chassant son trouble, il appuya sur la plaie :

— On a des images de l'agresseur. C'est une femme. Elle était vêtue d'un kimono et portait un masque de théâtre Nô.

Naoko se cambra. L'effet de surprise paraissait lui avoir frappé le bas de l'échine. Elle ne simulait pas, Passan en était certain. Quinze ans d'interrogatoire, et surtout dix ans de vie commune.

— Je n'ai jamais eu de kimono, souffla-t-elle, tu le sais bien.

— Tu as pu en acheter un.

— Comme n'importe qui d'autre…

— Je te répète que personne n'a pu entrer ce soir dans la maison.

Elle enserra ses épaules avec ses bras. Elle pleurait et tremblait à la fois. De vraies convulsions. Il n'aurait su dire si elle avait froid ou si elle brûlait de fièvre. Jaffré et Lestrade détournèrent les yeux. Ce n'était pas la violence du flic qui les gênait mais l'intimité de cet échange.

Passan n'en menait pas large. Il se sentait honteux d'humilier ainsi celle qui avait partagé sa vie. De profiter de sa position et de son statut. Au fond, il ne savait rien. Il n'était fort d'aucun élément, d'aucun indice. Il ne possédait qu'une conviction : son ex était innocente. Il se demanda tout à coup s'il n'était pas en train de se venger de quelque chose d'autre, enfoui au fond de lui-même. Quelque chose qui n'avait rien à voir avec le meurtre de Diego et dont il n'avait pas même conscience.

Il attaqua sous un autre angle :

— Où est le *kaïken* ?

Naoko tressaillit. La surprise stoppa net ses larmes.

— Le *kaïken* ? Je sais pas. Dans le couloir.

— Dans le couloir ?

— Je l'ai pris quand j'ai entendu des pas dans la maison. Je l'ai laissé par terre quand je suis tombée sur Fifi et son collègue.

Toujours mains dans les poches, Passan s'adressa à Jaffré :

— Va le chercher. Pour analyse.

Elle bondit sur Passan et lui envoya une gifle à toute force :

— SALAUD ! JAMAIS JE TE PARDONNERAI ÇA !

La douleur faillit lui faire perdre connaissance. Il se rattrapa au mur et se protégea des deux mains. Les flics maîtrisèrent Naoko et la contraignirent à s'asseoir sur le sofa. Elle hurlait, se débattait, révélant sa vraie nature : une féline que deux mille ans de bienséance nippone n'étaient pas parvenus à dompter.

Passan avait l'impression que son visage avait repris feu.

— Rappelez Rudel, parvint-il à grogner. Elle fait une crise de nerfs. Bon Dieu, qu'il lui donne quelque chose !

Il partit sans se retourner, fuyant les « salaud » et les « fils de pute » que Naoko lui balançait. Il trébucha dans l'escalier et descendit vers son ancien repaire – il se souvenait d'avoir laissé des médicaments dans sa salle de bains. Il s'orienta à tâtons dans le réduit et trouva le carton « pharmacie ». Il dénicha de la Biafine, s'en enduisit le visage, assis par terre, en s'efforçant de ne pas appuyer trop fort sur ses brûlures.

Malgré la souffrance, ses idées fusaient. Une cinglée. Une hystérique. Et lui, quelle sorte d'animal était-il ? Il attendit que la pommade fasse son effet. Il n'avait pas allumé. Il percevait au-dessus de lui les bruits sourds des pas et des bousculades : on emmenait Naoko, la folle à lier.

Une fois le calme revenu, il se releva et trouva un bonnet noir, modèle commando, qu'il décida de ne plus quitter pour dissimuler sa crête de punk. Puis il remonta péniblement et sortit sous la galerie ouverte. La pluie s'était arrêtée et il le regretta. Il aurait aimé s'y plonger tout entier. Y puiser une fraîcheur bien-faisante...

— Salut.

Sandrine portait Hiroki endormi. Derrière elle, Fifi guidait Shinji à peine plus réveillé. La pelouse s'éclairait toujours par intermittences. Un bleu laiteux qui palpitait comme un cœur et renvoyait de longues ombres tentaculaires sur le gazon. Il déposa un baiser sur le crâne de chacun de ses fils.

— Je m'en occupe, murmura Sandrine. T'en fais pas. Je les emmène au cheval demain.

Il grimaça un sourire de reconnaissance.

— Merci. Merci pour tout.

Soudain, les images horrifiques du moniteur vidéo lui revinrent en mémoire. Un détail se précisa. La créature avait croisé son kimono d'une manière spécifique : pan droit sur pan gauche. Or, au Japon, on doit toujours faire l'inverse : c'est un signe de vie. La meurtrière, elle, avait disposé son col comme on le fait pour un cadavre.

Deux solutions. Soit elle ne connaissait rien aux coutumes japonaises. Soit elle se considérait comme un ange de la mort.

63

— Comment ça va ?

— Pas mal. Ils m'ont fait une piqûre. J'ai dormi huit heures.

— À la villa ?

— Dans ma chambre. Des flics sont restés autour de la maison.

— Où tu es maintenant ?

— En route vers chez toi. J'ai trouvé ton message.

Sandrine réprima un soupir de satisfaction. Elle se tenait dans la cour annexe du lycée. 10 h 10 : l'heure de la récré. Aux aurores, elle avait écrit un SMS à Naoko, lui proposant de venir s'installer chez elle – le temps que tout danger soit écarté à Suresnes. On passerait le week-end ainsi et on aviserait lundi pour une organisation plus durable.

— Les enfants ?

— Je les ai déposés au centre équestre, tôt ce matin.

— Super. Comment sont-ils ?

— Aucun problème.

— Ils ont reparlé de Diego ?

— Non.

Ils avaient été conduits par deux flics en civil, qui n'avaient pas hésité à faire jouer la sirène sur le boulevard périphérique. Les garçons étaient surexcités – Sandrine aussi. Un policier était resté avec Shinji et Hiroki, l'autre l'avait accompagnée à son lycée, toujours à fond.

Quand les autres profs l'avaient vue arriver en fanfare, elle avait gloussé de plaisir. Aux questions de ses collègues, elle avait opposé une mine de circonstance : « Désolée, je ne peux rien dire… » Mademoiselle Sans-Histoire était désormais au cœur d'une affaire criminelle.

— Tu es notre bonne fée, murmura Naoko. Vraiment, sans toi…

Sandrine sentit une gêne dans sa voix. La Japonaise détestait dévoiler ses émotions. Elle aussi était troublée. Elle ne pouvait se convaincre du bonheur à venir : son amie allait habiter chez elle. Quelques jours. Peut-être plus…

— Les clés sont sous le paillasson, conclut-elle pour balayer tout pathos.

— C'est provisoire, s'excusa Naoko. Je vais trouver un appart. Je…

— T'inquiète pas. Tu prends la chambre du fond. Un bureau dont je ne me sers jamais. J'ai installé les enfants dans ma chambre. Tu seras juste à côté. Attention : l'ascenseur ne marche pas…

Sandrine parlait trop vite, trahissant sa nervosité. Elle n'avait pas dormi de la nuit. Elle avait mûri chaque détail, tout en effectuant un ménage en profondeur, de 3 à 5 heures du matin. Bruits feutrés des chiffons. Pas glissés tout en frottant l'éponge…

— Je ne sais pas comment te remercier.

— En retrouvant la forme. Vous resterez le temps qu'il faudra.

— Je te préviens, rit Naoko. Avec les garçons, ça va être du sport !

— On va gérer. Ne t'en fais pas. Je dois retourner en cours. Je finis dans une heure. Je te rejoins et on ira les chercher ensemble. La chambre du fond, n'oublie pas. À tout à l'heure !

Elle raccrocha et demeura immobile, au centre de la cour. Elle ferma les yeux. Ainsi, elle y était parvenue. La fusion était en marche. C'était peut-être la première chose dans sa vie qui fonctionnait vraiment. Ironie de l'histoire : c'était aussi la dernière.

Le matin même, elle avait reçu ses résultats d'analyses. Plaquettes en chute libre. Nouvelles métastases. Pas besoin de lire la conclusion en bas de page. Elle avait atteint le stade 4 sur une échelle de… 4.

Elle rouvrit les yeux : elle était entourée par les hautes façades du lycée Arthur-Honegger. Son lycée depuis près de vingt ans. Des fenêtres en staccato qui évoquaient des ateliers d'usine. Des murs de briques qui rappelaient les habitations de la Ceinture de Paris. D'ailleurs, comme ces immeubles, l'établissement appartenait à la Régie immobilière parisienne. Sandrine avait toujours vécu à la marge – dans tous les sens du mot.

Dans un des angles de la cour, une rotonde vitrée s'ouvrait sur les escaliers reliant les sept étages de l'édifice. Elle voyait dans cette tour translucide une métaphore de sa vie : elle n'avait jamais cessé de monter et de descendre en regardant dehors, sans jamais aller nulle part. Elle avait vécu, rêvé, respiré dans cette enceinte rouge. Une brique parmi d'autres, prisonnière, anonyme...

Le brouhaha des élèves retentit soudain. On s'acheminait sous le préau. Comment avait-elle supporté ces bons à rien toutes ces années ? Une meute docile, antipathique. Un troupeau de sans-idée, de sans-cœur, grandissant dans l'égoïsme et la paresse, dans l'instinct du confort, de la facilité. *Les enfants des autres.* Qu'aurait-elle fait de plus si elle en avait eu ?

Elle se dirigea vers les portes.

Plus qu'une heure et elle serait libre.

Plus qu'une heure et la vraie – et brève – vie commencerait.

64

— Ce truc est casher, annonça Fifi. D'après l'IJ, aucune trace de sang, ni d'aucun liquide. Il n'a jamais servi.

Olivier observa le *kaïken* sous les plis transparents du sac à scellés. Il l'avait déniché chez un antiquaire du quartier d'Asakusa des années auparavant. Il se souvenait encore des formulaires interminables qu'il avait dû remplir pour passer la douane avec cette arme du XIXe siècle. Il se rappelait aussi les recommandations du marchand : polir la lame avec une pierre spécifique, l'aiguiser avec de l'huile de clou de girofle. Naoko n'y avait jamais touché.

Fifi continuait à parler mais Passan n'entendait pas.

Avait-il jamais connu sa femme ? Une Japonaise relativement expansive est comparable à la plus discrète des Parisiennes. Jamais de confidence. Jamais d'information personnelle. *Black-out total*. Or, Naoko ne se situait pas dans cette moyenne. Elle se situait bien en deçà, au fond de la forêt des secrets.

Il n'avait pu retracer son passé qu'en assemblant

des fragments disparates, délivrés parfois à une année d'intervalle. En dix ans, il avait reconstitué approximativement le puzzle…

Naoko n'était pas seulement secrète, elle était *contradictoire*. Impossible de fixer son portrait. Elle était un jeu de piste dont les traces se brouillaient en permanence. Une boussole au magnétisme instable.

Elle estimait, par exemple, que la France était un pays d'assistés mais elle n'aurait jamais laissé filer un euro auquel la loi lui donnait droit. Elle était d'une grande pudeur mais se promenait nue sans le moindre problème et rêvait de faire du *lap dance*. Sa modestie, sa politesse étaient sans limite mais au fond, elle méprisait tout le monde. Elle se moquait d'Olivier et de sa passion pour le Japon ancestral mais elle ne supportait pas que quelqu'un d'autre qu'elle critique ou stigmatise ces traditions. Elle était d'une propreté maniaque mais elle était aussi l'être le plus désordonné qu'il ait jamais connu. Alors qu'elle considérait les Parisiens grossiers et vulgaires (les Japonais n'ont que quelques mots d'injure à leur disposition), elle avait intégré toutes les insultes du lexique français et s'en servait à la moindre occasion.

Finalement, tout ce qu'il savait d'elle était de l'ordre de l'instinct. Il *sentait* quand Naoko était émue, quand elle était heureuse, quand elle était vexée. Il captait ses émotions sans en connaître les raisons exactes. Fifi avait raison quand il évoquait la chanson de Julien Clerc, « Ma préférence » : Passan était le seul à la connaître, autant qu'on pouvait connaître une créature farouche et mystérieuse.

Cette nuit, il était retourné à l'hôpital. Il avait fait le plein de gels antalgiques, d'antiseptiques, de produits morphiniques et d'opiacés. Il s'était ensuite rendu à son bureau. L'enquête reprenait – et c'était lui le seul maître à bord. Il avait pris une douche rapide – plus question de se raser – et remis son bonnet. Jusqu'à l'aube, il avait regardé en boucle les images vidéo. La femme en kimono sombre, frappé de chrysanthèmes violacés, traînant la dépouille de Diego. Son masque blanc, yeux fendus, bouche rouge, bois et cruauté. Son geste fulgurant, pour occulter l'œil de la caméra. Et tout ça à côté de ses enfants endormis…

La meurtrière était japonaise. Ce n'était pas le kimono qui le disait, ni le masque – n'importe qui pouvait se déguiser. C'était la gestuelle, la manière d'avancer vers la caméra. *Petits pas, grands secrets*… Il avait observé chaque image et repéré un troisième indice : au-dessus du masque, on discernait une chevelure. Un noir brillant qu'il connaissait bien.

Autre détail important : le prix du kimono – et aussi celui du masque. Devait-il contacter les antiquaires d'art asiatique de Paris ? Pas de problème : il les connaissait tous.

Il balaya ses pensées, attrapa le *kaïken* et le fourra dans la poche de sa veste.

— Tu l'embarques ? demanda Fifi, surpris. C'est une pièce à conviction.

— Conviction de quoi ? Tu viens de me dire qu'il n'y a rien à en tirer. C'est un cadeau et j'y tiens.

— Peut-être. Mais ça pourrait nous aider.

— À quoi ?

— Selon Rudel, l'instrument utilisé ressemble à ce couteau. On fait des recherches pour dénicher des armes de ce type. Le *kaïken* reste une référence, vu le contexte japonais.

Assis derrière son bureau, Passan fit un geste qui signifiait : « Laisse tomber. » Il était fourbu mais la fatigue tendait ses nerfs.

— Rudel, il a trouvé un véto ? enchaîna-t-il.

— Ouais. Ils ont bossé toute la matinée.

— Tu as leurs conclusions ?

— Ça va pas te plaire.

Passan lança un coup d'œil sur l'image fixe de son ordinateur. Le masque Nô le regardait, avec son expression de cruauté pétrifiée.

— Elle lui a ouvert le ventre. Ensuite, elle a cisaillé différents muscles, ligaments et fibres, ce qui a permis de libérer les organes.

— C'est quoi ? Une chasseuse ?

— Ou une véto. Une toubib.

Origines nippones. Connaissances médicales. Savoir-faire de cambrioleur. Psychologie de fantôme. Des éléments sans lien ni cohérence qui semblaient sortir d'un mauvais rêve.

— Y a autre chose…, hésita Fifi.

— Quoi ?

— Elle a fait ça alors que le chien était vivant. Vivant et entravé.

— Impossible, rétorqua Passan. Il aurait gueulé et réveillé toute la baraque.

— D'après le véto, elle lui a d'abord coupé les cordes vocales.

Il accusa le coup. Impossible de déglutir.

— Diego pesait plus de soixante kilos, essaya-t-il d'argumenter. Il se serait débattu et aurait fait un boucan d'enfer.

— Peut-être qu'elle l'a d'abord drogué. En tout cas, elle lui a ligoté les pattes. On a lancé des analyses toxico. Faut attendre de ce côté-là.

Ses yeux revinrent se poser sur l'image vidéo. Les masques Nô sont classés par expression. Celui-là devait s'appeler « femme qui rit » ou au contraire « femme qui pleure ».

— Zacchary a trouvé d'autres trucs sur place ? Des traces ? Des empreintes ?

— *Peanuts*.

— Comment a-t-elle pu s'introduire dans la maison sans que vous la voyiez ?

— On s'est gourés.

Fifi posa son ordinateur portable sur le bureau et l'ouvrit.

— Regarde ça.

Il fit défiler en accéléré les images de la chambre des enfants. Ni Shinji ni Hiroki n'étaient visibles. La lumière du crépuscule éclairait encore les lieux. C'était bien avant le drame.

Il cliqua et revint à une vitesse normale.

Soudain, la silhouette de Naoko, de dos, traversa la pièce et pénétra dans la salle de bains. Elle était vêtue d'une de ces robes légères et strictes qu'elle arborait pour aller au bureau – mais que Passan ne lui avait jamais vu porter. Elle tenait un sac de sport à la main.

— Qu'est-ce que tu vois ? demanda Fifi.

— Naoko qui entre dans la salle de bains.

D'une pression sur la barre d'espace, le punk arrêta l'image.

— Regarde le *time code*.

— 20 h 11. Et alors ?

Fifi réduisit le premier écran. Ouvrit une nouvelle fenêtre. Un plan à cent quatre-vingts degrés de la cuisine. Les touches claquèrent. Défilement, vitesse normale. Naoko, debout face au comptoir, préparait une salade, empoignait une casserole fumante sur les plaques électriques.

Il ne comprenait plus rien. Elle portait à présent une autre robe – qu'il reconnaissait cette fois. Assis à la table du repas, Shinji et Hiroki se disputaient une DS.

Fifi désigna l'heure de l'enregistrement : 20 h 11. Passan n'avait pas besoin d'un dessin.

— Pendant quelques secondes, poursuivit l'adjoint, il y a eu deux Naoko dans deux pièces différentes de la villa, à deux étages différents. Celle de la salle de bains est notre tueur. Je ne sais pas par où elle est passée mais elle a attendu là que tout le monde se couche et…

Passan imaginait la situation. Ses enfants se lavant les dents, comme chaque soir, grenouilles et nénuphars en toile de fond. Des picotements lui remontèrent de la nuque jusqu'en haut du crâne.

La créature était derrière ce rideau de douche, attendant son heure.

Il se leva et attrapa sa veste.

— Où tu vas ?

— Faut que je parle à Naoko. Elle est partie chez Sandrine. Je lui dois des excuses, tu comprends ?

Fifi n'eut pas le temps de répondre, Olivier courait déjà dans le couloir.

65

L'immeuble de Sandrine appartenait à une petite cité du Pré-Saint-Gervais, cramponnée au flanc nord de la colline de Belleville. C'était une de ces constructions qui avaient fleuri dans les années 50, tentatives précipitées pour résoudre la crise du logement dans la capitale et moderniser la ville. À son arrivée en France, Naoko s'était passionnée pour l'histoire de l'urbanisme parisien au XXe siècle. En un seul coup d'œil, elle pouvait dater un édifice. Elle savait que l'idée initiale était d'enfouir ces cités dans des espaces verts mais personne n'avait prévu l'essor de l'automobile. Les forêts étaient devenues des parkings. Les immeubles s'étaient patinés au CO_2. Ne restaient aujourd'hui que des petits blocs sans couleur, de quatre ou cinq étages, des façades lépreuses et des balcons-loggias qui ressemblaient à des niches noirâtres.

Celui de Sandrine ne faillissait pas à la règle. Du linge séchait aux fenêtres. Les enduits se crevassaient. Les voilages gris évoquaient des existences sans joie ni surprise. Pourtant, cette vision fut pour Naoko comme une bouffée d'oxygène qui marquait la fin d'un cauchemar.

Elle se gara sur le parking puis sortit du coffre sa valise, qu'elle fit rouler jusqu'au bâtiment. Une Rimowa. Les plus légères, les plus souples, les plus mobiles de toutes. Naoko avait testé chaque modèle. Elle était une championne du pragmatisme domestique. Si elle avait été originaire de Paris ou de Florence, elle aurait sans doute été plus sensible à la peinture, la sculpture, à l'art en général. Mais elle venait de Tokyo : ses priorités étaient l'adaptation, l'efficacité, la technologie. Elle était née d'un clic de souris, pas d'un coup de pinceau.

Code d'entrée. Elle se souvint que l'ascenseur ne marchait pas et attaqua les marches en soulevant sa valise. Aucun problème : elle avait emporté le strict nécessaire et Sandrine vivait au deuxième. La cage d'escalier était à ciel ouvert. Une autre spécialité des années 50 qui avait tourné court : avec l'âge, le puits de lumière était devenu un réservoir de miasmes et d'usure. La rampe avait rouillé et les marches s'étaient ébréchées.

Elle accéda à une coursive extérieure qui filait le long de l'étage, repéra la porte de Sandrine : les clés étaient bien là. Elle n'avait jamais vu l'appartement en plein jour. Ils étaient parfois venus y dîner, mais toujours de nuit.

Plutôt une bonne surprise. Tout était parfaitement rangé et l'espace embaumait les produits d'entretien. L'architecte n'avait pas lésiné sur les baies vitrées. Le soleil entrait partout et c'était la seule matière noble de l'appartement. Pour le reste, ce n'étaient que murs de plâtre, portes en contreplaqué, parquet flottant.

Elle fit le tour du propriétaire. Sandrine avait aménagé ces soixante-dix mètres carrés comme un loft. Murs blancs, lampes new-yorkaises, peu de mobilier. Naoko trouva la chambre des petits et reconnut, le cœur serré, les doudous qui sommeillaient entre les coussins. Le lit de Sandrine était à côté. Elle se souvint de son malaise de l'avant-veille. D'instinct, elle avait préféré aller à l'hôtel plutôt que de dormir chez son amie. Pourquoi ?

Au fond du couloir, il y avait le bureau – « sa » chambre. Un futon était déjà déplié. Naoko entreprit de ranger ses vêtements dans la penderie. Très vite, elle manqua de cintres. Elle découvrit les effets des enfants dans les armoires voisines. Pas de cintre libre non plus.

Balayant toutes règles de bienséance, elle se dit qu'elle pouvait bien en piquer quelques-uns à Sandrine. Dans sa chambre aussi, un placard occupait tout un mur. Les autres étaient nus : pas un tableau, pas une affiche, aucune décoration. Sandrine vivait comme une nonne. Il ne manquait qu'un crucifix au-dessus du lit.

Naoko ouvrit la première porte et découvrit une série de robes vintage. Des trucs affreux, fleuris ou bigarrés, qui semblaient provenir tout droit de Woodstock. Pas de cintre disponible. Elle essaya d'ouvrir les autres portes mais elles étaient verrouillées.

Alors, elle aperçut un détail étrange : un pan de tissu coincé entre les charnières. Pas n'importe quel tissu : de la soie peinte. Elle reconnut le motif : une fleur de camélia, typique des vêtements traditionnels au Japon. Elle palpa l'étoffe. Même avec un morceau aussi petit, elle pouvait juger de sa qualité. Toute son enfance, elle avait vu sa mère porter des kimonos. La soie coulait dans ses veines.

Que faisait une telle merveille dans l'armoire de Sandrine ? Une pièce de plusieurs milliers d'euros qui nécessitait un obi de qualité équivalente. Elle n'était même pas sûre qu'on puisse s'en procurer à Paris.

Elle essaya à nouveau d'ouvrir les portes : pas moyen. Elle passa dans la salle de bains et revint armée d'une paire de ciseaux. Sans précaution particulière, elle enfonça la lame dans la rainure et imprima une pression de côté. La serrure sauta, la paroi coulissa.

Elle resta pétrifiée. Des kimonos s'alignaient : iris blancs et bambous verts, pivoines roses et ciel bleu, fleurs de cerisier et clair de lune… Des obis pendaient à côté : soie violette, vert laqué, rouge feuille d'automne… Ce qui la choqua d'abord fut de voir ces vêtements suspendus à la verticale. Au Japon, on les plie et on les glisse dans du papier de soie.

Puis elle se souvint de la créature nocturne. *Impossible*. Son regard explora le fond de la penderie : dans l'ombre reposaient des socques de bois – des *geta* – et des chaussettes blanches à gros orteil séparé – des *tabi*. Un coup d'œil vers le haut pour découvrir des perruques de nylon arborant de hauts chignons noirs, plantés de broches mordorées – des *kanzashi*.

Naoko plaquait sa main sur la bouche lorsqu'elle entendit une voix dans son dos :

— Ce n'est pas ce que tu crois…

Elle se retourna en hurlant cette fois, les ciseaux à la main. Sandrine se tenait sur le seuil, l'air défait, les cheveux de travers. Son maquillage outrancier avait l'air aussi d'avoir dérapé.

— Ne m'approche pas, menaça la Japonaise en brandissant son arme.

Sandrine fit un pas en avant au contraire. Elle tremblait plus encore que Naoko.

— Ce n'est pas ce que tu crois, répéta-t-elle d'une voix calme. Pose ces ciseaux...

— C'est donc toi ? Tu veux prendre ma place auprès d'Olivier, c'est ça ?

Sandrine laissa échapper un rire. Sous l'épuisement, quelque chose d'autre filtrait : une fébrilité, une excitation.

— Olive est une brute à moitié cinglée, siffla-t-elle avec mépris. Tu ne le connais pas comme je le connais. D'ailleurs, de quelle place tu parles ? Vous n'êtes pas en train de divorcer ?

Elle ressemblait à un clown blafard et triste. Son maquillage se craquelait à la surface de son visage comme une terre assoiffée. Khôl trop noir, poudre trop épaisse, bouche trop rouge... Naoko eut une révélation : elle portait une perruque. Comment cela avait-il pu lui échapper jusqu'ici ?

Sandrine avançait toujours. Naoko reculait.

— C'est toi que j'admire..., souffla Sandrine d'une voix de plus en plus étrange. C'est toi que j'aime...

Elle tendit son bras vers l'armoire et caressa la soie des kimonos.

— Chaque soir, je me transforme en toi... Je deviens japonaise.

— Qu'est-ce que tu racontes ?

— Nous allons vivre ensemble. Nous allons nous occuper de Shinji et Hiroki. Je veux mourir auprès de toi... Je veux devenir *toi* avant de disparaître.

386

— Pourquoi tu as tué Diego ? Pourquoi tu as pris le sang de mes enfants ?

Sandrine rit de nouveau. Un pas encore. Naoko brandissait toujours ses ciseaux. Sa main palpitait si fort qu'elle allait finir par se blesser elle-même.

D'un geste, Sandrine arracha sa perruque, révélant un crâne absolument nu.

— Regarde-moi, chuchota-t-elle. La mutation a déjà commencé.

— Qu'est-ce… qu'est-ce qui t'arrive ?

— Le crabe, ma jolie. C'était ma dernière chimio et il n'y a plus d'espoir. Un ou deux mois à vivre et basta.

Elle gloussa. Dodelinant de la tête, elle suivait son idée :

— Nous allons les passer ensemble. Je vais suivre les rites de ton pays. Le Japon me protégera de la mort… J'ai lu des livres… Les kamis sont là. Ils m'attendent. Ils…

— ATTENTION ! hurla Naoko.

Sandrine n'acheva pas sa phrase.

Un sabre venait de la couper en deux.

Quand Naoko vit le torse basculer comme celui d'un mannequin, elle comprit instantanément.

Du sang jaillit de la bouche de Sandrine, de ses narines. Le buste se fracassa contre les portes de la penderie alors que le bassin tranché aspergeait toute la pièce de geysers sanglants.

Le temps que le sabre siffle encore, Naoko bondit vers la fenêtre et traversa la vitre à toute force.

66

Passan verrouillait sa voiture quand un bruit de verre brisé lui fit tourner la tête. Il ne comprit pas tout de suite. Ce qu'il voyait avait une dimension onirique, irréelle. Une silhouette traversait une fenêtre du deuxième étage. Elle volait, battant les airs des bras et des jambes, comme au ralenti. Passan restait figé, télécommande en main, hypnotisé par cette scène impossible.

La silhouette s'écrasa sur le toit d'un véhicule stationné au pied du bâtiment. Le choc agit comme un déclic. Passan réagit enfin. L'immeuble était celui qu'il cherchait. L'étage celui de Sandrine. La silhouette celle de Naoko. Il fonça et atteignit la voiture cabossée au moment où la Japonaise roulait du toit vers le sol.

Bras tendus, il réussit à amortir sa chute et la déposa à terre.

— Naoko…, souffla-t-il.

Ses yeux s'écarquillèrent comme si elle se réveillait en sursaut.

— Sandrine…, murmura-t-elle.

Elle avait le visage barré d'une zébrure rouge. Sa robe était maculée de sang. Tout de suite, il souleva les plis de tissu mais ne trouva aucune blessure.

— Elle est morte…, dit Naoko d'une voix à peine perceptible.

Quand il glissa son bras dans son dos pour la redresser, il sentit une tiédeur poisseuse. Il la fit rouler sur le côté et vit l'étoffe coupée. Il ouvrit plus grand la déchirure et repéra une estafilade superficielle, qui courait de la colonne vertébrale jusqu'à la hanche.

— Qu'est-ce qui s'est passé ? haleta-t-il.

Naoko avait les joues roses, comme lorsqu'elle buvait du vin.

— Qu'est-ce qui s'est passé ?

— Vite… Elle est là-haut…

Il avait déjà ouvert son mobile. Le numéro du Samu. La tonalité vrillait son crâne. Personne ne répondait. Il releva la tête. Un attroupement s'était formé autour de lui. Des passants. Des riverains. Des témoins.

— Reculez !

Enfin, il obtint un opérateur. Il s'expliqua en termes laconiques. La situation. L'adresse. Son nom. Son grade. Puis il raccrocha et se mit debout.

— Reculez, nom de Dieu !

Les riverains s'écartèrent avec frayeur. Il baissa les yeux et s'aperçut qu'il avait dégainé, par pur réflexe, son .45.

— Police, rugit-il. Un médecin arrive. Personne ne la touche !

Il courut vers l'entrée de l'immeuble. Traversa le hall, aperçut les mots « En panne » sur la porte de l'ascenseur et s'engouffra dans l'escalier. Il grimpa les marches quatre à quatre. Il sentait la lourdeur de ses membres – les analgésiques –, à laquelle répondait celle de la lumière grise, qui tombait au centre de la cage d'escalier.

Coursive. Porte ouverte au deuxième étage. Couloir. Une, deux pièces puis, au fond, un tableau à nourrir les pires cauchemars. Le corps de Sandrine en deux morceaux. Les jambes et le buste, tête-bêche, dans une disposition grotesque. Détail inexplicable, son crâne était chauve et une perruque avait valdingué à l'autre bout de la pièce. Pire encore, le tueur s'était servi de ses viscères pour écrire quelque chose sur les parois de la penderie.

Des idéogrammes japonais, à la verticale.

Passan ne les comprenait pas mais ce qu'il comprenait enfin, c'était que toute cette histoire n'avait rien à voir avec Guillard ni aucun coupable qu'il avait jadis arrêté.

Le cauchemar était lié à Naoko.

En un fragment de seconde, il imagina le scénario. Sandrine et Naoko surprises par l'agresseur. La première est tuée. La seconde réussit à se jeter par la fenêtre. Le temps qu'il rejoigne l'étage, le meurtrier inscrit son épitaphe sanglante. Il remarqua qu'un kimono traînait à terre, maculé, comme si on l'avait utilisé pour essuyer l'arme du crime.

Il était monté par l'escalier et l'ascenseur était en panne. Donc soit l'assassin avait fui vers les étages supérieurs, soit il était encore dans l'appartement. Il se rua dans chaque pièce, arme au poing. Personne. Il gagna la cage d'escalier et découvrit une véritable mêlée. Des voisins se tenaient sur leur palier, d'autres descendaient voir ce qui se passait.

Rengainant son arme, il se pencha par-dessus la rambarde. Des cris, des mains sur la rampe, des bruits de pas dans le puits de résonance, qui ressemblait maintenant à l'œil d'un cyclone.

Il dévala les marches, bousculant les locataires qui s'apostrophaient d'un étage à l'autre. Instinctivement, il cherchait du regard le tueur. Avec un temps de retard, il se souvint que Naoko avait dit : « Elle est là-haut. » De qui parlait-elle ? De Sandrine ? De l'assassin ?

Au rez-de-chaussée, le Samu et un fourgon de bleus étaient arrivés. Naoko était sous une couverture de survie, une minerve autour du cou. Il rejoignit les deux gars qui s'apprêtaient à la placer sur une civière. Un troisième homme l'examinait – sans doute l'urgentiste.

— Ça va aller ? demanda Olivier.

— Qui êtes-vous ? rétorqua l'autre sans le regarder.

— Son mari.

Le médecin ne répondit pas. Il fit un signe aux infirmiers qui s'emparaient de Naoko. En un seul mouvement, ils la soulevèrent et la déposèrent sur le brancard.

Passan empoigna le toubib par le col de sa blouse et le retourna avec brutalité :

— Ça va aller ou non ?

L'urgentiste ne broncha toujours pas – il en avait vu d'autres :

— Calmez-vous. Sa blessure est sans gravité mais elle a perdu pas mal de sang.

Le flic l'écarta et suivit des yeux Naoko qu'on emportait vers l'ambulance. Avec sa minerve et sa couverture argentée, elle lui rappela Patrick Guillard après le flag manqué de Stains.

— Où l'emmenez-vous ?

— Aucune idée.

— Vous vous foutez de ma gueule ?

— On va chercher un lit quelque part. Pour en savoir plus, appelez le central dans une demi-heure.

Passan n'insista pas. C'était la procédure normale. Il avait vécu mille fois cette scène, le fait que la victime soit sa femme n'y changeait rien. Il courut vers l'ambulance pour lui dire un mot mais les portes étaient déjà closes.

Tout ce qu'il vit, ce fut un fourgon vitré qui brûlait de la gomme en démarrant, sirène hurlante. L'image lui tordit l'estomac. *Pas le moment de s'effondrer*. Le meurtrier ou la meurtrière était toujours dans les parages. Il revint au pas de charge auprès des flics qui tentaient de canaliser les curieux.

— Personne ne sort de l'immeuble ! cria-t-il en brandissant sa carte. Périmètre de sécurité autour du bloc.

Les gars acquiescèrent sans savoir à qui ils avaient affaire. Dans la police, on salue tout ce qui est tricolore, on soupçonne les autres.

Il s'adressa à deux plantons qui transpiraient sous leur casquette :

— Venez avec moi. Je ne veux plus voir personne dans les escaliers ! Chacun chez soi !

Et se tournant vers le seul gradé du groupe :

— Appelez du renfort. Appelez aussi le proc et la Crime de Paris.

Il y eut un flottement puis, au bout de quelques secondes, les gars s'animèrent. Ils expulsèrent ceux qui n'habitaient pas là, refoulèrent les autres. On y vit plus clair. Les portes claquaient. Les paliers se vidaient. Passan suivait le mouvement, remontant chaque étage, l'image monstrueuse du corps de Sandrine lui revenant au fil des marches. Une femme pouvait-elle *vraiment* avoir fait ça ?

Il décida que oui. Elle avait pu monter dans les étages quand il s'était arrêté au deuxième, puis descendre tranquillement alors qu'il découvrait le cadavre de Sandrine. Ou alors se planquer dans une des pièces avant de s'enfuir. Mais alors, les badauds devant l'immeuble l'auraient repérée. Elle était donc encore ici. *Quelque part entre ces murs.*

Il grimpa jusqu'au cinquième, mettant en route son sonar personnel, en quête d'ondes négatives. Aucune présence suspecte. Le silence revenait dans la cage d'escalier. Il chercha et trouva sans difficulté une échelle de service pour accéder au toit-terrasse.

Il ouvrit le vasistas d'un coup de coude et se hissa en une traction. La toiture était plate comme un terrain de basket, plantée de cheminées et de boîtes de ventilation, creusée de flaques miroitantes. Au loin, c'était la plaine parisienne, ceinturée par le boulevard périphérique. Tout était brouillé par une buée de chaleur plutôt surprenante en ce mois de juin pourri. Cette vision lui rappela l'époque où il souffrait de vertige, ressentant la moindre hauteur, le moindre vide comme une force magnétique irrésistible. Ce temps était révolu et, malgré lui, il en éprouva une satisfaction réflexe. Maintenant, les démons étaient bien réels : ils tuaient à l'arme blanche et laissaient des idéogrammes sanglants sur les murs.

Tous sens en alerte, il dégaina et s'avança vers les blocs de ciment en répétant à voix basse : « Sandrine est morte… Sandrine est morte… » comme pour s'en convaincre. La meurtrière se cachait-elle derrière une cheminée ? Il progressait à pas prudents, faisant crisser malgré lui les cailloux sur le sol, les deux poings serrés sur la crosse de son Glock. Il contourna la première cheminée : personne. Une deuxième : idem. Et ainsi de suite. Il regarda sa montre : une demi-heure s'était écoulée depuis la chute de Naoko.

L'assassin était loin.

Il reprit l'échelle et une idée lui vint. Il essaya d'ouvrir la porte de l'ascenseur au cinquième étage. Bloquée. Comme au quatrième et au troisième. Au deuxième et au premier : même chanson. Au rez-de-chaussée, il considéra le panneau « En panne » et saisit la poignée.

La porte s'ouvrit sur la cabine plongée dans la pénombre.

Il cracha un « merde » sonore. Dans la panique qui avait suivi la découverte du corps, la meurtrière n'avait eu qu'à s'y planquer.

Personne n'avait songé à fouiller de ce côté-là.

67

Tout s'était inversé. C'était maintenant lui qui faisait les cent pas face au lit de Naoko. Le CHU avait changé – l'hôpital pédiatrique Robert-Debré – mais la chambre n'était pas plus accueillante ni mieux équipée que la sienne. Comme lui l'avant-veille, Naoko avait le privilège d'être seule. Pour le reste, la routine : murs beigeasses, odeurs de morgue, chaleur malsaine…

16 heures. Fifi était allé chercher Shinji et Hiroki au centre équestre. Il n'avait pu les ramener à Suresnes. Encore moins chez Sandrine. Ils avaient déjeuné au McDo puis s'étaient engouffrés dans un cinéma comme dans un abri anti-atomique. Fin du programme à 18 heures : on aviserait ensuite.

Depuis plusieurs minutes, Passan répétait les mêmes questions, ignorant l'extrême faiblesse de Naoko, bourrée de produits codéinés. L'opération de suture de sa plaie avait duré près d'une heure.

— Arrête de t'agiter comme ça…, marmonna-t-elle. Tu me fatigues.

— C'est un miracle que tu t'en sois sortie.

— Tout va bien… J'ai rien. Demande au médecin. Une simple égratignure.

— Une égratignure ? Une blessure au sabre ?

— La lame a juste effleuré ma peau. Je m'en tire bien. La voiture a amorti ma chute. Je vais avoir un bon bleu et c'est tout.

Passan hocha vigoureusement la tête et grogna :

— Un putain de miracle, ouais…

Dans son lit, Naoko se tenait immobile comme un sphinx. Une perfusion s'écoulait dans le pli de son coude.

— Qu'est-ce que tu as vu exactement ? relança-t-il avec obstination.

— Ça fait dix fois que je te le dis : rien.

— T'as bien vu qui a tué Sandrine, non ?

La Japonaise esquissa un geste mais sa main retomba lourdement sur le drap.

— Il y avait une forme. En noir. Elle se tenait derrière Sandrine. Après, il y a eu le sang. Tout était rouge. Je n'ai eu que le temps de plonger par la fenêtre.

— Tu ne te souviens de rien de plus ? Pas le moindre détail ?

— Je pense que c'était une femme.

— Une Japonaise ?

— Si j'en juge par sa manière d'utiliser le katana, je pense, oui… Elle l'a tuée d'un seul geste. (Elle descendit d'un ton.) Pauvre Sandrine… Avec ses kimonos…

Sa phrase s'acheva dans un sanglot. Passan n'avait pas de temps pour la compassion. Ils étaient les prochains sur la liste, il en était certain. Une liste à la japonaise… Le masque Nô. Le kimono. Et maintenant le katana. La meurtrière suivait des traditions anciennes. Celles qu'il admirait tant.

— Tu savais qu'elle avait un cancer ?

— Qui ça ?

— Sandrine. Un cancer en phase terminale. Elle n'en avait plus que pour quelques mois.

Première nouvelle. Passan, comme une excuse, répondit :

— L'autopsie n'a pas commencé.

— Il n'y a pas que la médecine légale pour connaître la vie des gens.

— Très drôle.

Naoko se redressa dans son lit :

— Tu ne comprends pas ce qui s'est passé ? Avec nos conneries de disputes, de divorce, de garde alternée, on n'a pas vu l'essentiel. Concentrés sur nos petites misères, on s'est même pas aperçus que notre meilleure amie était en train de mourir.

Passan esquiva l'attaque :

— Je n'ai pas l'impression que nos misères soient si petites.

Naoko poursuivit d'une voix hypnotique, comme pour elle-même :

— Quand j'ai découvert les kimonos dans la penderie, je l'ai soupçonnée d'avoir organisé ces attaques contre nous. C'était absurde mais sur le moment...

— Qu'est-ce qu'elle avait en tête au juste ?

— Je ne sais pas. Elle s'était focalisée sur le Japon. Elle voulait vivre ses dernières semaines avec moi et les enfants. Elle m'a parlé des kamis...

— Elle était devenue shintoïste ?

Elle monta tout à coup la voix :

— J'en sais rien, je te dis ! À l'article de la mort, qui sait ce qui passe dans la tête des gens ? (Elle baissa à nouveau le ton.) Elle avait sans doute trouvé un réconfort dans le mysticisme oriental, la sérénité zen… Des foutaises. Le Japon est un poison.

La phrase choqua Olivier mais il comprenait ce qu'elle voulait dire. L'archipel jouait un rôle d'exutoire en Occident. Plutôt que de régler ses problèmes, on préférait rêver à un Éden asiatique, un idéal japonais, empreint de paix et de sérénité. Il en était la première victime.

— Revenons à la meurtrière, fit-il d'une voix ferme. Tu as bien dû l'apercevoir. Comment elle était habillée ?

— En noir, je te dis. Enfin, je crois. Je sais pas…

— Quel âge ?

— Tu m'emmerdes. Tout s'est passé en une seconde. J'ai vu le corps de Sandrine s'ouvrir en deux. J'avais du sang dans les yeux. Je… je me suis retournée et j'ai sauté. Je…

Sa voix dérailla pour de bon. Un sanglot, quelques larmes : l'équivalent des grandes eaux chez une Occidentale.

Passan se radoucit et s'approcha du lit :

— Il faut que tu te reposes. On verra ça demain. Mais on a tout faux depuis le début, tu comprends ? J'ai toujours cru qu'on m'en voulait, à moi. Guillard ou une autre raclure… Mais j'ai bien l'impression que tout est lié à toi, depuis toujours. Cette histoire est japonaise.

Naoko écarquilla les yeux :

— Ce n'est pas parce qu'une dingue criminelle s'habille en kimono que…

Passan sortit son Iphone et lui montra la photo prise sur la scène de crime.

— Y avait ça inscrit sur le mur. Qu'est-ce que ça veut dire ?

Naoko eut un recul. Il remarqua qu'elle essayait de déglutir. Sa gorge tressautait. Sa peau n'était pas blanche mais jaunie, caillée. Elle rappelait, encore une fois, le bois usé des masques du Nô.

— Réponds, insista-t-il.

Elle se mordit la lèvre et le foudroya du regard. Comme toujours, il fut frappé par la beauté du pli mongol de ses paupières. Cette ligne biseautée qui produisait une impression de léger strabisme. Ce regard était un oxymore : il unissait les contraires. Une violence acérée mais aussi une douceur, une tendresse, nées de cette infime divergence des pupilles qui atténuait tout, vous murmurait aux yeux, vous caressait le cœur…

Naoko chuchota :

— « C'est à moi »…

— « C'est à moi » quoi ? répéta-t-il.

— Il n'y a ni masculin ni féminin dans ce genre de phrases en japonais. Ça peut vouloir dire aussi : « Ils ou elles sont à moi »…

— Ce sont des caractères kanji ou hiragana ?

— Il y a les deux.

— Il n'y a pas les autres ?

— Les katakana ? Non. La phrase ne comporte aucun signe lié à l'étranger.

Les Japonais avaient créé un troisième alphabet pour exprimer les sons et les noms venus de l'extérieur, ce qui en disait long sur l'état d'esprit du pays.

— La tournure est respectueuse, neutre, brutale ?

— Brutale.

Tu m'étonnes.

— Regarde bien cette phrase : il n'y a pas un détail qui puisse nous renseigner, d'une quelconque façon, sur son auteur ?

— Non.

Passan s'emporta, brandissant son mobile d'un air menaçant :

— De quoi parle-t-elle, nom de Dieu ?

Naoko baissa les paupières, cillant très rapidement.

— Je sais pas, fit-elle d'une voix de plus en plus terne. Peut-être des kimonos. Ils avaient l'air somptueux. Sandrine les a peut-être volés et...

— Tu te fous de ma gueule ?

Naoko le fixa sans répondre. Ses yeux ne traduisaient plus rien. Ni crainte ni colère. Il songea à la soi-disant impassibilité des Asiatiques. Puis à sa propre connerie. Dix ans de vie commune pour aboutir à ce cliché. Il n'avait rien appris. Il n'apprendrait jamais rien.

— « C'est à moi », répéta-t-il comme s'il mâchait de l'écorce. Qu'est-ce que ça peut vouloir dire ? Ça ne peut pas être lié à ton passé ? À tes parents ? À tes amis là-bas ?

— T'es malade ou quoi ?

— Il y a forcément une clé. Tu dois chercher. Pour l'instant, je ne vois que cet angle.

— Tu délires. On parle de quelqu'un qui a tué notre chien, qui a assassiné Sandrine. Quelqu'un d'assez fou pour utiliser un sabre traditionnel en plein Paris. Je suis désolée, je n'ai pas ça dans mes souvenirs.

Il acquiesça malgré lui : cette hypothèse ne tenait pas debout. Une nouvelle fois, il joua la douceur et s'assit au bord du lit. Il se risqua à prendre sa main. Naoko la lui abandonna sans résistance. *Mauvais signe…*

— Je rentre à Tokyo, fit-elle d'un ton sans appel.

— Bonne idée. Tu vas te reposer, tu…

— Non. Je retourne y vivre. Terminé les conneries.

Passan comprit qu'inconsciemment, il avait toujours redouté cette nouvelle.

— Et… les enfants ? balbutia-t-il.

— On en discutera. A priori, ils viennent avec moi.

Il eut envie de répondre en flic obtus : « Pour l'instant, tu ne dois pas sortir du territoire. Tu es notre principal témoin dans une affaire de meurtre. » Ou encore en mari borné : « Ce sont nos avocats qui vont régler ça. » Mais il souffla d'un ton réconfortant :

— Repose-toi. On en reparle demain.

— Où vous allez dormir ?

Il fut pris au dépourvu. Il n'y avait pas encore pensé.

— À l'hôtel, répondit-il machinalement. T'en fais pas.

Il devait se concentrer pour lui répondre posément et conserver une certaine logique dans ses idées. Une pression obscure écrasait son cerveau. *Tokyo. Les enfants. La peur originelle…*

D'abord résoudre cette affaire. Ensuite l'empêcher de partir.

Un cauchemar après l'autre…

— Je te laisse, conclut-il dans un murmure. T'es crevée.

Il se leva et lui reprit la main pour l'embrasser. Quand il se pencha, il eut l'impression que le couperet de la guillotine s'abattait sur sa nuque.

68

— Commandant Passan ?

Une jeune femme, en chasuble et pantalon vert pâle, s'avançait vers lui. Elle avait à peine meilleure mine que sa blouse. Visage en pointe, surplombé par deux yeux proéminents. Ses mèches blondes tire-bouchonnaient sur son front comme des racines arra-chées de terre.

— Brigitte Devèze. Je suis l'urgentiste qui a soigné votre femme.

Passan lui serra la main et mentit :

— Je vous cherchais, justement.

— Ne vous en faites pas, prévint-elle aussitôt. Sa blessure est sans gravité.

— Et sa chute ?

— La tôle de la voiture l'a amortie. Elle a eu beau-coup de chance.

Il la remercia d'un sourire et regarda sa montre : 18 h 30. La séance de cinéma devait être terminée. Appeler Fifi. Dénicher un hôtel. Retrouver un sem-blant de vie normale.

— Qu'est-ce qui s'est passé au juste ? s'enquit

l'interne, tout en observant d'un air préoccupé son visage brûlé. Sa blessure paraît avoir été faite par une lame, ou quelque chose de ce genre. J'ai posé la question à votre épouse mais ce n'était pas très clair.

Il faillit encore une fois répondre en flic – « Les questions, c'est moi » – mais il sourit à nouveau, prenant un chemin de traverse.

— L'enquête est en cours : je n'en sais pas plus que vous. (Nouveau coup d'œil à sa montre.) Je suis désolé, mes enfants m'attendent.

Sans la laisser reprendre, il poussa une porte battante et gagna l'escalier. Une fois dehors, il composa le numéro de Fifi.

— Tout va bien ?

— Nickel.

— Qu'est-ce que vous avez vu ?

— *Kung Fu Panda 2.*

— C'était bien ? demanda-t-il d'une voix distraite.

— Bruyant.

Le punk, amateur de néo-métal, de hardcore et d'indus, en avait pourtant entendu d'autres.

— Naoko, comment ça va ?

— Pas mal, vu les circonstances. Du nouveau chez Sandrine ?

— Pas encore. Zacchary est en plein boulot.

— Le proc est passé ?

— Je crois, oui.

— Qui est saisi de l'affaire ? La Crime ?

— Pour l'instant, ça flotte. Le SRPJ de Saint-Denis mène les premières constates.

— C'est notre affaire, putain !

— Calme-toi. T'es tricard à la Crime et tu devrais être encore à l'hôpital. Tout ce que tu peux faire, c'est porter plainte contre X au commissariat de Pantin.

Fifi disait vrai. Mais Passan pouvait tout de même appeler le proc, contacter Lefebvre, secouer le cocotier. Et se démerder pour récupérer l'enquête.

— Calvini veut te voir, reprit l'autre.

— Pourquoi ?

— Aucune idée. Demain matin, première heure.

— Un dimanche ?

— Il sera chez lui. J'ai l'adresse. Je te l'envoie par SMS.

Olivier parvenait à sa voiture. Cette invitation ne lui disait rien de bon.

— Du nouveau sur Guillard ?

— Aucune idée.

— Renseigne-toi. Et sur Levy ?

— Que dalle. Le mec s'est volatilisé.

Il était temps de prononcer un kaddish pour le vieux flic errant.

— Vous faites quoi, là ?

— On mange une glace.

— Où ?

— Montparnasse.

Il se souvint d'avoir protégé, du temps de la BRI, un témoin venu d'Albanie : le temps du procès, l'homme logeait au Méridien, avenue du Commandant-Mouchotte, juste derrière la gare Montparnasse. Aujourd'hui, l'hôtel appartenait à la chaîne Pullman mais l'architecture ne devait pas avoir changé. Il connaissait les accès, les issues, la topographie des étages : il pouvait assurer un périmètre de sécurité avec quelques flics seulement. Il donna l'adresse à Fifi : rendez-vous là-bas dans une demi-heure.

Une fois dans sa Subaru, il affronta le nouveau sujet d'angoisse. Non pas la menace du tueur mais le projet de Naoko : un aller simple pour Tokyo. Elle lui avait toujours juré que sa vie était à Paris et que, même en cas de rupture, elle resterait. *Bullshit.* Ses enfants possédaient des passeports japonais. En clair : libre à elle de s'envoler du jour au lendemain avec sa progéniture. *Aucun problème.*

Toujours prudent, il s'était déjà renseigné : dans ce cas, on pouvait la mettre en examen pour enlèvement, sortie illégale du territoire et quelques autres joyeusetés, mais il n'existait aucune convention d'extradition entre la France et le Japon. Passan, quoi qu'il fasse, l'aurait dans l'os.

Était-elle vraiment déterminée ? L'affaire de la villa l'avait-elle fait basculer pour de bon ? Ou ses propres accusations de la veille ? En roulant vers la porte Maillot, il ne cessait de revoir son visage fermé, plat comme du papier, cerné par ses cheveux d'encre. Il connaissait cette expression. Même au début de leur mariage, quand elle lui en voulait, il butait déjà contre ce masque bordé de noir. Et plus tard, dans la nuit, quand il tentait de se rapprocher, c'était l'hôtel du cul tourné.

Il essaya de se rassurer avec des arguments rationnels. Sa carrière, ses placements, sa maison : toute la vie de Naoko était en France. Et elle répétait toujours que ce serait un atout, pour les enfants, d'être parfaitement bilingues. Allait-elle tout balancer maintenant, repartir à zéro ?

Naoko ne mettait pas de faux espoirs dans son pays en crise. Pas de jugement plus dur que le sien sur le Japon. Pour elle, l'herbe n'était certainement pas plus verte dans les rizières de Honshu. Mais aujourd'hui, après un singe écorché dans le réfrigérateur, un vampire s'attaquant à ses enfants, un chien éviscéré et une meilleure amie coupée en deux, n'importe quelle décharge aurait paru plus verte que le Mont-Valérien.

69

Avec difficulté, Naoko parvint à se redresser et à sortir ses jambes du lit. Chaque mouvement était une épreuve à part entière. Retenant son souffle, elle retira lentement l'aiguille de la perfusion. Puis se laissa glisser jusqu'à toucher le sol et se mit debout. Elle resta ainsi, immobile, plusieurs secondes, essayant de garder l'équilibre.

Tout va bien. Elle pouvait marcher. Passan lui avait apporté des vêtements propres. Elle fouilla dans l'armoire et trouva ce qui lui convenait. Elle enfila une culotte, une robe légère, chaussa des sandales ouvertes. L'anesthésie locale était encore efficace : elle ne ressentait aucune douleur. Elle attrapa aussi un imperméable bleu pâle. Passan avait même pensé à son sac à main. *Parfait.*

Elle risqua un œil dans le couloir. Pas un chat. Elle sortit et referma la porte sans bruit. Sac à l'épaule, elle longea le mur, retrouvant peu à peu une certaine sûreté dans la démarche. En ce samedi, elle ressemblait à n'importe quel visiteur de fin d'après-midi. Il n'y avait plus qu'à trouver ce dont elle avait besoin…

Quelques heures plus tôt, on l'avait laissée poireauter, allongée sur sa civière, dans le hall des urgences. Un problème de disponibilité de chambre. Ou une pénurie de médecins. Elle n'avait pas compris. Prenant son mal en patience, engourdie par les calmants, elle avait observé les lieux et lu les panneaux.

Le sixième sens de l'étrangère. Constamment sur ses gardes, elle avait gagné une acuité bien supérieure à n'importe quel Français face aux signalisations. Elle ne pouvait pénétrer dans un bâtiment public – poste, mairie, hôpital – sans photographier instantanément le moindre mot, la moindre indication. Elle ne signait jamais un contrat de location ou un récépissé de livraison sans en passer en revue toutes les clauses, même les plus discrètes.

Robert-Debré était spécialisé dans les pathologies pédiatriques et les maladies rares de l'enfance. Naoko se doutait qu'un endroit occupé par des enfants ou des adolescents impliquait plusieurs ateliers de loisirs. Lorsque Shinji avait été opéré de l'appendicite à Necker, elle l'avait accompagné dans une grande pièce remplie de jeux de société, de livres, d'ordinateurs. Et qui disait ordinateur disait, avec un peu de chance, Internet...

Elle prit l'ascenseur et commença par le premier étage. Nouveau couloir. Plus que jamais, une maman à la recherche de son gamin. Le seul détail qui clochait était sa démarche, qui évoquait plutôt la retraite de l'armée japonaise à Okinawa.

Un espace « Plein ciel » apparut au fond du couloir. « Interdit aux adultes. » Pas de surveillant à l'entrée. Un décor de murs graffités, ponctué de baby-foot et d'instruments de musique. Les tenues des membres du club oscillaient entre les classiques jean-tee-shirt et, pour les moins chanceux, pyjama-perfusion.

Elle repéra des gamins qui pianotaient sur leur clavier comme si leur vie en dépendait. Aucune machine n'était libre. Naoko négligea les accros aux jeux et avisa un garçon dégingandé branché sur Facebook.

Elle l'aborda poliment et lui demanda si elle pouvait utiliser son ordinateur. Le visage du gosse s'éclaira d'un beau sourire, où on devinait déjà l'homme qu'il allait devenir. Naoko se dit qu'un jour ou l'autre, Shinji et Hiroki seraient aussi des adolescents de ce genre, insouciants, irrésistibles.

Aussitôt, elle se connecta à un site spécialisé afin de pouvoir écrire en caractères japonais. Son hôte – il était immense : au moins un mètre quatre-vingt-cinq – était resté debout auprès d'elle.

— C'est du japonais ? s'étonna-t-il comme s'il s'agissait du langage des elfes du *Seigneur des Anneaux*.

Elle acquiesça en regrettant déjà cette conversation. Si Passan menait son enquête dans l'hôpital, il retrouverait ce teenager qui se souviendrait d'elle. Il lui suffirait alors de passer au crible tous les disques durs.

Elle se connecta sur Facebook. Elle frappa le nom oublié et découvrit un portrait à la fois souriant et boudeur : elle n'avait pas changé. Elle pianota encore et obtint une autre confirmation. Malgré tout, elle était toujours dans la liste de ses amis. Soudain, le visage inoffensif se superposa au faciès criblé de sang de la veille. Elle fut prise de violents frissons.

Les touches claquèrent. L'inbox se résumait à un mot.

Un seul.

— Ça va ? s'inquiéta l'adolescent.

— Pas de problème. Pourquoi ?

— Vous êtes toute pâle.

— Tout va bien, sourit-elle. Je peux encore garder l'ordinateur quelques minutes ?

Le môme ouvrit ses longues mains. Ses gestes flottaient devant lui comme des algues au fond de l'eau.

— Ici, on a tout notre temps.

Naoko n'osa pas lui demander de quoi il souffrait. Elle alla sur le site de la Japan Airlines et, par mesure de prudence, opta pour la version japonaise.

Un vol pour le lendemain, à 11 h 40. Elle cliqua, donna les noms des passagers, le numéro de sa carte de crédit. Pas sa Visa courante mais son American Express secrète – celle qu'elle conservait en cas de départ précipité. Au fond, elle avait toujours vécu comme une criminelle, prête à lever le camp sans se retourner.

En quelques clics, les réservations furent confirmées. Elle voyait, en surimpression des chiffres et des dates, les caractères écrits avec les entrailles de Sandrine.

Elle seule pouvait comprendre le sens du message.

Elle seule pouvait y répondre.

70

Passan et ses enfants pénétrèrent dans le lobby de l'hôtel Pullman à 19 h 30. Leur garde rapprochée se composait de Fifi, Jaffré, Lestrade – trois flics armés qui se transformaient peu à peu en baby-sitters, prenant sur leur temps libre.

Il songea encore au témoin albanais qu'il avait planqué ici. La comparaison n'était pas si absurde. Ils se trouvaient exactement dans la même situation. Des êtres vulnérables, exposés à un grave danger. Il avait croisé de nombreux cas de ce genre. Témoins, victimes, suspects innocents... Des gens ordinaires broyés par des circonstances extraordinaires. Il était désormais des leurs.

Fifi s'occupa du check-in. Jaffré et Lestrade portèrent les bagages dans la chambre. Une suite junior, seule solution pour que l'équipe demeure groupée. Le substitut du procureur avait signé l'avis de réquisition. Même les extras seraient payés par l'État. *Témoins protégés : plus que jamais*.

En découvrant les lieux, Shinji et Hiroki poussèrent des hurlements de joie. Passan leur avait expliqué que leur maman était malade et ils ne s'en étaient pas formalisés. Il avait déjà remarqué ce fait singulier : tant qu'un des deux piliers du foyer était là, les gamins ne montraient aucun signe d'inquiétude. Or, malgré sa gueule cramée, il était présent – et toujours aussi solide.

Pendant que les OPJ s'installaient dans le salon sur le mode camping, Fifi brancha la console de jeux sur la télévision. De son côté, Olivier s'éclipsa dans la salle de bains pour se repasser une couche de Biafine. Fifi lui avait aussi fourni des calmants « hors marché ». Les médicaments autorisés, c'était, selon lui, « pour les tarlouzes » : ses pilules étaient autrement plus efficaces. Il croyait son adjoint sur parole, prince consort des *up and down*, mais il hésitait encore…

Il entrouvrit la porte et l'appela :

— Tes trucs, là, ça va pas m'abrutir ?

— Aucun risque, rétorqua Fifi en pénétrant dans la salle de bains, c'est ce qu'on prend les lendemains d'ecsta. Avant, on avait recours à l'héroïne mais la chimie moderne n'arrête pas de progresser.

— Je suis rassuré.

Fifi rit et en avala un, pour l'encourager.

— OK, fit Passan en fermant la porte. T'as appelé la Crime ?

— Pour l'instant, c'est toujours le SRPJ de Saint-Denis qui traite l'affaire. Le proc va saisir un juge en urgence.

— Quand tu as le nom, tu me fais signe. T'as contacté les mecs du 9-3 ?

— L'enquête de proximité a commencé au Pré-Saint-Gervais. Personne n'a rien vu, rien entendu.

412

Quant au dispositif après le meurtre, la fille est passée entre les mailles du filet. Aucune trace, rien.

Passan revit la cabine sombre de l'ascenseur. Il n'avait plus de doute : la créature s'y était planquée avant de fuir en toute discrétion – pour frapper encore.

Fifi sortit un sachet de papier cristal plié en quatre.

— Je peux ? demanda-t-il en désignant la coke.

— Non. Où tu te crois ? T'es en service, ma gueule. Et mes enfants sont à côté.

— Bien sûr, ricana-t-il. Où avais-je la tête ?

— Tu te contenteras des bières du minibar. Chez moi, rien de neuf ?

— Que dalle. Le porte-à-porte n'a rien donné. Les analyses de l'IJ non plus. J'te jure, des fois, j'ai l'impression qu'on a affaire à un fantôme.

Passan arracha son bonnet, se gratta la tête puis lissa les cheveux qui lui restaient comme s'il voulait mettre de l'ordre dans ses idées :

— Tu as pu récolter des infos sur Sandrine ?

— J'peux pas tout faire, protesta Fifi. Soit t'engages une nounou, soit…

Olivier fit un geste pour couper court aux jérémiades :

— Tu vas pouvoir bosser de la chambre, ce soir.

— Tu restes pas avec nous ?

Il éluda la question :

— Je veux aussi que tu creuses du côté des katanas.

— Des quoi ?

— Les sabres japonais. Contacte les restaurateurs de lames, les antiquaires, les clubs de kendo.

— Cette nuit ?

— Démerde-toi. Regarde aussi du côté des douanes si on a vu passer récemment ce genre d'objets.

Fifi s'assit sur le rebord de la baignoire. Le cachet paraissait faire son effet : le punk se fluidifiait à vue d'œil. Passan aurait aimé pouvoir en dire autant mais la douleur était toujours là.

— Je te rappelle qu'on n'a pas l'enquête, fit l'adjoint d'une voix épuisée. Pas l'ombre d'une réquise ni le moindre pouvoir.

— C'est pas la première fois.

— Naoko, qu'est-ce qu'elle dit ?

— Rien.

— Bien sûr.

Passan ne releva pas le ton chargé d'insinuations. Il était 20 h 30. Il songea à un dernier versant de l'affaire :

— Et Levy ?

— Quoi Levy ?

— Je t'avais demandé de voir s'il avait lancé des analyses génétiques.

— Merde, j'allais oublier... Avec toutes ces histoires, je...

— T'as trouvé quelque chose ?

Fifi sortit un carnet de sa poche-revolver :

— Plutôt, ouais. Levy a envoyé un gant à Bordeaux le 21 juin. Le même jour, il en a fait parvenir un autre au labo de Strasbourg. Il les a récupérés le lendemain soir, avec les résultats.

Quand on est flic, avoir raison signifie souvent signer un certificat de décès.

— À tous les coups, ce sont les gants de Guillard, reprit le *bad boy*. Pourquoi les avoir séparés ?

— Il voulait être le seul à comparer les résultats. Il a essayé de vendre les gants et les analyses à Guillard.

— Il s'est cassé avec le fric ?

414

— Il est mort.

Passan ouvrit la porte et sortit. Fifi lui emboîta le pas. Shinji et Hiroki, aux manettes du jeu vidéo, riaient sous l'œil amusé de Lestrade et Jaffré. Olivier attrapa deux pyjamas et des affaires de toilette dans le sac de voyage, emmena les enfants dans la salle de bains et, malgré leurs protestations, les déshabilla. Des gestes routiniers, pour se raccrocher toujours à la même illusion – celle d'une soirée ordinaire.

Ensuite, il téléphona à Naoko. Voix neutre, indéchiffrable. Les garçons voulurent lui parler. Ils décrivirent la suite de l'hôtel, énumérèrent les sucreries du minibar puis retournèrent à leur jeu.

— Pour le dîner, fit Passan à son adjoint, appelez le room-service.

— Qu'est-ce que tu vas foutre encore ?

— Juste un truc à boucler.

Le punk se posta devant lui, mi-inquiet, mi-agressif :

— La dernière fois que tu m'as dit ça, tu t'es transformé en banane flambée. Où tu vas ?

Passan s'efforça de sourire. La crème et les médocs faisaient enfin leur effet. Et peut-être aussi la pilule magique.

— Je retourne chez moi.

— Pour quoi faire ?

— Mes adieux.

Il prit une douche, se changea, embrassa ses deux lutins. Les menus étaient arrivés : hamburgers maousses et frites à gogo. Les principes d'éducation de Naoko étaient loin mais après tout, malgré le chaos général, on était samedi soir.

Il franchit le seuil en saluant ses hommes et en promettant de revenir dans la nuit. Fifi lui rappela son rendez-vous du lendemain matin avec le juge. Se dirigeant vers les ascenseurs, Passan se dit que le seul fantôme de l'histoire, c'était lui.

71

Le portail de la villa était barré par une croix de Rubalise. Il l'arracha et actionna sa télécommande. Sa décision était prise. Ils allaient vendre la maison. Ils solderaient leur crédit et placeraient le reste au nom des enfants. Un placement sécuritaire qui évoluerait, au fil des années, avec le cours de l'euro. *Sécuritaire*. Aujourd'hui, seules les banques pouvaient lui offrir ce mot sur un plateau. C'est dire où il en était rendu...

Il traversa la pelouse, sans un regard pour son jardin. Les projecteurs au pied des arbres s'allumèrent. Les rubans plastifiés reliaient les piliers comme une cordée d'alpinistes. Il passa dessous, enfila des gants de latex et tourna la clé. *Comme un voleur*.

À l'intérieur, il alluma chaque pièce. Il ne voulait pas se laisser contaminer par les ténèbres. Il se livra à un tour du propriétaire, souleva distraitement quelques coussins, des angles de tapis. Il ne cherchait pas. Les gars de Zacchary l'avaient déjà fait et n'avaient rien trouvé. Il reprenait simplement contact, pour la dernière fois, avec ces objets, ces murs, cette maison.

À l'étage, il s'arrêta devant la chambre des enfants. Du seuil, il observa la tache noire entre les deux lits. Il ne tremblait pas, ne bougeait pas. Rien de plus compact qu'un fragment de banquise, au cœur de la nuit. Il songea à Diego qui ne s'était jamais méfié de l'intruse, n'avait jamais aboyé. Pourquoi ? Parce qu'elle était japonaise ? Le pauvre chien n'était pas difficile à berner…

Il pénétra dans la chambre de Naoko, sans allumer. Il était déjà venu dans la journée y prendre quelques affaires. Cette fois, il détailla chaque élément. Les armoires de bois verni, le futon, la couette rouge, la table de chevet : tout était en place. Sans réfléchir, il s'assit au bord du lit face à la baie vitrée.

Il sentit un objet dur lui rentrer dans l'aine. Il fouilla la poche de sa veste et en sortit le *kaïken*. Il ouvrit le sac à scellés et observa l'arme à la clarté des luminaires du jardin. Le fourreau de bois noir, courbe, élancé, en arrêt, comme on dit d'un chien de chasse. Le manche en ivoire, éclatant, presque phosphorescent. Il songea à ce poème où José Maria de Heredia compare un samouraï dans son armure à un « crustacé noir ». Il avait lui aussi le sentiment de tenir un animal à carapace dure et à l'intelligence aiguë.

Ses fantasmes nippons lui parurent une nouvelle fois dérisoires. Les épouses de samouraïs qui se tranchaient la gorge. Les courtisanes qui se coupaient le petit doigt en signe d'engagement auprès de leur amant. Les femmes mariées qui se brûlaient les dents à l'acide tannique pour obtenir une bouche absolument noire et renforcer ainsi la blancheur de leur peau. Il avait rêvé ces morts, ces mutilations, ces sacrifices.

Aujourd'hui, la violence était là – et il n'y comprenait rien. Un bref instant, il eut envie de foutre le *kaïken* à la poubelle. Mais il se ravisa et le replaça dans le tiroir de la table de nuit.

Un cadeau est un cadeau.

Il se leva et gagna le sous-sol. Autant aller bosser dans son repaire. Il avait quitté le gouffre Guillard et rejoignait maintenant un nouvel abîme. Beaucoup plus menaçant, parce qu'insondable.

« C'EST À MOI. »

Qu'avait voulu dire la meurtrière ? Naoko avait-elle volé un objet précieux, des informations ? Cette sentence était-elle liée à sa famille ? À un ex ? Ça ne collait pas. Elle avait quitté le Japon très jeune et n'y retournait que de manière épisodique, pour des visites familiales. Elle s'était toujours comportée comme une exilée qui ne regrette rien et qui a coupé les ponts avec son pays. L'idée lui vint tout à coup que, justement, elle avait peut-être fui quelque chose…

Il alluma la lampe, s'installa derrière son bureau de fortune et réfléchit encore. Il restait une autre possibilité : ses propres traces au Japon. Une vengeance liée à une arrestation effectuée là-bas…

Il ne voyait pas. Il avait collaboré à des affaires mineures, poursuivant des escrocs en fuite, des financiers planqués, des maris en rupture de pension alimentaire, des trafiquants d'estampes ou de matériel technologique. Il n'avait noué aucune amitié, fréquenté aucun Japonais, évitant aussi les autres étrangers qui lui semblaient manger dans sa gamelle. Le Japon était son paradis personnel : il aurait voulu être le seul sur le coup.

Restaient les femmes. Là non plus, rien de marquant. Elles nourrissaient ses songes, ses fantasmes, sans qu'il ait jamais eu la moindre aventure. Chaque soir, il regardait avec fascination des pornos japonais, où les femmes étaient des victimes et les hommes des bourreaux. Le jour, il tombait amoureux au moins une fois par heure, au gré des passantes. Il avait pratiqué l'amour à sa façon, virtuellement, en respectant toujours ses propres marques : la putain et la madone…

23 heures. Il se secoua de ses rêveries. Il était temps de composer une oraison funèbre pour Sandrine.

Sa conviction : malgré ses kimonos et ses obis, son amie n'avait rien à voir avec la série de crimes. Elle était une victime collatérale du carnage – ce qui signifiait que c'était Naoko qui était visée au Pré-Saint-Gervais. Il devait tout de même, par acquit de conscience, enquêter sur la morte. Il pouvait commencer en fouillant ses e-mails, son site Facebook… mais il n'était pas friand de ce genre de recherches. Il préférait bosser à l'ancienne.

Il attrapa son téléphone fixe et chercha dans son agenda. Du vivant de Sandrine, il ne pensait jamais à elle. Elle appartenait à un passé qu'il avait renié. Son retour du Japon. La période Louis-Blanc. Sa dépression. La vie sans Naoko…

— Allô ?

Il avait composé le numéro de Nathalie Dumas, épouse Bouassou, la jeune sœur de Sandrine, qu'il avait croisée quelques fois. Après les condoléances d'usage, il l'interrogea sur la maladie de son aînée. Nathalie paraissait abasourdie. Tous s'attendaient à sa disparition, mais pas à coups de sabre. Elle retraça la progression foudroyante du cancer. En février, des examens avaient mis en évidence une tumeur au sein gauche. Des analyses plus poussées avaient révélé des métastases au foie, à l'utérus. Il était déjà trop tard pour opérer. Une première chimiothérapie lui avait offert une brève rémission. Avant une rechute. Deuxième chimio au mois de mai. Le verdict était tombé mi-juin : plus rien à faire.

Par politesse, et histoire de ménager une pause, il demanda quand et où se dérouleraient les obsèques. Mardi prochain, au cimetière de Pantin. Plutôt maladroitement, il enchaîna sur sa vie privée. Nathalie répondit évasivement. Elle ne connaissait aucun amant à sa sœur qui menait une vie rangée, morne et discrète. *Une vieille fille.* Le mot n'était pas prononcé mais il sourdait sous chaque détail. Passan aurait voulu risquer une question plus intime, sur sa sexualité véritable, mais il n'en eut pas le courage.

Il essaya un autre angle d'attaque : la passion de Sandrine pour le Japon. La sœur n'en avait jamais entendu parler. Encore moins de kimonos coûteux, ni de perruques de nylon. Il remercia son interlocutrice et promit de venir aux funérailles. Mais il savait qu'il n'irait pas : il détestait les enterrements.

Un samedi soir, à minuit, les possibilités d'enquête sont plutôt limitées. Il appela pourtant Jean-Pierre Jost, alias Facturator, l'expert de la Brigade financière qui avait décroché le scoop à propos de la holding de Guillard. L'homme, qui regardait la télé en famille, le reçut avec mauvaise humeur : Calvini l'avait identifié et sérieusement engueulé pour avoir divulgué des infos privées sans la moindre saisie.

Passan résuma la fin de l'histoire, parla de ses brûlures. Jost se calma. Olivier en profita pour lui demander une ultime faveur.

— C'est une question de vie ou de mort, conclut-il.
— Pour qui ?
— Moi. Ma femme. Mes enfants. T'as le choix.

L'homme se racla la gorge puis nota les coordonnées exactes de Sandrine Dumas.

— Je te rappelle.

Passan se prépara un café corsé. Il sentait la maison vide au-dessus de sa tête. Malgré la débauche d'éclairage, elle lui paraissait sinistre. Une friche de béton. Le sanctuaire d'une ère révolue. Il n'éprouvait aucune nostalgie. Il devait simplement se battre pour qu'il y ait un deuxième acte, *ailleurs*.

Il s'installait de nouveau derrière ses tréteaux, cafetière et chope en main, quand son mobile sonna. Facturator déjà. Pour un spécialiste de ce niveau, consulter les comptes d'une Sandrine Dumas n'était pas une grande prouesse. Les résultats étaient à la hauteur de l'exploit. Ils déroulaient la morne vie d'une quadragénaire qui végétait entre son lycée et son F3. Seule saillie : l'obtention d'un crédit bancaire de vingt mille euros à la fin du mois d'avril. Pour un tel prêt, pas besoin de passer un examen médical. *Après moi le déluge.*

L'autre fait marquant, directement lié au premier, était l'achat de plusieurs kimonos en soie peinte dans une boutique de l'île de la Cité. Il y en avait pour quatorze mille euros, à quoi s'ajoutait l'acquisition d'obis pour près de trois mille euros. Avant le grand départ, Sandrine s'était fait plaisir...

Passan remercia Jost et l'abandonna à son foyer. Ces nouveaux éléments n'apportaient rien : ils corroboraient simplement le témoignage de Naoko. Il se sentit triste pour sa vieille amie. Sandrine, à l'article de la mort, s'était éprise de la Japonaise. Le sentiment ne datait sans doute pas d'hier mais son agonie avait exacerbé sa passion. La moribonde avait espéré un tour de magie. Elle avait voulu mourir dans la peau de Naoko, dans l'ombre réconfortante de l'archipel et de ses esprits.

Cette évocation le ramenait, encore une fois, à son ex. Malgré tout, l'hypothèse la plus crédible était un secret de son côté. Au fond, tout était possible avec Naoko. Il énuméra, mentalement, les preuves de sa personnalité en forme de bunker, de son égoïsme blindé. Ses accouchements au Japon. La gestion jalouse de son fric – ils n'avaient jamais fait compte commun. Sa manie de parler japonais aux enfants, comme pour lui voler des moments avec eux. Et maintenant son intention de rentrer à Tokyo, avec Shinji et Hiroki...

Comment avaient-ils pu partager dix années avec elle ? Dix mille kilomètres de différence, et une impasse au bout...

Sa colère se rallumait, comme une flamme dans l'obscurité. Pour l'alimenter, il passa en revue tout ce qu'il détestait chez Naoko. Son thé à toute heure de la journée. Sa manière de remplir sa tasse à ras bord. Son obsession des produits de beauté entassés sur les étagères, délimitant une espèce de territoire protégé. Son habitude de faire sans cesse des cadeaux minuscules, signes de mesquinerie plus que de générosité. Ses bains interminables. Ses gargarismes dès qu'elle rentrait à la maison. Son accent, heurté, qu'il ne pouvait parfois plus entendre. Sa manie de commencer toutes ses phrases par « non » ou son recours à la langue anglaise quand elle ne connaissait pas le mot en français. Et surtout ses yeux noirs, obliques, impénétrables, qui ne disaient rien et prenaient tout.

À la longue, Naoko était devenue une maladie, une lèpre qui rongeait son idéal, sa vision épurée du Japon. Les poings serrés, il ferma les yeux pour la voir brûler dans les flammes de sa rage.

Ce fut le contraire qui se produisit.

Il se souvint de l'accord profond qui les avait toujours unis. Passan aimait la manière dont Naoko concevait l'amour. Pas d'effusion, pas de « je t'aime » à tout bout de champ (ces mots ne sont jamais utilisés en japonais), pas de « c'est toi qui raccroches en premier » et toutes ces mièvreries qu'il n'avait jamais supportées...

Jean Cocteau avait piqué une réplique à Pierre Reverdy et l'avait placée dans les dialogues d'un film de Robert Bresson : « Il n'y a pas d'amour. Il n'y a que des preuves d'amour. » Instantanément, la phrase s'était élevée au rang de maxime universelle. Passan avait toujours perçu dans cette formule une vérité profonde : en amour, seuls les actes comptent, les mots ne coûtent rien.

Mais Naoko en usait si peu que les siens étaient devenus des actes. Quand, au cœur de la nuit, elle lui avait murmuré, une fois ou deux, pas plus, avec son accent ensorcelant : « Je t'aime », alors il avait eu l'impression de contempler l'eau au fond d'un puits, au cœur du désert, sous la voûte étoilée.

Deux mots qui avaient donné un sens à sa vie...

72

— Guillard a signé des aveux.

— Comment ça ?

— Il m'a envoyé son histoire.

Olivier considérait Ivo Calvini devant le portail de son pavillon. Ses yeux étaient toujours enfoncés et fiévreux, mais son apparence – il portait un survêtement bleu criard et des baskets aussi blanches que des bornes kilométriques – lui donnait un air surprenant, presque comique. Sa maison aussi était inattendue : un modeste pavillon en meulière, aux allures de coron, situé au cœur de Saint-Denis. Calvini, avec sa tête d'énarque et sa morgue de président du Conseil, n'était qu'un petit riverain de banlieue...

— Comment l'avez-vous reçue ? demanda le flic.

— Par la poste. Tout simplement. Une conclusion « poste mortem » en quelque sorte.

Le magistrat faisait de l'humour : ça aussi, c'était nouveau. Mais toute la situation était spéciale : l'homme le convoquait chez lui, un dimanche à 9 heures du matin. *Du jamais vu.*

— Entrez, je vous en prie.

Il s'effaça pour le laisser pénétrer dans le jardin. Ils traversèrent un carré de gazon puis Calvini désigna une table et des chaises en fer forgé sous un grand chêne.

— Attendez-moi ici. Il ne fait pas trop froid. Je vais chercher les documents. Vous voulez un café ?

Passan acquiesça.

Il n'avait rien bu, rien avalé depuis la veille. Il s'était endormi en pleine nostalgie amoureuse. Un coma sans rêve ni sensation. Il s'était réveillé à 5 heures, sidéré par son inconséquence. Ses enfants étaient en danger. Son ex-femme était à l'hôpital, menacée elle aussi. Une meurtrière courait dans la ville, armée d'un katana. Et lui, que faisait-il ? Il dormait. Il était passé au Pullman de Montparnasse pour voir ses enfants. Il avait échangé trois mots à voix basse avec Fifi pendant que Jaffré et Lestrade ronflaient sur les canapés.

— Tu t'occupes des gamins, aujourd'hui ?

— Bien sûr, c'est mon job.

— Vous allez faire quoi ?

— Aquaboulevard. Foire du Trône. J'hésite.

Ils n'avaient rien à dire de plus. Ni sur la nuit passée ni sur le jour qui venait. On était dimanche et l'enquête resterait au point mort pendant vingt-quatre heures. D'ailleurs, ce n'était pas leur enquête…

Des perles de rosée brillaient sur le mobilier de jardin. Olivier essuya une chaise et s'assit. La quiétude du site était troublante. Pas un bruit de voiture, pas d'effluves de carbone. Les oiseaux chantaient à tue-tête. Mais il suffisait de lever les yeux pour se resituer : au-dessus du mur d'enclos, des angles de tours barraient le ciel. Le pavillon était à quelques centaines de mètres de la cité des Francs-Moisins. Le juge vivait sur le terrain de chasse de l'Accoucheur.

Des pas. Calvini revenait, dossier sous le bras, chopes, cafetière et sucrier dans les mains. Sa silhouette n'était pas plus épaisse que celle d'un squelette mais même dans cet horrible survêtement, il affichait une certaine noblesse.

Il s'installa à côté de Passan, dos à sa maison, et déposa son matériel avec précaution. Il prit quelques secondes pour observer le visage brûlé du commandant. Il paraissait à la fois admiratif et consterné.

Le flic essaya de faire diversion :

— Vous habitez ici depuis longtemps ?

Le magistrat sourit – son fameux sourire oblique :

— Vous m'imaginiez dans un immeuble bourgeois du 17e ?

— Plutôt, oui.

— Je suis un juge du 9-3. Je dois vivre dans mon secteur. Je suis comme les architectes qui s'obstinent à habiter leurs cages à poules. Sucre ?

— Non.

— Et vous, où habitez-vous ?

Calvini remplissait la chope de Passan. L'odeur du café se mêlait aux parfums de terre humide.

— Je ne sais plus trop, hésita le flic. Je possède une villa à Suresnes mais… c'est compliqué.

L'hôte n'insista pas. Il poussa la chemise plastifiée dans sa direction.

— La confession de Guillard. Nous l'avons reçue hier matin au TGI. Je dois dire que c'est plutôt… impressionnant. Bien sûr, c'est une copie.

Olivier discerna sous la couverture translucide des pages calligraphiées au stylo-bille. Une écriture d'enfant, petite et ronde. Celle d'un mec qui n'était pas beaucoup allé à l'école.

— En gros, ça dit quoi ?

— Que vous aviez raison. Sur toute la ligne. Guillard était l'Accoucheur. C'était un hermaphrodite vrai. Il a subi une opération à treize ans pour devenir un garçon. Ensuite, la testostérone et son ressentiment ont nourri sa violence. Il a commencé à foutre le feu à des maternités et...

D'un geste, Passan lui coupa la parole :

— Je n'ai jamais cessé d'enquêter sur Guillard. Je connais son histoire par cœur. En quoi avez-vous l'assurance qu'il était réellement l'Accoucheur ?

— Il y a là des détails sur les meurtres que personne, à part vous, moi et le tueur, ne peut connaître.

Olivier parcourut les feuilles. Il n'éprouvait aucune satisfaction. Il avait l'impression de tenir entre les mains une sorte de traité de paix. Un armistice précaire, provisoire, jusqu'au prochain cinglé, jusqu'à la prochaine série.

— Les dernières pages sont un tissu de délires, continua Calvini. Un galimatias qui parle d'oracles, de vérité antique. Il est aussi question de vous...

— J'étais son adversaire le plus dangereux.

— Pas seulement. Il y a des pages qui risquent de vous mettre... mal à l'aise. À l'évidence, sa part féminine était amoureuse de vous.

Cela aussi, Passan l'avait pressenti et il n'était pas troublé. La promiscuité avec le mal, il avait appris à s'y faire. D'une certaine façon, elle l'avait même rendu plus fort.

— Il fait allusion à Levy ?

— Il admet l'avoir tué sans plus de précision. À ses yeux, il s'agit d'un simple accident de parcours. Vous savez quelque chose là-dessus ?

Passan résuma l'affaire des gants. Calvini but une gorgée de café, posément.

— Je vais vérifier tout ça. Si vous avez raison, on va avoir du mal à enterrer notre commandant avec les honneurs.

Grelottant sur sa chaise, Passan feuilletait la liasse. Son visage le lançait à nouveau. Furieux de s'être endormi, il n'avait pris aucun cachet ce matin. En mode mineur, sa barbe de deux jours le démangeait mais il ne devait surtout pas se gratter.

— À la fin, reprit Calvini, Guillard annonce son projet de suicide. Cet aveu vous met hors de cause.

— Quelqu'un me soupçonnait ?

— Tout le monde.

— Quelle était l'autre version ?

— Que vous l'aviez poussé dans le feu.

— Et moi avec ?

— Dans la bousculade… Mais Guillard révèle aussi son intention de vous attirer dans les flammes. D'ailleurs, il parle de vous au passé, comme si vous étiez mort. Il était persuadé que vous feriez le grand saut avec lui.

— À qui d'autre a-t-il envoyé ce document ?

— Pour l'instant, les médias n'ont pas l'air au courant, Dieu merci. On va pouvoir rendre tout ça présentable.

Guillard ne cherchait pas le battage médiatique. Il méprisait le monde. Un seul homme comptait à ses yeux : Passan lui-même. S'il avait pensé que le flic pouvait survivre à son immolation, c'est à lui qu'il aurait envoyé ses confessions.

— Je suis donc… réintégré ?

— *Hic et nunc.* Vous reprenez votre poste aujourd'hui.

— Donnez-moi l'affaire Sandrine Dumas.

— Impossible. Je n'ai même pas été saisi.

— Qui l'est ?

— On ne sait pas encore. Le proc décidera.

— Intercédez en ma faveur.

— Ça ne servirait à rien. On ne change pas un groupe après une journée d'enquête. D'ailleurs, vous êtes trop impliqué sur ce coup.

— On ne bouffe pas où on chie, c'est ça ?

Il regretta aussitôt ce trait de vulgarité. Son hôte avait raison : il était trop tard…

— Revenez tranquillement parmi nous, ajouta Calvini. Vous avez une gueule de zombie. Vous tremblez des pieds à la tête. Votre place est à l'hôpital. D'ailleurs, vos exploits n'effacent pas tout.

— Qu'est-ce que vous voulez dire ?

Le juge sortit de sa poche un paquet de Marlboro et lui en offrit une qu'il refusa d'un signe de tête.

— En l'espace de quelques jours, vous avez accumulé les conneries. Vous avez continué à harceler Guillard, malgré le verdict du tribunal qui vous condamnait.

— Si sa culpabilité ne fait plus aucun doute…

— La loi est la loi. Vous avez aussi agressé un psychiatre avec une arme à feu.

— Il n'a pas porté plainte.

Calvini expira une longue bouffée :

430

— Vous êtes violent, incontrôlable. Ce que vous avez de mieux à faire, c'est de vous faire oublier. Sur tous les plans. J'ai entendu parler de vos... ennuis personnels.

Passan tressaillit.

— Si vous voulez garder un secret, évitez d'appeler les flics.

— Je n'ai pas appelé les flics.

— C'est votre erreur. Vous avez voulu jouer le coup en solitaire. Qu'est-ce que vous avez gagné ? On ne peut relier le meurtre de votre meilleure amie à une affaire qui n'existe pas. Le juge saisi va devoir ordonner une perquisition chez vous pour y voir clair.

Olivier frappa du poing sur la table :

— Vous avez décidé de m'enfoncer ?

— J'ai décidé de vous aider. Je vais voir si vous pouvez collaborer avec le groupe qui...

— Non. C'est *mon* enquête. C'est *ma* famille. Je travaillerai *seul*.

Calvini sourit. Passan était déjà debout. L'entrevue était terminée – de son point de vue. Le juge se leva à son tour, il était aussi grand que le flic.

— Arrêtez de vous comporter comme un gamin. Réfléchissez et rappelez-moi demain. (Il lui tendit le dossier.) N'oubliez pas ça.

Voyant les lignes patiemment écrites par Guillard, le flic songea à autre chose :

— Il savait qu'il allait mourir, il a rédigé un testament ?

— Bien sûr. Son notaire m'a appelé. Guillard avait amassé une vraie fortune avec ses garages.

— Il n'avait aucune famille, qui hérite ?

— Il lègue tout à un foyer d'accueil, à Bagnolet.

— Jules-Guesde ?

— Vous connaissez ?

— J'y ai passé une partie de mon enfance.

Calvini haussa les sourcils, comme si on venait à la fois de lui poser une question et de lui donner la réponse. Passan le remercia et tourna les talons.

Alors qu'il remontait l'allée de graviers, il médita sur cette dernière révélation. À quoi menait la somme des douleurs ? À un geste d'attendrissement, un ultime mouvement en faveur de l'humanité. Peut-être Guillard avait-il agi au nom d'un souvenir, ou d'un objet, comme ces *15 légendes de la mythologie* qui lui avaient donné une clé infernale pour survivre.

Le magistrat ouvrit le portail à distance. Passan franchit le seuil sans se retourner. La vérité qui l'avait saisi à l'école des voleurs lui revint : la cruauté intime de Guillard n'était qu'une réponse à la cruauté générale.

Était-ce le même processus qui motivait la meurtrière de Sandrine ?

73

Passan avait acheté un bouquet de roses et s'était fendu d'une cravate. Il était fin prêt pour ses négociations de paix.

Dès le hall de l'hôpital Robert-Debré, il dut parlementer : les visites ne commençaient qu'à 14 heures. Il s'efforça de rester poli, préféra jouer du violon et évita de sortir sa carte. Enfin, il put accéder au deuxième étage. Quand il découvrit la chambre vide, chaque détail du décor s'enfonça dans sa rétine comme une aiguille.

Le matelas nu.

La structure d'inox privée de perfusion.

Le pied du lit sans relevé de température.

Il se précipita sur l'armoire et l'ouvrit d'un seul geste : vide. Il recula d'un pas comme s'il avait été physiquement repoussé par cette vision.

Il balança son bouquet par terre et appela Fifi :

— Les enfants sont là ?

— Mais non ! Naoko est venue les chercher. Elle m'a dit que c'était d'accord avec toi et...

— À quelle heure exactement ?

— 8 h 30, je dirais…

Il regarda sa montre : près de 11 heures.

— Écoute-moi, fit-il d'une voix blanche. Appelle Roissy et stoppe tous les vols pour le Japon.

— Tu crois que…

— Tu les bloques au sol. Sans exception. Ensuite, tu vérifies si Naoko est à bord.

— On n'a pas l'ombre d'une perquise, ni d'une saisie !

— Je vais me démerder avec le proc. Naoko est un témoin capital dans une affaire de meurtre. Agis : la paperasse suivra.

— T'es sûr de ton coup ?

— Elle se barre avec mes mômes, tu piges ?

Il raccrocha sans attendre de réponse et sortit au pas de charge, laissant derrière lui les fleurs déchiquetées.

— Commandant !

Passan se retourna : l'urgentiste de la veille, le spectre au visage pointu, se tenait au bout du couloir. Il fit volte-face et marcha dans sa direction, avec l'air amical d'un taureau qui charge.

La femme croisa les bras et resta plantée sur ses talons.

— C'est vous qui avez autorisé ma femme à sortir ? hurla-t-il.

— On se calme. Je vous l'ai dit hier : son état est sans gravité. Après une nuit sous observation, elle pouvait partir. D'ailleurs, c'est elle qui nous l'a demandé. Elle avait l'air pressé et…

— Vous êtes complètement con ou quoi ? fit-il en desserrant sa cravate. Elle sort d'une agression à main armée !

434

La femme ne broncha pas. Elle avait sans doute l'habitude de gérer ce genre de crises, quand elle ne se battait pas contre la mort elle-même. La colère de Passan ne l'impressionnait pas.

— Nous ne sommes pas chargés de protéger nos patients. Nous les soignons, et basta. Et le fait d'être grossier n'arrangera rien.

— Putain de connasse ! répliqua Passan pour signifier qu'il avait bien compris.

Il tourna les talons en se retenant de ne pas la claquer. Il devait rattraper ces précieuses secondes gaspillées. Foncer à Roissy. Vérifier chaque vol direct pour Tokyo. JAL. All Nippon Airways. Air France... Et ceux avec transfert. Cathay Pacific. China Airlines... Toutes les compagnies asiatiques. Sortir Naoko de la cabine, par les cheveux s'il le fallait, et récupérer ses gamins...

— Commandant !

Le flic étouffa un juron et pivota encore. Cette fois, ce fut elle qui marcha vers lui. Ses traits livides, ses yeux exorbités, curieusement vivants dans ce visage de poisson mort, ne trahissaient aucune émotion.

— Il y a quelque chose dont je voulais vous parler...

— C'est pas le moment, là.

— Un détail m'a intriguée dans vos paroles hier, poursuivit-elle en ignorant sa remarque.

— Quoi ? Qu'est-ce que j'ai dit ?

— Vous avez évoqué vos enfants.

L'allusion à Shinji et Hiroki le surprit. L'atmosphère du couloir lui parut plus chaude encore.

— Et alors ?

— Ils sont nés d'un premier mariage ?

— Pas du tout. De quoi je me mêle ?

— Ils sont adoptés ?

— Pourquoi vous me demandez ça ? Expliquez-vous, merde !

Pour la première fois, l'urgentiste hésita. Ses yeux clairs, à fleur de tête, cherchaient un point imaginaire vers le sol.

Passan fit un pas vers elle :

— Vous en avez trop dit ou pas assez.

— Si vous n'êtes pas au courant, je ne sais pas si...

Il serra les poings, la toubib ne bougea pas.

— Parlez, ordonna-t-il entre ses dents.

— Écoutez, c'est moi qui ai supervisé le bilan de votre épouse. Prise de sang, IRM, scanners... S'il y a une chose dont je suis sûre, c'est qu'elle n'a jamais accouché de sa vie.

— QUOI ?

La femme ouvrit ses mains, en signe d'évidence :

— Elle ne le peut pas. Elle souffre d'une malformation congénitale. Syndrome de Rokitansky-Küster-Hauser.

Le flic avait l'impression de se tenir au bord de la gueule brûlante d'un volcan. Pourtant, il avança encore. Le médecin recula pour de bon.

— En clair ?

— Elle n'a pas d'utérus.

Il dut s'appuyer contre le mur pour ne pas défaillir.

74

— Le vol de la JAL est parti il y a vingt minutes. Naoko est à bord, avec Shinji et Hiroki. Y a plus rien à faire. On pourra même pas les arrêter à la douane. On n'a pas d'accords territoriaux avec le Japon et...

Passan fonçait en direction de la place de la République. La voix de Fifi à l'autre bout de la connexion lui paraissait loin. Très loin. À peu près à la distance qui l'avait séparé jusqu'ici de la vérité. Son cœur battait à cent vingt battements-minute. Il respirait avec difficulté.

Pourtant, il conduisait sans heurt, les nerfs verrouillés. Quand il ne resterait plus rien de lui – ni mari, ni père, ni homme –, il resterait encore le flic.

— T'as prévenu le proc ? demanda-t-il d'une voix glacée.

— Tu devais le faire, non ?

— Alors, on ne dit rien.

— Pas de mandat de recherche internationale ?

— Tu l'as dit toi-même : ça servirait à rien. C'est à moi de faire le ménage devant ma porte.

Olivier dépassa le commissariat de la rue du Louvre puis s'engouffra dans le tunnel des Halles. Après le soleil, les ténèbres…

— Qu'est-ce qui se passe ? demanda Fifi d'une voix hésitant entre la crainte et la curiosité.

Il ignora la question :

— Je veux que tu checkes les appels de Naoko depuis son portable. Vérifie aussi les mobiles des chambres voisines, à Debré.

— Pourquoi ?

— Elle n'est pas née de la dernière pluie. Elle sait qu'on va vérifier son téléphone. Procure-toi aussi les numéros des infirmières, des cabines publiques de l'hosto. Vois s'il y a là-bas des ordinateurs connectés à Internet. Trouve-moi tout ce qui est relié à l'extérieur !

— Qu'est-ce que tu cherches au juste ?

Passan retrouva le soleil. Nouvelle gifle de lumière. La rue Turbigo, quasiment déserte. On était dimanche. Pour tout le monde sauf pour lui. Il n'était plus qu'à quelques mètres de sa destination.

— Elle a réservé ses places depuis l'hosto, répondit-il enfin.

— Et alors ? On a les coordonnées du vol.

— Je suis quasiment sûr qu'elle a contacté quelqu'un d'autre.

— Qui ?

— L'assassin.

— Tu veux dire… ?

— Depuis le début, toute l'histoire est liée à son passé. Avance et rappelle-moi.

Il pila devant le 136. Machinalement, il s'observa dans le rétro. Sous l'effet du choc, ou de l'angoisse, son visage lui parut amaigri. Ses yeux mangeaient toute la figure. Sa peau lui faisait souffrir le martyre. Il avala un cachet de Fifi – plus rien ne pourrait l'endormir.

Il bondit vers le porche. Pas le code. Clé universelle. Il était déjà venu une fois chez Isabelle Zacchary après l'arrestation d'un meurtrier grâce à l'identification de son ADN. Une petite fête de flics. Du champagne tiède, une ordure sous les verrous, une vie innocente perdue à jamais.

Il se souvenait d'un appartement familial spacieux. Des jouets traînaient partout et il avait eu l'impression de voir enfin Zacchary en relief. Mariée, mère de trois enfants, occupant sa vie autrement qu'à collecter des fibres de moquette sanglante ou à analyser des résidus de salive.

Il ignora l'ascenseur et grimpa en quelques enjambées au troisième. Sur le seuil, il sentit une odeur de pain grillé et d'œufs brouillés. Il était plus de 13 heures. Le moment privilégié du brunch dominical. Des réminiscences de bagels, de cream-cheese, de saumon fumé lui montèrent à la gorge. Depuis combien de temps n'avait-il pas eu droit à un breakfast en famille ?

Il se manifesta façon flic, alternant traits de sonnette et coups de poing, jusqu'à ce qu'on lui ouvre. Le visage empourpré de colère d'Isabelle Zacchary apparut. Dès qu'elle le reconnut, ses traits se fixèrent. C'était la première fois qu'elle voyait ses brûlures de près. Elle tenta l'humour :

— Tu t'es enfin décidé à venir m'enlever ?

Il ne répondit pas : son expression était explicite. Zacchary fronça les sourcils. Ses cheveux gris cendré étaient groupés en un chignon qui lui donnait un air russe à l'ancienne.

— Qu'est-ce qui se passe ?

— J'ai besoin d'un service.

— Rentre. On peut s'installer dans mon bureau. On…

— Non. Toi, viens dans le couloir.

Elle avança d'un pas. Son visage avait définitivement quitté les rives sereines du repas familial ou de l'ironie artificielle.

En quelques mots, Passan expliqua la situation. Au fil de son discours, il découvrait lui-même la logique terrifiante des évènements – une logique dont il avait été la première victime. Une imposture qui avait commencé à dix mille kilomètres et s'achèverait là-bas.

— Qu'est-ce que tu veux ?

— Tu as conservé les échantillons de sang de Shinji et Hiroki ? Ceux de la cabine de douche ?

— Bien sûr. L'enquête n'est pas close.

Il plongea la main dans sa poche et brandit un tube étiqueté :

— Le sang de Naoko. L'urgentiste de l'hôpital Debré me l'a filé.

— Et alors ?

— Je fais une prise de sang et on compare les quatre ADN.

L'expression de Zacchary se modifia encore. De la gravité professionnelle, elle passa à l'émotion bouleversée. Les femmes ne rigolent pas avec la maternité.

— À quoi bon ? Tu as déjà ta réponse, non ?

— Je veux en avoir le cœur net. On peut faire les tests maintenant ?

— Ça ne peut pas attendre lundi ?
Nouveau silence en guise de réponse.
Elle eut un sourire de résignation :
— Entre une seconde. Je dois téléphoner.

75

Le laboratoire d'analyses génétiques se situait à Charenton. Passan rejoignit les quais de la rive droite et fila en direction de l'autoroute de l'Est. De longs nuages noirs, effilés et menaçants, étaient de retour. Un orage planait dans l'air. L'été retrouvait sa gueule d'automne.

Passan s'attendait à ce que Zacchary le bombarde de questions, ils n'échangèrent pas un mot du trajet. En réalité, le flic dialoguait avec lui-même. Comment qualifier l'acte de Naoko ? Trahison ? Tromperie ? Imposture ? Aucun terme ne lui paraissait assez fort, assez dur. Surtout, il n'en comprenait pas la raison. Pourquoi ne lui avait-elle pas fait confiance ? Une autre femme lui aurait dit la vérité. Ils auraient pris ensemble la décision d'adopter. Ils auraient fait le voyage jusqu'au Japon...

Il comprenait maintenant pourquoi elle n'avait jamais voulu qu'il l'accompagne chez le gynécologue ni qu'il assiste à la moindre échographie. Sans compter ses soi-disant accouchements à Tokyo, « en famille »... *Putain de Niakoués.*

D'autres questions – des questions de flic – le taraudaient. Comment avait-elle pu simuler deux fois une grossesse sous son nez ? Il avait vu son ventre se dilater, même si Naoko ne lui proposait jamais d'y placer sa main. Il avait vu ses seins se gonfler, ses hanches prendre de l'ampleur. Et comment avait-elle fait pour la procédure d'adoption ? N'avait-elle pas eu besoin de sa signature ? N'y avait-il pas eu des réunions ? Des concertations ? Il se renseignerait. Il l'interrogerait. Il détaillerait la conspiration dans ses moindres détails.

— Tu viens ou quoi ?

Ils étaient arrivés. Il avait suivi les indications de Zacchary en mode réflexe, sans passer par la case conscience. La demi-heure de trajet s'était consumée en quelques secondes et il s'était garé sans même s'en rendre compte.

— Le directeur du labo a bien voulu venir, fit Isabelle en ouvrant sa portière. Il habite à côté.

— Pourquoi ?

— Pour mes beaux yeux.

Ils traversèrent le parvis puis gagnèrent un bâtiment anonyme. Tout était fermé. Le généticien les attendait sur le seuil. Tout de suite, Passan le relégua au rang des figurants. Il n'aurait su dire s'il était petit, grand, jeune ou âgé. Il avançait comme un condamné dans le couloir de la mort, qui ne perçoit plus la réalité qui l'entoure. Il avait hâte d'en finir. De placer sa tête sur le billot.

Le laboratoire, d'un seul tenant, était compartimenté en chambres closes dont les plafonds ne montaient qu'à mi-hauteur des murs de soutien. De loin, on aurait pu croire à des conteneurs alignés. Un bourdonnement résonnait : les salles aseptiques maintenues en permanence sous pression pour éviter toute bactérie.

À travers les lucarnes, on apercevait des paillasses, des flacons, des pipettes. Passan reconnaissait les centrifugeuses, les étuves, les ordinateurs surmontés de binoculaires. Ne manquaient que les techniciens en blouse blanche qui s'affairaient d'habitude ici.

— On prend laquelle ? demanda Zacchary.

— La prochaine à droite, répondit le scientifique en enfilant des vêtements stériles.

Sans un mot, Zacchary équipa aussi Passan : combinaison, surchaussures, charlotte en papier, gants de latex… Elle était elle-même déguisée en cosmonaute – il la retrouvait comme il l'avait toujours connue : femme de papier prête à renifler des traces d'assassin.

Sauf que la scène de crime, aujourd'hui, c'était lui.

Dans la salle, l'éclat des plafonniers sur le carrelage et les murs l'éblouit. Docilement, il releva sa manche. Le médecin effectua la prise de sang, en expliquant qu'il existait deux méthodes pour une identification génétique, une rapide et une longue, la première étant moins précise. Olivier était au courant : il avait confondu plusieurs meurtriers avec l'analyse du premier type, en attendant la confirmation de la seconde. Pour ce qui le concernait, l'examen rapide suffirait.

Le toubib disparut avec Zacchary derrière une cloison de verre dépoli. Passan demeura seul, assis, un pansement dans le pli du coude, face à une table plastifiée. D'une manière absurde, il se souvint qu'on proposait une collation aux donneurs de sang. Cette seule idée fit gargouiller son estomac.

444

Son mobile sonna. Il s'empêtra dans sa combinaison mais parvint à répondre avant que la messagerie ne se déclenche.

Fifi.

— T'avais raison, fit-il sans préambule, Naoko n'a pas utilisé son portable.

— L'hosto ?

— Elle s'est connectée hier, à 18 h 10, à l'ordinateur d'une salle de jeux pour les ados, dans le département d'endocrinologie. Deux fois. Tout est écrit en japonais.

— Il faut faire traduire les messages.

Le punk ricana :

— J'ai déjà balancé les mails à mon prof de jujitsu, un Jap. Un miracle qu'il ait répondu. Le dimanche, il est en méditation et...

— Et alors ?

— Une connexion avec la JAL : les réservations des vols.

— L'autre ?

— Un message à une dénommée Yamada Ayumi. Enfin, plutôt Ayumi Yamada, dans l'ordre français.

Passan n'avait jamais entendu ce nom.

— Qu'est-ce qu'elle a écrit ? demanda-t-il d'une voix tremblante.

— Juste un mot. Un idéogramme.

— Ton prof l'a traduit ?

— *Utajima*. Le « temple du poème ». Selon lui, c'est un nom propre. Un lieu, sans doute. Et toi, t'es où ?

Par réflexe, Passan leva les yeux vers la salle aseptisée.

— Je t'expliquerai. Je te rappelle.

Il sentit une présence dans son dos. Isabelle Zacchary ôta son bonnet de papier :

— Ma vie est un vrai bordel, Passan, mais à côté de la tienne, c'est « La petite maison dans la prairie ».

— Épargne-moi tes vannes. Que disent les analyses ?

Elle balança quatre diagrammes sur la table, fraîchement imprimés.

— Shinji et Hiroki sont tes enfants. Et ceux de Naoko. Aucun doute possible. Les examens n'offrent aucune ambiguïté.

— Te fous pas de ma gueule. Je t'ai dit que Naoko est stérile.

Zacchary lui décocha un petit sourire futé :

— C'est pas ce que tu m'as dit, Olive. Tu m'as dit qu'elle n'a pas d'utérus. Ce qui n'a rien à voir.

— Je comprends pas.

— Naoko ne peut pas porter ses enfants, mais ça ne l'empêche pas d'en avoir. Elle n'est pas stérile.

Passan appuya ses coudes sur la table et plongea la tête entre ses mains. Un boxeur dans les cordes. Ou un moine en prière. Son cerveau était un tableau noir dont il avait perdu la craie.

— Y a qu'une solution à ton histoire, reprit Isabelle.

Il leva les yeux, l'incitant à poursuivre.

— Une GPA.

— C'est quoi ?

— Gestation pour autrui. Avec une mère porteuse.

L'air aseptisé du laboratoire lui sembla se raréfier, comme s'il venait enfin d'atteindre le sommet d'une montagne.

Tout concordait désormais.

446

Le singe/fœtus dans le réfrigérateur. Le sang des enfants coulant dans la cabine de douche. Les idéogrammes sur le mur, qui pouvaient signifier : « C'est à moi » ou : « *Ils* sont à moi »...

Isabelle Zacchary avait raison. Par deux fois, Naoko avait eu recours à une mère porteuse.

C'était cette mère qui venait chercher les siens.

76

— Regarde, il y a des jeux sur la chaîne 5. Il te suffit d'appuyer sur la télécommande.

Naoko parlait à Shinji en japonais. Peut-être ne lui reparlerait-elle plus jamais en français. Hiroki était assis de l'autre côté de l'allée, absorbé dans une œuvre de coloriage – l'hôtesse avait fourni feuilles et crayons. Elle avait aussi servi du champagne à la mère. Le grand jeu. Pour ce voyage, Naoko n'avait pas lésiné : trois places en classe affaires. Une fortune. Elle y avait flambé une partie de ses économies personnelles.

Aucune importance. Les économies, c'est pour les gens qui ont de l'avenir.

À présent, l'Airbus A300 de la JAL volait à plus de quarante mille pieds d'altitude. Jusqu'au moment du décollage, elle n'avait pas respiré. Elle savait que Passan viendrait à l'hôpital ce matin. Qu'il découvrirait sa disparition et appellerait aussi sec Fifi pour vérifier si elle avait emmené les enfants. Alors, il deviendrait fou. Il bloquerait les vols en direction du Japon. Il alerterait la police de Roissy-Charles-de-Gaulle et ordonnerait qu'on arrête la fugitive par tous les moyens nécessaires, violence incluse.

Tant pis – ou tant mieux – s'il s'agissait de sa propre femme.

Mais par un miracle qu'elle ne s'expliquait pas, elle avait réussi à se faufiler. La machine n'avait pas été assez rapide.

Durant la Seconde Guerre mondiale, les soldats nippons partaient à la guerre avec une boîte suspendue autour du cou destinée à recevoir leurs cendres après leur disparition au combat. Elle était comme ces soldats. Elle était morte au front et revenait maintenant au pays, avec les cendres de ses rêves, de ses projets, de son bonheur…

Elle avait échappé à Passan mais elle n'échapperait pas à elle-même. Toute sa vie, elle avait tenté de fuir ses racines. Son pays. Son père. Son infirmité. Toute sa vie, elle avait marché le long de la mer pour que le ressac efface ses traces, mais cette fois c'était fini.

Elle était ramenée de force à sa source.

Depuis son installation en France, elle s'envisageait comme une citoyenne du monde, libre, indépendante. Elle se trompait. Malgré son destin d'exilée, ses goûts et ses idées tournés vers l'Occident, elle était toujours restée, au plus profond d'elle-même, *japonaise*. Au diable la métaphore du bonsaï et de la croissance en pot. Depuis des années, elle grandissait dans la terre, libre, déployée – mais le cadre était toujours là. Il se trouvait sous son écorce, dans sa chair, dans sa sève…

Une petite fille française et catholique conserve un souvenir vague de sa première communion. Une heure d'ennui, une odeur d'encens, une clarté de cierges et le goût plâtreux de l'hostie. Naoko, elle, conservait le contact du talc sur ses épaules, la deuxième fois qu'on l'avait vêtue d'un kimono, à sept ans, lors de la cérémonie du *shichi-go-san* (la première fois, c'était à trois ans). Elle savait que les poèmes tanka suivent un rythme spécifique de syllabes : 5-7-5-7-7. Elle n'avait jamais oublié qu'il faut, au mois de mai, récolter les pousses de bambou, comme elle le faisait chaque année avec ses parents et son frère, dans le potager familial. Qu'il faut arroser le jardin de thé quand on attend de la visite afin que les parfums ravivés accueillent les invités. Chaque geste, chaque attention de ses parents avait gravé dans son propre cœur une dette sans retour – un *on* – dont elle ne pourrait jamais s'acquitter. Même ses pensées les plus spontanées étaient contaminées. Même aujourd'hui, lorsqu'elle sortait de chez elle le matin, elle se disait parfois qu'il y avait beaucoup de *gaijin* dans la rue, se croyant encore à Tokyo…

Quoi qu'elle fasse, c'étaient les syllabes de la poésie ancienne qui rythmaient son sang, l'idée de l'eau qui se réveillait quand on sonnait à la porte, la marque d'un dû insolvable qui crispait son cœur lorsqu'elle songeait à ses parents. Elle était soie. Elle était cèdre. Elle était shoji…

D'ailleurs, avant de fuir en Europe, elle s'était passionnée pour sa propre culture. Elle s'en était imprégnée jusqu'au plus profond d'elle-même. Passan aurait ri – ou pleuré – s'il avait su qu'elle avait lu plusieurs fois avant l'âge de quinze ans le *Dit du Genji* – l'œuvre fondatrice de la littérature japonaise, plus de deux mille pages écrites par une dame d'honneur de la cour impériale de l'ère Heian, au XIᵉ siècle. Il aurait été surpris d'apprendre qu'elle avait rédigé, dans le cadre d'un cursus d'histoire de l'art, un mémoire sur Yamanaka Sadao, un réalisateur qu'il ne devait même pas connaître, mort au combat à trente ans en Mandchourie.

Surtout, il aurait été sidéré de découvrir qu'elle avait été experte en *kenjutsu*. De l'âge de onze ans jusqu'à sa majorité, Naoko avait pratiqué la « voie du sabre », sous l'œil bienveillant de son père, lui-même persuadé d'appartenir à une lignée de samouraïs.

Durant toutes ces années, sous son influence mais aussi par volonté personnelle de se singulariser – sa génération refusait toute référence au passé –, elle s'était immergée dans la culture de son pays, ses traditions, sa poésie. Elle avait vécu, mentalement, dans d'autres siècles. Violents, magnifiques, impitoyables. Le temps où les geishas dormaient sur des repose-tête de laque pour ne pas chambouler leur coiffe à coques. Le temps où on déracinait les cerisiers, aux premiers jours du printemps, simplement pour les replanter dans le quartier des courtisanes. Le temps, pas si lointain, où les soldats vaincus rentraient au pays pour s'entendre demander : « Comment peux-tu être vivant alors que ton commandant est mort ? »

À dix-huit ans, elle avait tout envoyé balader, sabre, traditions et père compris. Non pas par révolte, mais parce qu'au contraire elle considérait l'ennemi vaincu.

Elle était libre, autonome. Cette victoire, elle la devait à une seule personne.

Son ombre, son double, son amie. Un pur esprit nommé Ayumi.

77

Naoko avait passé son enfance, comme toutes les filles de son âge, au plus bas de l'échelle sociale. Ses parents se tenaient au-dessus d'elle. Ses professeurs se tenaient au-dessus d'elle. La moindre personne plus âgée se tenait au-dessus d'elle. Tout individu de sexe masculin, même un nourrisson, se tenait au-dessus d'elle...

En réalité, elle ne voyait pas qui pouvait exister *en dessous* d'elle.

Son comportement était fondé sur des échelons, des devoirs, des courbettes. Elle maniait le langage avec précaution. Elle évoluait dans un réseau inextricable de règles, de contraintes, d'obligations. Elle ne parlait pas, elle s'excusait. Elle ne grandissait pas, elle reculait.

Jusqu'à sa rencontre avec Ayumi.

L'adolescente ne se situait pas sur un degré ou sur un autre de la hiérarchie, elle ignorait carrément l'échelle. Elle glissait sur ses côtés, volait, au mépris de toute bienséance, de tout usage.

Ayumi était muette. Pas sourde, simplement muette. Ce handicap lui conférait une force singulière. Même au Japon, on est indulgent avec un fauteur de troubles lorsqu'il est infirme. De plus, son silence donnait une puissance spécifique à sa révolte. Sa colère était souterraine, tellurique – redoutable.

Ayumi ne disait rien mais elle faisait un bruit assourdissant.

Comme Naoko, elle était née dans une famille de la haute bourgeoisie. Leur parcours paraissait tout tracé. Elles devaient choisir une formation utile – droit, médecine, finance – mais au premier enfant, elles arrêteraient de travailler pour s'occuper de leur progéniture. Il faudrait aussi, sans doute, s'inscrire dans une école de « bonnes épouses », où l'on enseigne l'art de la table, les règles du protocole, l'arrangement floral, l'art du jardin, la cérémonie du thé… Ces apprentissages, jadis reniés, revenaient en force depuis la fin des années 80.

Côté mariage, il y avait plusieurs options. Si les parents choisissaient la voie classique, ce serait le *omiaï*, le mariage arrangé. On pouvait également faire appel à une *nakôdo*, voisine ou membre de la famille qui avait entendu parler d'un jeune homme intéressant – et *intéressé*… – et mettait alors en contact les parties. Il y avait enfin le club de rencontres ou l'agence matrimoniale. Il en existait de toutes sortes : des payants, des gratuits, des sélectifs, des tous publics…

Ni Naoko ni Ayumi ne se sentaient concernées par ces coutumes. Elles riaient d'une anecdote bien connue au Japon : une jeune épouse, n'ayant vu qu'une seule fois son fiancé et ayant conservé tout au long du rendez-vous les yeux baissés, s'était trompée de mari le jour des noces. Elles abordaient leur avenir avec un regard différent – et conquérant. Elles voulaient être autonomes, grimper dans la société, échapper à leurs origines. Pas question de privilégier l'avis de leur famille, ni l'intérêt du clan. Pas question non plus de suivre la voie banale de l'épouse vouée aux couches-culottes. De solides études, un bon métier, et en route pour un destin moderne.

La situation n'était pas tout à fait la même pour les deux adolescentes. Si Naoko était écrasée par l'autorité paternelle et ne pouvait espérer s'émanciper qu'après avoir rempli son contrat d'étudiante modèle, Ayumi vivait seule avec son père et disposait de plus de liberté. L'homme, veuf, n'avait jamais cherché à se remarier. Il s'était consacré à sa fille muette. Leurs relations étaient très fortes, à la fois complices et mystérieuses.

Ayumi était aussi la plus rebelle – et, sur ce terrain, elle avait tout appris à Naoko. D'abord, elle lui avait enseigné le langage des signes afin de pouvoir communiquer plus spontanément. Ensuite, elle lui avait expliqué que la vraie révolte n'est pas d'agir en fonction d'un adversaire mais de l'effacer, purement et simplement. Agir comme s'il n'existait pas. Alors seulement on était libre. On pouvait identifier ses propres désirs.

Les jeune filles s'étaient connues au Hyoho Niten Ichi Ryu, une école de *kenjutsu* qui dispense l'enseignement d'un samouraï célèbre du XVIIe siècle : Miyamoto Musashi. Le dojo se trouvait sur l'île de Kyûshû. Naoko et Ayumi s'entraînaient avec quelques adeptes à Tokyo et effectuaient régulièrement des allers-retours chez leur maître. Parfois, elles suivaient des masterclasses sur une petite île au large de Nagasaki : Utajima.

Sous l'influence d'Ayumi, Naoko avait cessé de détester ce Niten où son père l'avait inscrite, pour découvrir les avantages qu'elle pouvait en tirer. La discipline de Musashi est particulière. Aucun vêtement spécifique n'est obligatoire. Chacun est libre de venir quand il veut. C'est un enseignement à mille lieues de la rigueur et de l'apparat propres aux arts martiaux. Leur maître ne possédait même pas un véritable sabre. Un vieux *bokken* de bois suffisait amplement, selon lui, pour pratiquer la « voie du souffle ».

Naoko adorait ce vieil homme, héritier du plus grand samouraï de tous les temps, qui, une fois dans la rue, ressemblait à un quidam moyen, avec son sur-vêtement avachi et sa casquette de baseball. Elle se souvenait qu'à la fin de sa vie, alors que sa concentration et son geste n'avaient jamais été aussi purs, ses lèvres prononçaient, avant l'assaut, des mots silencieux. Elle s'était longuement interrogée sur ces paroles avant de se rendre compte que le vieillard jouait simplement avec son dentier. Ce détail lui avait prouvé l'essentiel : la voie de Musashi enseigne la sincérité, elle développe l'épanouissement de soi, l'aboutissement de ce que l'on est *vraiment*.

Cela, Ayumi l'avait saisi avant Naoko. Elle lui avait expliqué que le sabre ne leur servirait pas à devenir fortes mais libres.

Ayumi n'était pas belle. Elle avait des yeux effilés à la mongole, et un visage rond de Chinoise. Elle ressemblait à Otafuku, une divinité du Japon, créature joufflue, synonyme de fertilité – l'ironie, déjà… Pour ne rien arranger, elle portait une frange qui lui donnait un air de caniche boudeur. Elle manquait de féminité,

avait des manières brusques et se tenait toujours voû-
tée, tête en avant, l'air obstiné.

Pourtant, c'était elle qui plaisait. Les garçons de
leur génération étaient des échalas aux cheveux
orange, peu intéressés par les filles, encore moins par
le sexe, qui vivaient par procuration à travers les jeux
vidéo, la mode, les drogues. Satisfaits d'eux-mêmes,
complètement passifs, ils se croyaient originaux.
Ayumi leur rentrait dans le chou et les « sojas » se
laissaient faire. Elle respirait une sensualité, une
audace qui les attiraient et les effrayaient à la fois.

Les deux amies traînaient à Shibuya, à Omotesando,
à Harajuku. Elles mangeaient des *okonomiyaki*, ces
galettes fourre-tout qu'on cuit devant vous. Elles prenaient soin de leurs *tamagotchi*, des petits animaux de
compagnie virtuels. Elles rétrécissaient à mort leurs
tee-shirts Hard Rock Café à la machine à laver,
variaient à l'infini leur tenue d'écolière tout en restant
dans la norme : jupe bleue et chaussettes blanches.
Elles rédigeaient des journaux intimes, se mastur-
baient ensemble et buvaient du saké. Beaucoup.
Ayumi avait la meilleure descente.

Alors était survenue la catastrophe. À dix-sept ans,
Naoko n'avait toujours pas ses règles. Sa mère s'était
décidée à consulter un médecin. Examens. Analyses.
Diagnostic. La jeune fille souffrait d'une malformation
congénitale : dotée de trompes et d'ovaires, elle n'avait
pas d'utérus. Souvent, le syndrome de Rokitansky-
Küster-Hauser s'accompagne d'une absence de vagin.
Pas chez Naoko. Voilà pourquoi personne ne s'était
aperçu de son anomalie.

La jeune fille s'était précipitée sur son téléphone.
Ayumi, en urgence. Elles avaient mis au point un sys-

tème sonore proche du morse pour communiquer à distance. Ayumi avait aussitôt étudié la question : son père était gynécologue, la bibliothèque familiale était bourrée de livres spécialisés. Selon elle, l'absence d'utérus n'empêcherait pas Naoko de fonder une famille. Elle était fertile. Elle pourrait avoir recours à une gestation pour autrui.

Les deux filles s'étaient comprises. Ayumi avait juré à Naoko qu'elle porterait ses enfants. Naoko avait pleuré de gratitude, serré son amie dans ses bras mais en son for intérieur, elle avait renoncé pour toujours à la maternité. Elle serait une femme d'affaires, une guerrière, une conquérante. Tant pis pour le reste.

En 1995, autre évènement majeur : la rencontre avec un photographe, dans le métro. Tests. Castings. Contrats… Naoko était devenue mannequin. Ayumi désapprouvait ce virage. Selon elle, c'était un boulot de conne. Naoko l'admettait mais ces premiers jobs lui apporteraient de l'argent, donc l'indépendance.

En vérité, ce travail les avait éloignées. Naoko changeait de statut. De copine effacée, elle passait au rang de fille en vue. Elle n'avait plus besoin de sa complice provocante pour attirer les hommes. Dès l'année suivante, elles s'étaient perdues de vue. Naoko en avait éprouvé un obscur soulagement. Au fond, l'emprise silencieuse d'Ayumi finissait par lui peser. Et même l'effrayer.

Naoko avait commencé à voyager. Milan. New York. Paris… Puis elle avait rencontré Passan.

Coup de foudre. Fusion. Mariage. Elle avait fait venir quelques amies du Japon – mais pas Ayumi. Les années passaient et la muette lui apparaissait, avec le recul, comme une présence négative. Presque une malédiction.

Elle se trompait : la malédiction, c'était sa propre infirmité.

Naoko avait découvert ce que l'amour signifie en France : faire des enfants. Passan voulait des portées entières ! Il rêvait d'unir l'Orient et l'Occident, ils allaient produire des chefs-d'œuvre ! Comme d'habitude, le flic était à la fois excessif, naïf et touchant – c'était ainsi qu'elle l'aimait.

Alors, dans sa petite tête butée de Japonaise, elle avait pris la pire des décisions : occulter la vérité. Une femme qui ne peut porter un enfant n'est pas une vraie femme. Elle avait décidé de mentir jusqu'au bout. Elle était retournée au Japon et avait retrouvé Ayumi. La muette avait vingt-cinq ans. Elle était en deuxième année de gynécologie et connaissait la question à fond. Si Naoko avait été plus maligne, elle aurait compris qu'Ayumi l'attendait…

L'étudiante connaissait la technique mais aussi la loi internationale, car peu de pays autorisent les GPA. Elles avaient choisi la Californie. Naoko devait prélever le sperme de son mari puis le congeler. Ayumi lui avait expliqué comment procéder. Ensuite, elles se donneraient rendez-vous à Los Angeles pour effectuer le don d'ovocytes et la FIV. À raison de deux embryons transférés, les chances d'une grossesse étaient plus que raisonnables. Ayumi irait à chaque consultation, à chaque échographie, sous le nom de Naoko. Elle accoucherait aussi sous ce nom. Il suffirait de déclarer la naissance de l'enfant à Tokyo, puis d'en référer à l'ambassade de France. Naoko rentrerait avec son bébé, certifié conforme et japonais.

La muette avait pensé à tout. Elle avait implanté, par cœlioscopie, une poche anatomique sous le péritoine de Naoko. Il n'y avait plus qu'à la remplir de sérum physiologique toutes les deux ou trois semaines pour produire une illusion de grossesse. L'idée avait choqué Naoko mais la manœuvre était simple : l'injection se pratiquait par l'ombilic. En quelques semaines, son ventre avait pris des rondeurs. Ayumi lui avait aussi fait prendre des capsules d'Utrogestan – de la progestérone qui avait aussitôt gonflé ses seins et augmenté son poids. Elle lui avait même fourni de l'urine de femme enceinte afin d'obtenir un test de grossesse positif.

Le dernier écueil était Passan lui-même. Il fallait le persuader de rester en France lorsque sa femme irait accoucher à Tokyo. Naoko savait qu'elle pouvait le convaincre. Il respecterait, encore une fois, sa décision. Il trouverait presque naturel d'être exclu de ce moment sacré. *Un moment japonais.*

Ainsi Shinji était venu au monde.

Le flic avait digéré l'affront mais commencé à nourrir un ressentiment à l'égard de Naoko. Leur couple avait-il basculé à ce moment-là ? À cette trahison s'étaient en tout cas ajoutés l'érosion du temps, l'épuisement des années, la faim inassouvie des corps…

Quand ils avaient « conçu » Hiroki, le flic s'était rebellé. Pas question de rejouer le même scénario. Il y avait eu des cris, des pleurs, des menaces. Mais encore une fois, Passan avait cédé. Naoko s'était envolée vers le Japon. Cette capitulation déchirait son cœur : le flic l'aimait assez pour accepter l'inacceptable.

Lorsqu'elle était rentrée à Paris avec Hiroki, elle avait compris que tout était fini avec Passan. La trahison de trop. Le gosse abandonné, le laissé-pour-compte qui lui avait accordé ce qu'il avait de plus précieux, sa confiance, avait repris sa mise.

Désormais, entre elle et lui, il n'y aurait plus que les enfants.

Elle s'était verrouillée en retour. Et elle n'avait plus donné de nouvelles à Ayumi. Elle avait occulté sa dette, le *on*. Elle s'était même mise à haïr cette complice qui lui avait permis d'être mère, mais qu'elle accusait secrètement d'avoir détruit son couple.

Quand la muette lui avait écrit, en février dernier, pour lui annoncer la mort de son père, Naoko avait répondu quelques mots convenus, en s'excusant de ne pouvoir se déplacer. *Erreur fatale.* Elle n'avait pas entendu l'appel au secours de son amie. Pas senti non plus sa fragilité psychologique. Ayumi se tenait au bord de la folie. Ayant perdu son père, elle se tournait vers *son autre famille.*

« ILS SONT À MOI. »

Ayumi était devenue un sabre sans fourreau. Naoko pouvait maintenant capter sa rage, sa colère, sa détermination.

Mais Ayumi paraissait ignorer une chose : Naoko éprouvait les mêmes sentiments.

Elle aussi était une lame nue.

78

Le temps est avec moi.

Passan se sentait en osmose avec l'apocalypse qui emportait la ville. Une pluie de mousson. Un déluge obstiné qui semblait ne jamais devoir cesser. Des nuages sales se partageaient le ciel mais on les devinait seulement à travers la bâche grise qui se déversait partout dans les rues, dans les cols, dans les âmes.

Fifi conduisait à fond, les lueurs du gyrophare s'éparpillant comme des éclats de verre dans la tempête. Passan ne savait même pas s'il avait mis le deux-tons : on n'entendait que le fracas de l'orage. Quand ils parvinrent sur les hauteurs du Mont-Valérien, il prononça mentalement une prière. Que toute cette flotte efface les profanations subies par la villa. Que l'eau vienne absoudre leurs péchés. Il ne perdait pas espoir.

Pas seulement pour l'enquête. Pour ses enfants, sa maison, son foyer peut-être…

— J'en ai pour cinq minutes, prévint-il quand ils furent arrivés devant chez lui.

Il bondit dehors et fut aussitôt aspiré par la tourmente. Il actionna la télécommande du portail et fila à travers les pelouses. Quand il pénétra dans la villa, il n'était plus qu'une loque tiède et dégoulinante. Il prit tout de même la peine d'enlever ses chaussures.

Il gagna directement le sous-sol. Selon toute logique, il aurait dû faire sa valise dans son studio de Puteaux mais il préférait revenir au bercail. D'ailleurs, il avait oublié ici son passeport ainsi qu'une boîte à chaussures contenant ses vieilles recharges d'agenda, où il consignait ses moindres faits et gestes depuis des années.

Il prit celles qui l'intéressaient et les glissa dans les poches de sa veste. Il fourra dans un sac de sport quelques vêtements ainsi qu'une trousse de toilette. Pour l'élégance et les chemises sans pli, on verrait une autre fois. Ses gestes étaient entravés par ses frusques visqueuses. Ses narines étaient emplies d'effluves familiers : linge humide et asphalte trempé. Une odeur de planque, de sale boulot de flic. *Il aimait ça.*

Quand il remonta, il fut frappé par l'écho de la maison. Les gouttes claquaient partout à la fois. Les volumes semblaient libres maintenant de jouer avec les résonances, avec le vide. Des ombres liquides circulaient, comme des spectres phréatiques. Jamais sa baraque ne lui avait autant fait l'effet d'un sanctuaire. Il avait l'impression de se trouver dans le mausolée de Lénine.

Sur le seuil de la maison, une nouvelle idée lui vint. Il posa son sac et monta quatre à quatre au premier. Il pénétra dans la chambre de Naoko, ouvrit le tiroir du meuble de chevet.

Le *kaïken* n'était plus là.

Fifi blindait sur la voie d'arrêt d'urgence, sirène hurlante. L'avion de Passan décollait à 20 heures. Il avait trouvé in extremis une place sur ANA. Il se dit qu'il pourrait refaire ses provisions à la pharmacie de l'aéroport. Il aurait ensuite douze heures de vol pour lécher ses plaies et ressasser les informations qu'il possédait – ou du moins ses hypothèses.

Face au terminal 1 de Roissy-Charles-de-Gaulle, il eut l'impression de franchir un grand rideau de boue grise, dont les pans s'ouvraient sur un exode. Les passagers se pressaient vers l'immense rotonde. Les parapluies se tordaient dans la tempête. Les caddies roulaient dans les flaques, produisant des gerbes sales.

Il dégrafa son holster et remit l'arme à Fifi. En retour, le punk lui tendit des feuilles tout droit imprimées d'Internet :

— La doc que tu m'as demandée.

Olivier attrapa la liasse et la roula dans sa poche de veste. Dernier cadeau de l'adjoint : un sac de papier kraft bien rempli.

— Réserve personnelle du docteur Fifi.

— Tu veux que je me fasse arrêter à la douane ?

— Si tu passes avec ta gueule, plus rien peut t'arriver.

Passan lui pressa l'épaule en souriant.

— On reste en contact ? fit le punk, soudain sérieux.

— Bien sûr.

— Tu veux qu'on surveille son mobile ?

— Inutile. Elle ne s'en servira plus. Elle a un portable japonais.

Naoko se serait plutôt fait couper les deux mains plutôt que d'utiliser à Tokyo son téléphone français. Esprit pratique, esprit de survie.

Il ouvrit sa portière.

— T'es sûr de ton coup ? insista Fifi.

— C'est toi qui l'as dit : *Moi seul je sais quand elle a froid…*

Il attrapa son sac à l'arrière et s'éloigna de la bagnole sans se retourner.

Une heure plus tard, il était installé dans la cabine du vol direct NH 206 pour Tokyo, en classe économique. « Confortable » aurait été un mot excessif mais il était assis près du hublot et ses brûlures lui accordaient une trêve. Dans l'état actuel des choses, son bonnet vissé sur la tête, il n'aspirait à rien de plus.

Il n'attendit pas le décollage pour se plonger dans son dossier. Une documentation complète sur la gestation pour autrui. Les étapes principales – fécondation in vitro, transfert embryonnaire… –, les pays où ces techniques étaient autorisées – États-Unis, Canada, Inde… –, la procédure à suivre pour trouver une mère porteuse…

Naoko était allée aux États-Unis, il en était certain. Côte Ouest, la plus proche du Japon. Elle avait toujours été fascinée par les States qu'elle voyait comme une sorte de Terre promise pour les émigrés. Vision naïve selon lui, mais qu'il respectait et comprenait. Au fil des pages, des points techniques l'arrêtèrent. Naoko avait dû stocker en douce son propre sperme. Comment avait-elle fait ? Ils n'avaient jamais utilisé de préservatifs.

Peu à peu, il évaluait l'ampleur du mensonge. Tout ce qu'elle avait dû dissimuler, travestir. Visites médicales. Examens. Voyages. En réalité, elle ne s'était jamais cachée mais l'avait trompé sur la nature de ses actes. Ce n'étaient pas des mensonges par omission, mais par *transcription*. Toutes ces années, Naoko avait mené une double vie.

Il sortit de sa poche les recharges d'agenda. 2003. 2005. Les années de naissance des enfants. À la lumière de son secret, les dates et les voyages de Naoko prenaient un autre sens. Près de neuf mois avant ses soi-disant accouchements, elle était partie au Japon. Chaque fois, la veille, ils avaient fait l'amour. Elle prétendait que cela lui portait bonheur.

En réalité, elle effectuait sa collecte.

Elle s'était alors rendue dans une clinique pour y subir une FIV. Un ou plusieurs embryons avaient été placés dans l'utérus de la « porteuse ». *Ayumi Yamada*. Il releva les yeux et réfléchit. Qui était-elle ? Une candidate inconnue ? Une amie ? Une cousine ? Était-elle japonaise ? Américaine ? Japonaise émigrée aux États-Unis ?

Dans tous les cas, si c'était bien elle la meurtrière, quelque chose ne cadrait pas : Naoko, qui était la prudence incarnée, n'aurait jamais confié une telle mission à une personne instable ou inquiétante. Or, on ne devient pas psychotique du jour au lendemain. Si Naoko connaissait sa candidate, comment n'avait-elle pas décelé les signes de sa folie latente ?

Retour à l'agenda. Huit mois plus tard, nouveau départ de Naoko. Pour « accoucher ». Où le rendez-vous avec l'autre était-il fixé ? À Tokyo, bien sûr. On ne pouvait tricher avec le lieu de naissance. D'autres questions se posaient donc : comment Ayumi Yamada avait-elle pu enfanter et déclarer des garçons sous le patronyme de Passan ? S'était-elle fait passer pour Naoko ? Les complices avaient mis au point une combine – il la découvrirait. Un mois plus tard, Naoko revenait, les yeux brillants d'émotion, un bébé dans les bras.

Restait le mystère des gestations parisiennes. Fifi n'avait rien trouvé sur d'éventuels produits permettant de déclencher une grossesse artificielle. Rien non plus sur quoi que ce soit qui puisse gonfler l'abdomen. Peu importait : le résultat était là. Naoko avait tout mis en œuvre pour le tromper, jusqu'au test de grossesse positif.

L'avion décolla. Vrombissement des réacteurs. Vacarme des consignes de sécurité, débitées par une voix trop forte, mal diffusée. Passan referma son dossier. Il aurait dû être hors de lui. Il était juste épuisé, à la fois fiévreux et hébété.

Il regarda autour de lui et nota que l'avion était bourré de Japonais. Tant mieux : leur discrétion naturelle les empêcherait de le dévisager, avec sa gueule de toast grillé. Le temps du vol, il aurait l'impression d'être normal. Et cela continuerait sans doute à Tokyo...

466

À cette idée, ses brûlures se rappelèrent à lui. Sa peau lui paraissait se fissurer comme l'écorce d'un marron cuit. Il attendit que les signaux des plafonniers s'éteignent et s'enferma dans les toilettes pour une nouvelle tournée de Biafine. Il avala aussi deux cachets de Fifi – autant dormir plutôt que de ressasser les mêmes suppositions durant douze heures…

De retour sur son siège, il ferma les yeux, avec l'intention de trier une dernière fois ses hypothèses. Au lieu de ça, des souvenirs jaillirent. Le plus surprenant : des souvenirs heureux. Des instants de partage, d'insouciance, de complicité avec Naoko. Chaque fois, le même détail surgissait, incompréhensible, aussi précis qu'une aiguille perçant de la gaze.

Le rire de Naoko.

La Japonaise avait une particularité : elle retenait son rire. Ses manifestations de joie se résumaient à une buée, un soupçon sur ses lèvres. Et si jamais un bref éclat s'échappait, elle le dissimulait aussitôt derrière sa main. Pourtant, en de rares occasions, le vrai rire avait fusé, étincelles aiguës, roucoulements graves, pur dessin de sensualité révélant des dents parfaites. D'autant plus étonnant qu'il était survenu en des occasions inattendues. Une fois, dans une piscine dont l'eau était trop froide. Une autre, lors d'une séance de karaoké dans le quartier de Shibuya, ou encore quand Passan avait failli se faire mordre par le nouveau chien de ses parents. Alors, c'était comme si la porcelaine du visage éclatait et révélait une texture inédite. Des particules de joie s'évaporaient dans l'espace, comme lorsqu'on souffle sur un poudrier. Passan songeait aussi à la poudre de magnésium qu'utilisent les gymnastes pour défier les lois de l'apesanteur. C'était exactement ça : Naoko s'échappait, s'envolait, comme un nuage de talc. Dans ces moments-là, il se disait que son âme était d'une clarté inouïe, d'une pureté inconnue.

Vraiment pas beaucoup de pif, le flic...

Pourtant, il la comprenait. Elle ne lui avait rien dit parce qu'à ses yeux une femme sans utérus n'est pas une femme. C'était une décision japonaise. *Le mensonge ou le suicide.* Il rencontrait donc Naoko sur un sentier où il n'aurait jamais pensé la croiser. Celui de la tradition nippone. De l'honneur dur et pur. Il revoyait, en guise de confirmation, son regard immobile, laque noire absolument indéchiffrable, qui avait pourtant l'étrange limpidité du mystère.

Tout ce qu'il pouvait faire maintenant, c'était voler à son secours.

Utajima. Ayumi Yamada. Un lieu, un adversaire. Pas besoin d'être un génie pour deviner qu'il s'agissait d'un rendez-vous. Un rendez-vous mortel.

Naoko rentrait chez elle pour régler ses comptes.

C'était une histoire de sang et de haine. Une histoire comme les flics les aiment.

Et ça, même à dix mille kilomètres de chez lui, il pouvait gérer.

80

15 heures, le lendemain, heure locale.

En sortant de l'avion, Passan ne fut pas dépaysé. Le tarmac lustré de pluie se mêlait au ciel bas et sans couleur. On ne savait plus qui était le reflet, qui était le modèle, qui salissait l'autre... Le déluge parisien se poursuivait ici. Réponse logique du destin. Après tout, il était au Japon pour finir ce qu'il avait commencé en France.

Ce décor atone lui rappelait son propre état. Dans la cabine, il ne s'était pas endormi : il avait carrément tourné de l'œil. Il s'était réveillé quelques minutes avant l'atterrissage, sans avoir perçu quoi que ce soit du vol. Aucun souvenir du moindre rêve. Au moins, son corps était reposé.

Il suivit ses compagnons de voyage et se retrouva dans un vaste hall qui évoquait une édition bilingue : japonais d'un côté, anglais de l'autre. Narita ressemblait à tous les aéroports du monde. Structure de béton. Lumières brisées. Matériaux brillants et froids. À une différence près, qu'il constatait chaque fois avec la même surprise, la même candeur : il n'y avait plus ici que des Japonais, ou presque.

Les visages étaient plats, à la fois souriants et fermés comme des serrures à trois points. Ils se multipliaient à l'infini sous leur casque de cheveux noirs. Passan retrouvait l'excitation, l'enthousiasme qui l'avaient saisi un jour de 1994, lorsqu'il avait posé le pied pour la première fois sur l'archipel. Il éprouvait un mouvement de reconnaissance vague à l'égard de ce peuple et de cette terre.

Ayant gardé son sac en cabine, il s'orienta directement vers la sortie. Avant de partir, il n'avait passé qu'un coup de fil : à 17 heures à Paris, minuit à Tokyo, il avait contacté le frère de Naoko, Shigeru. L'homme pouvait le guider dans la ville tentaculaire et possédait forcément des informations sur l'histoire. Passan avait été clair : pas question de se défiler. Shigeru, en tant que membre du complot, lui devait aujourd'hui aide et soutien.

Il franchit les douanes et accéda au hall d'arrivée. Shigeru l'attendait, avec sa veste de lin chiffonné et son allure de prof altermondialiste. Dans les livres ou les films de *gaijin*, les Japonais sont toujours impassibles ou bloqués en mode sourire. Ils se tiennent droit comme des I, les bras le long du corps, toujours prêts à vous saluer à quatre-vingts degrés, avec la rigidité d'un automate. Shigeru ne correspondait pas à ce standard. Âgé de la quarantaine, il était d'une décontraction à toute épreuve, loin des vieilles crampes du passé. Revenu de tout, du rock, de l'alcoolisme et des drogues, il était maintenant professeur d'anglais et de français. Sans regret ni amertume.

Passan lui fit un signe de la main sans sourire. On se passerait des effusions familiales. S'il pardonnait à Naoko, il éprouvait un sourd ressentiment à l'égard de sa famille. Leur attitude ne faisait que renforcer sa conviction : ils l'avaient toujours méprisé, lui, le *gaijin*.

— Salut, Shigeru.

— Olivier-san.

Ils s'inclinèrent et se serrèrent la main à la fois. Passan n'avait jamais été à l'aise avec son beau-frère. En vérité, il n'était à l'aise avec aucun Japonais de sexe masculin. Il se sentait toujours auprès d'eux en rivalité. Sans savoir s'il s'agissait d'une paranoïa personnelle ou d'une réalité effective.

Shigeru l'accueillit à la japonaise : pas un mot à propos de son visage grillé, ni de son bonnet qui ressemblait à une chaussette enfoncée sur son crâne.

— Ils sont arrivés ? s'inquiéta Passan.

— Shinji et Hiroki sont chez nos parents.

— Et ta sœur ?

— Déjà repartie.

— Où ?

— Aucune idée.

Les mensonges commencent, se dit Passan. Il l'observa durant quelques secondes. Shigeru était un dandy aux cheveux longs et au bouc grisonnants, vêtu à la cool, parapluie sous le bras. Son visage présentait des traits émaciés, adoucis par de fines lunettes rondes qui trahissaient sa reconversion intellectuelle. Sa chevelure épaisse, plantée haut, lui donnait un air hautain et volontaire que l'expression des lèvres, toujours indécise, venait contredire.

— Tu as des choses à me dire, non ?

Shigeru attrapa d'autorité son sac.

— On va prendre l'express. Dans une heure, on sera à Tokyo.

Première esquive. Passan se dit qu'il n'était pas encore temps de le secouer mais il était bien décidé à se comporter ici en flic brutal et expéditif. Il venait en force d'intervention, pas en diplomate.

— Je veux voir les enfants.

— C'est prévu. Mes parents nous attendent.

Il se crispa :

— Tu crois que je serai le bienvenu ?

Shigeru éclata de rire :

— Comme toujours !

Extrême perversité de la réponse. *Calme-toi*. Il suivit son guide jusqu'à la sortie, réalisant que le Japon était le pire territoire pour une enquête criminelle.

81

Dès qu'il fut dans la navette, Passan remarqua que quelque chose clochait. La voiture était faiblement éclairée. La climatisation ne marchait pas. Ce qui signifiait que le système avait été arrêté *volontairement* – rien ne tombe jamais en panne sur l'archipel.

Fukushima. Passan se souvint qu'une politique de rigueur en matière d'électricité faisait suite au tsunami du mois de mars et à la catastrophe nucléaire. Le Japon qu'il allait découvrir tournait donc en sous-régime, portant une sorte de deuil de l'énergie. Pour l'heure, la chaleur était telle dans la voiture qu'il avait le sentiment de se trouver dans une serre tropicale.

Côté passagers, il ne repérait que des modèles courants. Routards enthousiastes, tendance australienne ou américaine. Hommes d'affaires impassibles, appuyés sur leurs valises à roulettes. Hôtesses japonaises, dans leur costume bleu sombre, riant derrière leur main. Des passagers lisaient mais leur livre était toujours couvert de la même façon, comme si chacun était plongé dans le même mystérieux ouvrage, recettes de vie ou préceptes philosophiques qui apprenaient à avancer dans la même direction. D'autres sommeillaient. Un des superpouvoirs de la population nippone est sa capacité à s'endormir dans n'importe quelle circonstance. Une femme ronflait la bouche ouverte. Un homme en costume roupillait carrément debout, sa maigre carcasse épousant les secousses du train, à la manière d'une structure antisismique.

Du plat de la main, Passan effaça la buée sur la vitre. Une longue plaine d'habitations se dissolvait dans l'horizon liquide. Les maisons compressées grappillaient le moindre espace jusqu'au bord de la voie ferrée. Cette grisaille indistincte était coiffée d'antennes satellite, d'auvents de tôle, de toitures vernies de pluie. Le tableau évoquait un lavis japonais à l'ancienne, où l'encre de Chine est diluée en de multiples nuances monochromes.

Juin est la saison des pluies au Japon. Ce qu'on appelle ici *tsuyu*, ou encore, *nyubaï*. Quelques semaines d'une averse continue, inlassable. Il y a des variantes – bruine, vapeur, crachin, mitraille… – mais ni le ciel ni la terre ne s'assèchent jamais. Les hommes croupissent dans l'humidité. Les idées prennent l'eau. Une chaleur asphyxiante, moite et visqueuse, complète l'épreuve. C'est une mousson sans tropique. Un déluge sans Noé. Il ne reste plus qu'à attendre l'été, le vrai, comme on attend son linge près du séchoir dans une laverie automatique.

Chiba. Funabashi. Takasago. Tokyo Station. Le silence régnait entre Passan et Shigeru. Pas question de parler dans la rame. Enfin, l'express atteignit le centre de la ville, à la manière d'une longue aiguille touchant le cœur d'un organe.

À la station Shibuya, le beau-frère prévint :

474

— On va prendre un taxi.

Shibuya est un des quartiers les plus modernes de Tokyo. Néons bigarrés, façades de verre, magasins de high-tech, gamines *kawaii* : tout le monde connaît ces images. Aujourd'hui, tours, enseignes, voitures, parapluies, tout disparaissait sous le déluge. Le crépitement de la pluie couvrait le vacarme de la circulation, le sifflement des rames de métro, la musique des boutiques, le brouhaha de la foule…

— Attends-moi ici, cria Shigeru.

Passan recula sous l'auvent d'un magasin de téléphones cellulaires. De nouveau, il remarqua des signes de restriction : des vitrines, au lieu de briller de mille feux, offraient un clair-obscur inquiétant, les distributeurs de boissons, d'ordinaire violemment rétro-éclairés, étaient plongés dans l'ombre, d'autres boutiques étaient carrément fermées. Tokyo était en convalescence.

Le flic ouvrit ses poumons et prit une large bouffée d'air japonais. Il ne voyait que des parapluies. Larges comme des coupoles, colorés comme des parasols ou transparents comme des tentes à oxygène. Dessous, il discernait à peine des salariés pressés, des fillettes en minijupe et bas résille, des mères de famille au visage maussade, qui semblaient porter leur maison, leur mari, leurs enfants sur leur dos à la manière de lentes tortues, des « sojas », jeunes hommes efflanqués aux cheveux jaunes et boots croco, qui avaient perdu leur âme dans un dédale de pilules et de circuits informatiques.

— Olivier-san !

Shigeru avait trouvé une voiture. Passan franchit la houle humaine et se glissa à l'intérieur. Gants blancs, odeur de blanchisserie, portière automatique : les taxis nippons, c'était la quintessence du métier, aux anti-podes de la conception parisienne.

Il reprit son souffle, serrant son sac de voyage contre sa poitrine. Comme à chaque fois, il se laissait guider. Impossible de faire autrement. Il ne compre-nait rien à l'écriture japonaise. N'avait aucun sens de l'orientation. Et d'ailleurs, il savait que la plupart des rues n'ont ici ni nom ni numéros.

Ils roulèrent pendant vingt minutes. Les parents de Naoko vivaient dans le quartier de Hiroo, une zone résidentielle qui abrite l'ambassade de France. Il avait le ventre vide, la tête lui tournait, mais il était aux anges. Paradoxalement, il ressentait toujours à Tokyo, métropole de plus de trente millions d'habitants, une paix bienveillante. Où qu'il soit, quels que soient la foule, la circulation, les ponts suspendus, la folie des idéogrammes, il éprouvait un sentiment d'ordre et de sérénité.

Le taxi stoppa. Passan laissa Shigeru régler : il n'avait pas changé d'argent. Encore un point faible.

Dehors, l'averse s'était calmée mais la chaleur ne baissait pas. *Changement de décor.* Des avenues à taille humaine, désertes et silencieuses, brillaient sous la pluie. Au loin, les panaches de vapeur d'un bain public, la tache verte d'un terrain de baseball, et, au-dessus de leurs têtes, les festons de câbles et de fils électriques quadrillant le ciel de Tokyo comme un filet de pêcheurs. Longtemps, il s'était demandé pourquoi, au paradis de la haute technologie, on en était resté, côté transmissions et énergie, au stade du Far-West et de ses poteaux télégraphiques. La réponse était simple : au pays des séismes, pas question d'enterrer

les câbles et de risquer des courts-circuits à la moindre
secousse.

Ils s'arrêtèrent devant un portail de fer peint en vert.

La maison familiale.

82

Les parents de Naoko habitaient une villa moderne, sans signe particulier. Enduit gris, tuiles brunes, lignes sobres. La seule originalité se situait derrière la maison : un potager de près de cinq cents mètres carrés qui faisait figure de luxe incroyable dans l'économie habituelle des espaces au Japon.

Ils pénétrèrent dans la demeure sans sonner, après avoir ôté leurs chaussures. Shigeru ne prit pas la peine de crier le traditionnel *tadaïma* (me voilà). La maison paraissait vide. Vide et brûlante. D'ordinaire, on y grelottait comme dans un congélateur. Aujourd'hui, seul un ventilateur tournait, au plafond du salon. Passan prit conscience de ses vêtements trempés, de sa peau gluante : cela n'allait pas s'arranger.

Il posa son sac et retrouva les lieux comme s'il les avait quittés la veille. Les murs portaient seulement les fissures du dernier tremblement de terre. Depuis mars dernier, expliqua Shigeru, les Tokyoïtes essuyaient deux ou trois secousses par semaine. À quoi bon entreprendre des travaux s'il fallait bientôt reconstruire toute la maison ? Passan ne releva pas. Il était habitué au stoïcisme des Japonais : si on ne peut rien faire face à un problème, c'est donc que, d'une certaine façon, il n'existe pas.

La maison présentait la dualité classique entre styles asiatique et occidental. D'un côté des pièces meublées à l'européenne, de l'autre un espace traditionnel, tapissé de nattes. Mais même dans les pièces modernes, les lignes étaient japonaises. Les parquets de cyprès brillaient comme de la soie noire et les tons crème et chocolat offraient une sobriété toute nippone. Des calligraphies verticales, soigneusement encadrées, étaient aussi là pour rappeler dans quel sens on voyait la vie ici.

Ils traversèrent la salle à manger et accédèrent au salon. Toujours personne. Shigeru se retourna et sourit devant l'expression inquiète de Passan :

— Ils sont dans le jardin.

Il ouvrit la baie vitrée de la véranda. Un souffle humide s'engouffra dans la pièce. Shinji et Hiroki, coiffés de chapeaux voilés d'une moustiquaire, s'activaient entre les plants de piments, de citrouilles, de concombres.

Dès qu'ils aperçurent leur père, ils volèrent au-dessus des travées et se jetèrent dans ses bras. En l'espace de quelques jours, ils avaient changé plusieurs fois de maison, quitté l'école, pris l'avion et se retrouvaient maintenant chez leurs grands-parents japonais, le tout en pleine période scolaire. Pourtant, la situation semblait leur convenir. Même le décalage horaire n'avait pas affecté leur spontanéité.

— On ramasse des tomates avec papi et mamie ! claironna Shinji, tout en retirant d'énormes gants de jardinier.

— Et on a un nouveau chien ! renchérit Hiroki. Il s'appelle Cristal !

Les deux garçons étaient couverts de boue, de joie et de lumière. Relevant la tête, Passan aperçut les grands-parents en embuscade, derrière leurs plants de tomates. Lui, le teint foncé, lisse comme un marron, affichait des airs souriants de grand-père tranquille. Elle, petite, très pâle au contraire, toujours vêtue de gris et de brun, agitait la main, comme sur un quai de gare. Son visage brillait à la manière d'une lampe de papier, produisant un éclairage indirect, feutré, sur le monde.

— *Okaeri nasai* (bienvenue à la maison), crièrent-ils en chœur.

Shigeru avait dû les prévenir : ils n'avaient pas l'air surpris de le voir. En retour, Olivier était heureux de les retrouver, malgré tout, et ému par les souvenirs. Il avait connu ce potager grésillant en plein été, sous le tintamarre des grillons. Il l'avait découvert assourdi par la neige en hiver. Il l'avait admiré en automne, alors que les pins murmuraient dans le vent et que les feuilles d'érables saignaient à terre.

Quand ses beaux-parents furent près de lui, il s'inclina en souriant et bredouilla quelques mots en anglais. Ils répondirent en japonais. Il ne s'était jamais entendu avec eux. Pour s'entendre, il faut se comprendre. Et pour se comprendre, il faut parler la même langue.

Ce qu'il savait à leur sujet, il le tenait de Naoko – et aussi de son intuition. Le père le méprisait cordialement, sans en faire une affaire personnelle. La mère l'appréciait mais, paradoxalement, le craignait aussi. Il appartenait au monde de ses rêves. Or, d'une certaine façon, il était trop concret. En sa présence, elle détournait les yeux, ne lui posait jamais de questions, comme lorsqu'on redoute de voir un désir se réaliser. Au fond, Passan et elle se ressemblaient : elle était fascinée par la France, il était fasciné par le Japon. Ils s'étaient croisés sur le tarmac des chimères.

Mme Akutagawa proposa une citronnade. Très vite, la conversation, traduite par Shigeru, roula sur les sujets les plus impersonnels. Au Japon, quand on cesse de parler du chien ou de la météo, on passe aussitôt pour le pire des fouineurs. Passan avait envie de hurler. Ou de casser la table basse à coups de pied. Impossible de deviner ce que les parents savaient exactement. Une certitude : ils ne diraient pas un mot.

Il accepta un nouveau verre de citronnade. Il n'avait pas mangé depuis plus de vingt-quatre heures et son estomac lui paraissait noué comme une corde d'amarrage. Sans compter son visage qui le brûlait de nouveau. Les parents n'avaient pas posé une question sur ses plaies, ni sur son bonnet absurde.

De temps à autre, il lançait un coup d'œil vers le jardin. Shinji et Hiroki slalomaient entre les rangs serrés de salades, à la poursuite de Cristal, un Akita, une des espèces emblématiques de l'archipel. Ce spectacle était sa première victoire en terre hostile. Il était au moins sûr que personne ici ne connaissait la gravité de la situation. Même chez les Akutagawa, une telle crise n'aurait pu être gérée aussi calmement. Naoko était passée en coup de vent. Elle avait déposé les enfants et était repartie, sans s'expliquer. Le père et la mère avaient cru sans doute à une scène de ménage plus grave que d'habitude, ou à une complication dans leur divorce – s'ils étaient au courant.

Son téléphone sonna dans sa poche. Il se leva en s'excusant et décrocha dans la pièce voisine. Il reconnut avec étonnement la voix de Fifi. Il avait déjà oublié Paris, son enquête, son équipe.

— J'ai tes renseignements, annonça le punk. J'ai réussi à secouer un mec des visas et...

— Qu'est-ce que ça donne ?

— Ayumi Yamada est arrivée à Paris le 24 mars. Elle a donné l'adresse de l'hôtel Scribe mais elle n'y a jamais foutu les pieds.

— Où a-t-elle vécu ?

— Aucun moyen de le savoir.

Malgré la chaleur, il tremblait dans ses frusques humides.

— Elle est repartie au Japon ce matin, à 8 h 40, heure de Paris. Le vol 7654 de la JAL.

— Elle sera à Tokyo demain matin.

— Pas à Tokyo. Elle a pris un transfert pour Nagasaki. Arrivée 10 h 22, heure locale.

Utajima désignait donc un lieu situé sur l'île de Kyûshû, l'une des plus méridionales du Japon. Un port ? Un village ? Un sanctuaire ? *Le « temple du poème »*. Déduction implicite : Naoko était déjà en route. Lui non plus ne devait pas traîner.

La voix de Fifi lui revint aux tympans :

— Et toi ? Où t'en es ?

Il contempla les murs fissurés, le parquet noir, les calligraphies mystérieuses.

— Pour l'instant, nulle part.

Il raccrocha. Il ne lui restait plus que quelques heures pour trouver le lieu exact du rendez-vous. Et enquêter sur Ayumi Yamada. Il se plaça dans l'encadrement de la porte et fit signe à Shigeru. Il remit ses chaussures et retourna au potager pour dire au revoir aux enfants. Shinji et Hiroki venaient d'attraper le chien.

— On va lui nettoyer les pattes pour qu'il rentre avec nous dans la maison ! hurla Shinji.

Le flic resta en arrêt face à la beauté de la scène. Un rayon de soleil avait réussi à crever les nuages et éclairait le tableau d'une lumière de mercure. Les feuilles des plants, les légumes boueux, les pins trempés : tout brillait d'une manière féerique. Un fragment de la vie quotidienne nipponne. Pureté. Perfection. Simplicité…

Il éprouva une violente émotion en réalisant qu'il appartenait aussi à cette séquence – ces enfants étaient les siens et son destin avait véritablement fusionné avec cette terre adorée.

Il y vit un présage positif.

Shinji et Hiroki étaient la suite de l'histoire. Il devait se battre pour eux. Il allait doubler ici, au Japon, le cap le plus dangereux de son existence – mais ce serait pour mieux repartir.

83

— Qui est Ayumi Yamada ?

— Yamada Ayumi, répéta Shigeru dans l'ordre japonais. Une amie d'enfance de Naoko.

— Elle ne m'en a jamais parlé.

— C'est de la vieille histoire. Pourquoi cette question ?

Passan planta ses deux coudes sur le comptoir. Ils se trouvaient dans un bar minuscule qui sentait le houblon humide et le bois moisi. Un de ces lieux exigus dont Tokyo a le secret : on y tient à peine à six, la porte à glissière râle sur ses rainures, les plafonniers éclairent comme s'ils voulaient faire parler le moindre tabouret.

Le flic devinait que Shigeru ne simulait pas : il ignorait tout de la combine de Naoko. Il prit son souffle et résuma les évènements. Les attaques de la villa. Les prises de sang sur les enfants. Le sacrifice de Diego. Le meurtre de Sandrine. Au fil du discours, la décontraction de Shigeru fondit comme une noix de beurre sur un réchaud. Pourtant il parvenait encore à maîtriser sa surprise. Un cliché mais aussi une vérité : la capacité des Japonais à cacher leurs émotions.

— Utajima, continua Passan, tu connais ce nom ?

— Jamais entendu parler. Qu'est-ce que c'est ?

— Je ne sais pas au juste. Un lieu, un site, près de Nagasaki.

— On peut vérifier. Pourquoi ?

— Naoko a donné rendez-vous à Ayumi là-bas.

Shigeru intégra la nouvelle. Olivier le sentait prêt pour la suite.

— Tu savais que ta sœur souffre du syndrome de Rokitansky-Küster-Hauser ? Qu'elle n'a pas d'utérus ?

Le frère s'agita sur son tabouret. Les tables étaient si serrées que chacun pouvait profiter de la conversation du voisin mais ils n'étaient pas gênés par cette promiscuité. Ils bénéficiaient d'une double sécurité : la discrétion japonaise, la langue française.

— Tu le savais ou non ?

— J'en ai entendu parler, oui.

D'un coup, Passan perdit patience :

— Ta sœur ne peut pas avoir d'enfant et tu en as *simplement* entendu parler ?

— Tu sais, au Japon, nous sommes réservés et…

— Quand elle a accouché de Shinji, ça ne t'a pas étonné ?

— Je n'étais pas à Tokyo à l'époque.

Toujours ce don pour répondre à côté.

— Quand tu as appris la nouvelle, qu'est-ce que tu as pensé ?

— J'étais moi-même à l'hôpital. Dans une clinique, en plein sevrage. Je sortais d'une overdose et…

Olivier se pencha. Il était vraiment temps de passer au rôle qu'il connaissait le mieux.

— N'oublie pas qui je suis, Shigeru, fit-il en l'empoignant par le col (ce qui équivalait ici à un coup de poing dans le nez en France). Je suis encore le mari de ta sœur et je suis commandant de police. Arrête de me servir tes conneries.

La glotte de Shigeru sauta comme un curseur affolé. Ses yeux roulèrent dans leurs orbites, à la recherche d'une hypothétique issue de secours. On commençait à s'agiter dans le bar. Passan le relâcha.

— Je me suis douté qu'il y avait une histoire de technique nouvelle, un truc spécialisé, fit l'autre en rajustant son polo Lacoste. Je… je n'y connais rien. Ça… ça ne me regardait pas.

D'un geste, il commanda une nouvelle bière et but directement au goulot.

— Il n'y a que notre mère qui connaisse la vérité, reprit-il après une longue gorgée. Pas la peine de l'interroger. Elle ne te parlera pas.

Comme si c'était nécessaire de le préciser.

Le flic attrapa sa Kirin et s'enfila aussi une rasade. On leur avait proposé, en guise d'amuse-gueules, du thon mijoté, du gingembre, des rondelles de radis croquants. Olivier avait le ventre vide mais à l'idée de goûter ces trucs, son estomac se retournait déjà.

S'il voulait se faire un allié de Shigeru, il fallait lui donner toutes les cartes :

— Naoko a eu recours à une méthode interdite au Japon et en France mais autorisée aux États-Unis. En français, on appelle ça la « gestation pour autrui ». En anglais, *surrogacy*. Aujourd'hui, c'est une technique courante. Il suffit de taper sur Internet « meres-porteuses.com »…

Le Japonais ouvrait des yeux ronds.

— Je pense qu'Ayumi est la mère porteuse, conclut Olivier.

Il lui laissa le temps d'assimiler la nouvelle. La lumière s'abattait sur chaque élément comme un faisceau chirurgical. Les gouttes de sueur sur le front de Shigeru. Les paillettes d'or au fond des verres. Les reflets de la vaisselle de porcelaine, vert céladon, sur les étagères. Tout brillait d'un éclat précis et aveuglant.

— Quand Hiroki est né, repartit-il, tu étais à Tokyo, non ?

Shigeru acquiesça d'un bref signe de tête, comme à contrecœur.

— Tu n'es pas allé voir ta sœur à la clinique ?

— Ma mère m'a dit que c'était pas la peine.

— Tu m'étonnes. Ce n'était pas Naoko qui se trouvait dans le lit, mais Ayumi.

Shigeru finit par éclater de rire :

— Ce que tu racontes est impossible. Au Japon, on ne fait pas ce genre de choses.

Passan lui saisit le bras :

— Ayumi a porté Shinji et Hiroki dans son ventre. Je ne sais pas comment ni pourquoi ses rapports se sont détériorés depuis avec Naoko mais je suis sûr d'une chose : elle veut la tuer et récupérer les gamins. Tu piges ?

Son beau-frère se libéra de l'emprise et essuya ses paupières sous ses lunettes. Il eut un geste explicite à l'attention du serveur : saké. Apparurent sur le comptoir deux verres minuscules et un petit flacon de dînette. Olivier lui accorda plusieurs *shots* avant de revenir à son sujet :

— Parle-moi d'Ayumi.

— C'est loin. Je l'ai très peu connue.

— Le moindre élément : je suis preneur.

Shigeru haussa les épaules.

— À l'âge de treize-quatorze ans, elles étaient inséparables.

— Elles se sont connues au collège ?

— Pas au collège : elles fréquentaient le même dojo.

— Naoko pratiquait des arts martiaux ?

— Du *kenjutsu*.

— C'est comme le kendo ?

— Non, souffla-t-il avec une nuance de lassitude. Le kendo a été inventé à la fin du XIXe siècle, au début de l'ère Meiji, quand on a interdit le port du sabre. Le *kenjutsu* est la technique ancestrale. Celle des samouraïs.

— Quelles sont les différences ?

Il eut un geste vague :

— Le *kenjutsu* n'est pas un sport. C'est une méthode de combat sans merci. Pas de règle, pas de précaution. Par exemple, dans le kendo, on crie le nom de la partie qu'on veut toucher quand on attaque. Pas question de ça dans le *kenjutsu*. Le but est de tuer son adversaire, pas de le prévenir.

— Avec un vrai sabre ?

Shigeru éclata de rire :

— Non, heureusement ! Sinon, il n'y aurait plus un seul élève entier dans les dojos.

Le flic sentait la colère refluer dans ses veines. Il ne pouvait imaginer Naoko exerçant un art aussi ancien, aussi dangereux – elle qui avait toujours prôné les valeurs modernes du Japon, repoussé la moindre trace de tradition dans son existence. *Encore un secret.*

— Elle appartenait à une école particulière ? insista-t-il, incrédule.

Shigeru vida un nouveau verre. Son visage était congestionné par l'alcool.

— Celle de Miyamoto Musashi.

— Le samouraï ?

Passan connaissait cette grande figure du Japon. Ronin – samouraï sans maître –, peintre, calligraphe, philosophe, il était le héros d'innombrables légendes, romans et films de sabre.

— L'école s'appelle Hyoho Niten Ichi Ryu mais dans le langage courant, on dit simplement Niten.

— Pour un mec qui ne pratique pas, tu as pas mal d'infos...

Shigeru brandit le flacon vide à l'attention du serveur.

— Chez nous, tout ça est très connu.

À chaque réponse, Passan descendait d'un cran dans l'abîme. Il ne pouvait admettre que Naoko ait baigné dans ces eaux-là. Loin de lui réchauffer le cœur, cette nouvelle le glaçait plus encore. Il avait vécu dix ans avec une inconnue.

Il attrapa son verre et le vida cul sec.

— *Kanpaï*, murmura Shigeru tout bas, comme si un rot lui avait échappé.

Passan détestait le saké – un alcool tiède, mièvre, doucereux – et en cet instant, il détestait son ex. La chaleur du liquide lui fit pourtant du bien – de l'éther pour purifier ses plaies.

— Pourquoi ont-elles fini par se brouiller ?

Shigeru rajusta ses lunettes, trahissant son malaise :

— Ayumi est une fille spéciale.

— Quel genre ?

— Elle est muette de naissance.

Ce fait l'étonnait moins que le reste. Naoko n'avait pas dû être non plus une jeune fille classique – ni facile. Finalement, il les imaginait bien en pleine action, vêtues d'armures de cuir de bœuf, brandissant des sabres de bambou.

— Que sais-tu d'autre ?

— Rien. Je les croisais à la maison. Elles n'arrêtaient pas de gesticuler. Elles parlaient la langue des signes.

— Naoko l'avait apprise ?

— Pour Ayumi, oui.

Il se demanda si leur relation n'excédait pas la simple complicité.

— Elles étaient juste amies, fit Shigeru comme s'il lisait dans ses pensées. Une amitié exclusive, passionnée, comme on en a durant l'adolescence. Le serment du sang, les promesses éternelles, ce genre de trucs. En fait, Ayumi n'est pas sourde et il n'y a aucune raison de lui parler par signes, mais Naoko subissait une sorte de mimétisme. Ce langage tissait entre elles une proximité supplémentaire.

Passan avait la bouche brûlante. Il avait l'impression que sa langue gonflait comme celle d'un animal étranglé par la soif. Il empoigna le flacon et se servit encore une fois. De l'huile sur le feu. Il sentait le saké s'infiltrer dans ses veines.

— À quel âge se sont-elles séparées ?

— À peu près à l'époque où Naoko a commencé le mannequinat.

Il essaya plusieurs hypothèses. La jalousie. Naoko allait voyager, monter sur les podiums, passer du rôle de complice à celui de « star ». Une histoire de garçons était aussi possible. Ou simplement la lassitude, après des années de fusion…

Mais pourquoi alors Naoko l'avait-elle choisie pour cette mission de confiance ? Quand lui avait-elle avoué son infirmité ? Durant leur amitié ou bien plus tard, au moment de trouver une mère porteuse ? Il opta pour la première solution : Ayumi était la seule à connaître son secret. Voilà pourquoi Naoko s'était tournée vers elle.

— Tu as une photo d'Ayumi ?

— Je pense qu'on peut trouver ça chez les parents. Ma sœur a laissé pas mal de souvenirs dans sa chambre.

À l'idée de fouiller parmi les affaires de sa femme, le dégoût l'envahit. Il but encore un verre et se dit qu'il devait prévenir les flics japonais. Ou l'ambassade française. Il avait noté les coordonnées de l'agent de liaison.

Mais la voie officielle prendrait des heures. Il n'avait pas le temps pour ces salades.

Sans compter que personne ne le croirait. Et qu'il n'avait pas l'ombre d'une preuve…

Il se leva et fut saisi d'un vertige. Trois verres de saké, et toujours à jeun. Des rires fusèrent dans son dos. Le *gaijin* qui ne tient pas l'alcool…

Un gargouillis sonore retentit au fond de ses tripes. Il fallait absolument qu'il mange quelque chose.

— Tu crois que ta mère me ferait un sandwich ?

84

La nuit était tombée, comme précipitée par la pluie qui avait repris. Plus fine, plus discrète maintenant. On respirait de l'air liquide. La rue qu'ils descendaient était typiquement japonaise : une chaussée sans trottoir serpentant en douceur, un sol marqué par de larges caractères, des murs aveugles protégeant des villas invisibles, des arbres s'inclinant avec bienveillance vers le bitume. Parfois de minuscules bazars, débordant d'objets hétéroclites, faisaient saillie, avec une *mama-san* postée sur le seuil. Et toujours les fils, les câbles, les enseignes pour relier tout ça à la manière d'une toile d'araignée.

— Ayumi, demanda Passan, tu ne l'as jamais revue ?

— Si.

Il s'arrêta et considéra Shigeru qui levait au-dessus d'eux son parapluie. Les gouttes de pluie produisaient un roulement léger de caisse claire.

— Quand ?

— Il y a quelques mois, quand son père est mort. Mes parents ont été prévenus. Ma mère m'a traîné au *kokubetsu shiki*.

— C'est quoi ?

— La cérémonie qui a lieu après l'incinération.

Passan se souvenait d'un autre mot pour les funérailles, s'achevant en « a ». Il n'insista pas : ce n'était pas le moment de prendre un cours de vocabulaire.

— Ayumi, elle t'a parlé ?

— C'est de l'humour ?

Passan le fusilla du regard. Le Japonais, grâce au saké, avait retrouvé sa décontraction naturelle, sa manière particulière d'effleurer les choses et les idées.

— Elle m'a juste écrit un truc sur un bloc, reprit-il. Une simple question.

— Laquelle ?

— « Comment va Naoko ? »

Cela pouvait être une simple formule de courtoisie. Ou au contraire un appel de détresse, à la japonaise. Une allusion détournée au silence de son amie.

— Elle était dans quel état ?

— En général, à l'enterrement de son père, on n'est pas dans une grande forme. Ayumi est fille unique. Sa mère est morte à sa naissance. Ils étaient très proches, son père et elle.

— Elle était donc bouleversée ?

— Impossible de savoir. Ayumi est une fille... indéchiffrable.

Dans la bouche d'un Japonais, cela équivalait à un record du monde. Passan réfléchit. Cette disparition pouvait avoir provoqué son basculement dans la folie. En tout cas l'aggravation de son état mental.

— Ces funérailles, c'était quand ?

— Au mois de février, je crois.

— Tu crois ou tu es sûr ?

— Je suis sûr.

Cela collait. Perdue, orpheline, Ayumi Yamada s'était souvenue qu'elle possédait une autre famille. Les enfants qu'elle avait portés dans ses flancs. Elle avait débarqué à Paris à la fin du mois de mars.

« ILS SONT À MOI. »

— De quoi est mort le père d'Ayumi ? demanda-t-il en reprenant sa marche.

Shigeru marmonna un mot incompréhensible. Sous la lumière des réverbères, son regard paraissait absent, ses traits flottants. Un sourire restait suspendu sur ses lèvres. Il était complètement saoul.

— De quoi est-il mort ? insista Passan.

— Suicide, prononça l'autre un peu plus fort.

Le flic avait l'impression de suivre un chemin balisé. Après le *kenjutsu*, le suicide. C'était comme si la lourde machine du Japon traditionnel se réveillait.

— Comment s'est-il tué ?

— Il s'est pendu.

— Il y a eu une enquête ?

— Je crois, oui. Sans suite.

Alors que Shigeru semblait dériver de plus en plus, Passan au contraire retrouvait son rythme, son acuité. Il reconstitua mentalement l'enchaînement des faits. Suicide du père. Solitude. La muette avait contacté Naoko, qui n'avait pas répondu. Sa détresse s'était transformée en rage. Puis en folie meurtrière.

— Ayumi, quel est son métier aujourd'hui ?

— Elle est gynécologue, comme son père.

Un instant. Pas si vite. Après avoir nagé dans le noir, toutes les lumières s'allumaient à la fois : Ayumi n'était pas seulement l'amie d'enfance à qui on confie une mission cruciale, elle était celle qui avait tout organisé. Naoko avait peut-être appris sa spécialisation et l'avait contactée pour lui proposer sa combine. Mais un fait coinçait :

— Comment peut-elle exercer avec son handicap ?

Shigeru se passa la main dans son épaisse tignasse grisonnante – beaucoup de poivre, un peu de sel.

— Elle ne consulte pas, elle fait de la recherche.

De mieux en mieux. Ayumi avait donc des contacts, un réseau international d'experts. Elle avait tout réglé. Une fois. Deux fois. Elle avait permis à Naoko – et à lui-même – de fonder une famille. Qu'avait-elle obtenu pour sa peine ? Rien. Naoko avait coupé les ponts. Le meilleur moyen pour préserver son secret. Passan était étonné qu'elle ait commis une telle erreur. Au Japon, il n'y a pas pire faute que de ne pas s'acquitter d'un devoir ou d'une dette.

Le crachin s'obstinait, d'une manière insidieuse. On évoluait sous un brumisateur. Autour d'eux, le décor ressemblait à un tableau pointilliste. Les flaques de lumière au pied des réverbères. Les cimes des pins et des gingkos, gonflées de vent. Les idéogrammes sur le bitume. Tout se dessinait à coups de pigments, de piqûres, évoquant une trame de tulle.

— Je me souviens d'un truc…, grommela Shigeru.

— QUOI ? hurla Passan.

Il en avait marre de tirer les vers du nez à un poivrot ânonnant.

— Aux funérailles, j'ai rencontré un ami de la famille. Un psychiatre psychanalyste. Takeshi Ueda. Ou Oda, je sais plus. Un homme très cultivé, qui a beaucoup voyagé. Ça m'a frappé : il parlait le français.

— Et alors ?

Shigeru déglutit bruyamment. Il paraissait s'enfoncer dans un marigot intérieur.

— J'ai cru comprendre qu'Ayumi était sa patiente.

Olivier lui arracha le parapluie des mains.

— Où je peux le trouver ?

Le beau-frère fronça les sourcils : il désapprouvait ces manières inconvenantes.

— Je ne me souviens pas.

— À Paris, fit Passan entre ses dents, je t'aurais déjà foutu en taule…

— Excuse-moi, ça me revient maintenant… J'ai sa carte quelque part.

— Où ?

— Chez moi, je pense.

Passan accéléra le pas :

— On prend un taxi. D'abord tes parents, ensuite chez toi. Après, on rendra visite au psychiatre.

— Pas la peine, cria Shigeru dans son dos. Il ne te dira rien.

Le flic cracha par-dessus son épaule :

— Il est temps de jouer le coup à la française.

85

Naoko n'avait pas reçu de réponse à son message mais elle n'en attendait pas. Elle n'était pas assez naïve pour penser qu'elle menait la danse. Elle ne faisait qu'exécuter les ordres implicites d'Ayumi. Duel d'honneur. Arme blanche. Affront lavé dans le sang. Utajima. Cette île où elles s'étaient si souvent entraînées. Tout cela, c'était le projet d'Ayumi.

Pourquoi s'y soumettait-elle ? Pourquoi, tout simplement, ne pas avoir prévenu la police ?

La voix de l'hôtesse annonça le décollage imminent pour Nagasaki. Naoko boucla sa ceinture.

Première raison : Ayumi elle-même. Son silence, sa folie, sa logique tordue. Elle avait sans doute préparé un piège qui se refermerait sur Naoko et les enfants à la moindre dénonciation.

Deuxième raison : la nature de sa faute. Les GPA étant illégales au Japon et en France, dénoncer Ayumi, c'était se dénoncer elle-même. Que risquait-elle ? Elle l'ignorait mais elle ne finirait pas sur le banc des accusés. Elle ne perdrait pas la garde de ses enfants et ne voulait pas qu'ils apprennent quoi que ce soit sur leurs origines.

Le fracas des réacteurs balaya ses réflexions. Elle tourna la tête vers le hublot et contempla la galaxie que formait l'immense agglomération de Tokyo. Une voie lactée, fourmillante d'étoiles blanches, chatoyante de lumières mordorées. Au-dessus les balises des tours, d'un rouge rubis, semblaient prévenir les avions : « Le ciel est à tout le monde. »

L'appareil prit de l'altitude. La ville s'éteignit dans l'obscurité pluvieuse. Cette image lui paraissait correspondre, exactement, à son voyage. Elle tournait le dos au Japon moderne, au géant de l'économie et de la technologie, pour rejoindre la nuit primitive, les ténèbres des temps anciens...

Elle se sentait calme. Et soulagée. C'en était fini de ce quotidien de mensonges, de ce destin en porte-à-faux. Des années à faire semblant. À simuler un cycle menstruel. À s'inventer une vie intime qui n'existait pas.

Elle se sentait aussi ridicule. Lorsqu'elle avait demandé à l'hôtesse de ranger sa longue housse dans le casier du personnel de bord, elle s'était crue obligée d'évoquer une histoire de tournoi de kendo. Qu'aurait-elle pu dire d'autre ? Qu'elle avait exhumé un sabre offert par son père afin de couper la tête de la femme qui avait porté ses enfants ? Qu'elle comptait régler un problème de procréation assistée à l'arme blanche ?...

Il y avait de quoi rire. Deux folles s'apprêtaient à combattre sur une île au large de Nagasaki. La première espérait tuer la seconde, l'enterrer, puis retourner élever ses enfants comme si de rien n'était. L'autre comptait éliminer la première, et sans doute adopter légalement Shinji et Hiroki. Dans les deux cas, c'était grotesque : Naoko en assassin était aussi crédible qu'Ayumi en mère au foyer.

Quelle que soit l'issue, qui resterait-il ? *Le père.* Cette idée la rassurait. Elle était sûre que Passan avait déjà tout compris et qu'il n'en aimait pas moins ses fils. Shinji et Hiroki étaient ses seules raisons de vivre. À cet égard, elle aurait dû lui parler, lui expliquer, implorer son aide. Qu'est-ce qui l'en avait empêchée ? L'orgueil. Plutôt mourir que d'affronter le poids de ses mensonges.

Au Japon, on dit : « Les fleurs d'hier sont les rêves d'aujourd'hui. » Elle pouvait ajouter : « Les fautes d'hier sont les cauchemars d'aujourd'hui. »

Elle se concentra sur son plan. Elle parviendrait à Nagasaki à 22 heures. Taxi jusqu'au port. Bateau jusqu'à Utajima – elle trouverait bien un pêcheur pour effectuer la traversée. Personne ne vivait sur l'île. Elle dormirait sur place, dans le sanctuaire shinto. À l'aube, elle aiguiserait sa lame.

Et elle attendrait.

Plus rien ne pouvait déjouer son projet. Sauf, peut-être, Passan. Où était-il ? Avait-il retrouvé sa trace ? Elle en était sûre. *Le meilleur flic du monde.*

Elle enfila son masque de sommeil et essaya de dormir. Très vite, ses pensées devinrent confuses. Pourtant, une évidence résistait dans la pénombre de son esprit : ses enfants étaient nés des flancs d'une sorcière. Pour les libérer, il fallait tuer la génitrice malfaisante.

86

Ayumi Yamada n'était pas belle.

Les photos que lui avait montrées à contrecœur Mme Akutagawa révélaient une jeune femme au visage rond, à la frange basse, aux traits à peine esquissés, qui n'offraient, au sens propre du terme, que la platitude de son expression. Par contraste, Naoko, qui se tenait chaque fois à ses côtés – *sailor fuku* d'écolière, robes d'été, survêtements –, paraissait de plus en plus rayonnante.

Il n'avait pas trouvé d'autres indices dans la boîte à souvenirs. Pas de coordonnées pour Ayumi. Pas de journal intime dévoilant la nature de leurs relations. Pas de documents ni la moindre prescription concernant l'infirmité de Naoko.

Ils étaient aussitôt repartis chez Shigeru, à Shin-Okubo, le quartier coréen. Le flic n'était pas monté. Il en avait profité pour tirer du cash à un distributeur, en remarquant que le quartier avait un petit côté destroy inhabituel à Tokyo. Il avait même eu le temps de s'offrir un bol de nouilles *soba*, qu'il avait englouti debout sur le trottoir – compte tenu de l'atmosphère chez les Akutagawa, pas question de sandwichs de *mama-san*.

Shigeru n'était pas revenu les mains vides. Il avait retrouvé la carte du psychiatre : Takeshi Ueda consultait et vivait dans le quartier de Sugamo, au nord de la ville, non loin de Shin-Okubo. Le beau-frère avait également localisé Utajima : ce n'était ni un temple ni un quartier de Nagasaki mais une île située à environ quatre kilomètres au large du littoral.

Complètement dessaoulé, Shigeru passa d'autres coups de fil dans le taxi. Un dernier vol pour Nagasaki décollait à 23 h 45, de Tokyo-Haneda. Il contacta également la capitainerie du port de Nagasaki, en quête de renseignements sur Utajima. Selon l'homme de la brigade, ce site volcanique de quelques kilomètres carrés était inhabité, hormis un sanctuaire shinto où des stages, des retraites étaient parfois organisés.

— Des stages d'arts martiaux ? demanda Shigeru.

— Quelquefois, oui.

Ils avaient leur réponse. Naoko et Ayumi avaient sans doute vécu des moments intenses sur cette île. Leur rendez-vous ne laissait présager rien de bon. Duel à mort plutôt que pique-nique sur la plage.

Olivier regarda sa montre : 21 heures. Une heure pour cuisiner le psychiatre. Une autre pour rejoindre l'aéroport. Il improviserait à Nagasaki. Mais le taxi n'avançait pas. Le chauffeur, au mépris du plan de rigueur, avait réglé sa climatisation à fond. Passan ne risquait pas d'attraper un chaud et froid. Il *était* un chaud et froid. Tour à tour brûlant et glacé, pouvant à peine respirer, il aurait voulu bondir sur le toit des voitures et forcer la porte du psy en hurlant.

501

En même temps, il retrouvait *sa* ville. Cité sans contour ni limite où les néons, les kanji, les reflets étaient comme une pluie dans la pluie. Les éclats de couleur ruisselaient, suivaient les gouttières, fissuraient les flaques, léchaient les trottoirs. Ici, les mesures d'économie paraissaient oubliées.

Tokyo est une ville kaléidoscope. À chaque angle de rue, le jeu des façades, l'agencement des enseignes forment un nouveau tableau. Tournez, les tons changent, les formes se modifient, au gré de combinaisons infinies.

Soudain, tout s'éteignit, ou presque. Ils pénétrèrent dans un quartier radicalement différent. Les rues se resserraient. Les vitrines devenaient opaques. Les néons cédaient la place aux lugubres potences des fils électriques.

— Sugamo, murmura Shigeru.

Passan était habitué à ces contrastes. Tokyo fonctionne à deux vitesses. D'un côté, les artères immenses, les ponts de béton, les marées humaines. De l'autre, les quartiers minuscules, les ruelles obscures flanquées de façades aveugles et de bannières flottantes. Sugamo était une de ces zones. Passan la connaissait de réputation : le fief des seniors, le quartier branché des grands-mères. On trouvait ici tout ce dont avaient besoin les millions de retraités du Kanto.

— On va continuer à pied.

Shigeru voulut régler la course mais Passan protesta. Il paya, tant bien que mal, laissant son compagnon sélectionner dans sa paume les billets adéquats – Olivier-san était toujours le petit garçon perdu dans la ville.

Ils empruntèrent un lacis de venelles, croisèrent quelques silhouettes en kimono, des adolescentes aux cheveux *chappatsu*, « couleur de thé », des temples paisibles, cernés de pins et de trembles. La ville ici retenait son souffle. Pas de voiture, peu de piétons, aucun bruit. Du bois, du brun, du vert. L'ère Edo conservait ses droits, plongeant l'Occidental au cœur d'un paradis perdu. C'était du moins le sentiment de Passan qui suivait son guide en silence. Il se croyait déjà à Yoshiwara, l'ancien quartier des plaisirs. Son esprit tanguait comme à bord d'un palanquin.

Ils s'enfouirent sous un treillis de câbles, aussi dense qu'une voûte végétale, puis se glissèrent dans des ruelles plus sombres encore. Les maisons n'avaient plus qu'un étage. Des lanternes de papier remplaçaient les réverbères et on avait accroché, comme toujours en été, des clochettes aux portes, pour « rafraîchir l'air ». Sous cette pluie battante, le petit rire des grelots prenait une résonance sarcastique.

Ils débouchèrent sur une place étroite, encadrée de temples et de marchands ambulants. On y vendait, à égalité, des talismans bouddhistes, des brochettes de poulet, des porte-bonheur shinto, des gadgets électroniques. Au centre, sous un auvent, des bâtons d'encens brûlaient. Des passants s'envoyaient par grandes brassées de la fumée sur la tête, dans les yeux, autour du cou. À côté, d'autres se livraient à des ablutions en se rinçant les mains dans un bassin de pierre. D'autres encore, à la porte d'un sanctuaire, faisaient tinter une lourde cloche de bronze et claquaient bruyamment dans leurs paumes pour appeler les esprits. *Tokyo by night*.

— On y est.

Shigeru sonna à la porte d'une maison tradition-
nelle. Sa façade se résumait à un shoji : une porte cou-
lissante aux carreaux de papier.

Le Japonais lança par-dessus son épaule, avec un
sourire d'excuse :

— Ueda Takeshi n'est plus tout jeune…

À ces mots, un minuscule vieillard, vêtu d'un pull
camionneur et d'un pantalon de grosse toile, surgit sur
le seuil. Hilare, il les invita à entrer dans un vestibule
cloisonné par des lamelles de bois verticales. Il ne
riait pas : il rugissait. Il poussait des « rrooooo », des
« haaaaaa » intempestifs, se frappait les cuisses,
secouait la tête.

— Le jardinier, commenta Shigeru à voix basse.

Le temps qu'ils retirent leurs chaussures, un autre
personnage apparut. Une vieille femme au teint sombre,
vitrifié comme un parquet, qui était plus petite encore
que l'homme. Elle portait un kimono clair, richement
orné, et un obi rouge sang. Olivier en éprouva un pincement au cœur : il n'avait jamais vu Naoko vêtue
ainsi.

La vieille s'approcha de Shigeru. Elle parlait d'une
voix monocorde, rocailleuse, et paraissait toute cassée
sous son kimono. Un mot vint à l'esprit de Passan,
dont il ignorait le sens exact : « arthrite des rizières ».

— Maître Ueda va nous recevoir, expliqua Shigeru,
décontenancé par le comité d'accueil.

Ils suivirent leur guide. Des panneaux coulissèrent.
Couloir étroit, encadré de cloisons quadrillées. La chaleur s'obstinait à l'intérieur – toujours pas de climatisation. La salle d'attente était un carré de tatamis,
garni de coussins. Passan tenta la position *seiza* – à
genoux, fesses sur les talons, mains placées sur le haut

504

des cuisses. Shigeru s'assit en tailleur, dos contre le mur, tout simplement.

Un shoji glissa d'un coup. Comme l'avait dit Shigeru, Takeshi Ueda n'était pas un jeune homme. Il devait même avoir dépassé soixante-dix ans mais il n'avait rien de commun avec les deux Lilliputiens de l'accueil. C'était un géant hors norme.

Son visage multipliait les originalités. Des yeux peu bridés, des cils de biche, une longue chevelure grise, il arborait une grosse barbe d'Aïnou, ce peuple du Nord qui avait tenu en respect les Japonais durant des siècles grâce à leur forte pilosité, effrayante pour la population nippone. Dans son pyjama de coton blanc, il tenait à la fois du gourou New Age et de Raspoutine.

Passan se leva dans le sillage de Shigeru. Il avait déjà compris que la partie serait encore plus difficile que prévu.

87

L'antre du psychiatre était décoré à l'occidentale : parquets à lattes étroites, mobilier européen des années 30, tapis aux motifs minimalistes. On aurait pu se trouver chez un analyste de Saint-Germain-des-Prés, à l'exception de la baie vitrée qui s'ouvrait sur un jardin japonais et d'un parfum d'encens qui planait ici comme une brume.

D'un geste, Ueda les invita à s'asseoir dans les fauteuils. Lui-même s'installa derrière son bureau. Shigeru attaqua aussitôt. Le médecin écouta sans bouger, sans ciller, puis répondit sur un ton égal. Le beau-frère reprit la parole, sur le même mode. On aurait dit deux joueurs de tennis se renvoyant la balle le plus poliment possible.

Finalement, Takeshi Ueda se mit à rire et Passan comprit que tout était foutu. Au Japon, le rire est un signe d'excuse, et l'excuse un signe de refus. Sans doute le psychiatre était-il en train de marmonner un *muzukashii* entre ses dents – littéralement : « c'est difficile », l'équivalent japonais du « non » français.

Passan regarda sa montre : 21 h 20. Il devait quitter les lieux avant 22 heures. Il se souvint que le psychiatre parlait français.

— Arrêtons là les conneries, dit-il brutalement.

Le praticien haussa les sourcils. Olivier balança sur le bureau des clichés de son dossier. Douche ensanglantée. Chien éventré. Cadavre mutilé de Sandrine. Ueda observa les photos. Malgré sa double maîtrise des émotions, en tant que psy *et* japonais, il accusa le coup. Ses joues se creusèrent et ses narines se dilatèrent. Enfin, il releva la tête :

— Vous… vous êtes *vraiment* de la police française ?

Passan devina qu'il devait parler maintenant non pas en flic mais en mari inquiet :

— Je suis commandant à la Brigade criminelle de Paris mais cette affaire est particulière. Je suis en territoire étranger. Je n'ai aucune légitimité. Et surtout, je suis impliqué personnellement dans l'enquête. L'animal éviscéré est mon chien. La femme coupée en deux ma meilleure amie. Et si vous ne m'aidez pas, la prochaine victime sera mon épouse.

Le psychiatre passa une main dans sa barbe. La partie supérieure de son visage se résumait maintenant à deux yeux écarquillés, derrière des cils de poupée.

— Vos soupçons se portent sur Yamada Ayumi ? demanda-t-il enfin.

Son français, qu'il parlait quasiment sans accent, égalait celui de Shigeru ou de Naoko. Une chance inouïe au cœur de Tokyo.

— Je n'ai aucun doute. Cela correspond-il à son profil psychologique ?

La main grattait nerveusement la barbe de prophète.

— Oui.

— Elle est capable d'actes meurtriers ?

— Oui.

— Mais vous n'avez pas jugé bon de l'interner ?

Takeshi ne répondit pas tout de suite. Il ne préparait pas une réponse pour se couvrir, il ordonnait mentalement ses arguments.

— Je ne soigne plus Ayumi depuis des mois.

— Depuis quand exactement ?

— La fin de l'année dernière. À l'époque, elle me paraissait, disons, stabilisée. Je ne l'ai revue qu'à la mort de son père.

— Elle vous a prévenu ?

Ueda hocha la tête.

— C'est une pratique courante au Japon ? Je veux dire, d'inviter son psy aux funérailles de son père ?

— Pas du tout, sourit le médecin. C'était un message.

— Un message ?

— Je pense… Enfin, je crois qu'elle a tué son père.

Olivier échangea un regard avec Shigeru puis lança :

— On nous a parlé d'un suicide.

— C'est la conclusion officielle. Yamada Kichijiro s'est pendu. Mais cela pouvait être une mise en scène. Ayumi est très intelligente.

— Il y a eu une autopsie ?

— Non.

— Pourquoi aurait-elle tué son père ?

— Parce que la haine, à la longue, gagne toujours.

Nouveau coup d'œil à Shigeru. Le beau-frère avait évoqué l'éducation solitaire d'un père veuf et jamais remarié. Une relation fusionnelle.

508

— Une histoire d'inceste ? proposa Passan, sans grande imagination.

— Pas du tout. Le sexe n'a rien à voir là-dedans.

Ueda reprit son tic avec sa barbe. On aurait dit qu'il caressait un animal familier. Le flic avait interrogé des milliers de suspects. Aucun doute : le psy allait vider son sac.

— J'ai connu Ayumi à l'âge de douze ans, se décida-t-il, après sa tentative de suicide.

— Par pendaison ?

— Non. Médicaments. À l'époque, j'étais attaché à l'hôpital Kesatsu Byoin. Ayumi y avait été internée. Les premiers contacts ont été difficiles. Du fait de son handicap bien sûr, mais pas seulement. Elle était... complètement fermée. Il m'a fallu du temps pour la mettre en confiance. J'ai même dû apprendre la langue des signes...

Il avait une voix grave, parfaitement posée. Une voix d'hypnotiseur.

— OK, fit Passan en regardant sa montre. Et alors ?

— Depuis son plus jeune âge, son père la torturait. Au sens physique du terme.

Passan ne s'attendait pas à cela. L'air de la pièce, chargé d'encens, sembla s'alourdir.

— Un pur psychopathe, poursuivit Ueda. Un être inhumain qui tirait son plaisir de la souffrance des autres, et en particulier de celle de sa petite fille.

— Sa femme ?

— Elle est morte noyée. On n'a jamais su ce qui s'était passé et on peut tout supposer. Mais je n'ai jamais mis en doute les récits d'Ayumi. Chaque nuit, il la suppliciait dans son intimité la plus profonde.

— Elle portait des cicatrices ?

— Quelques-unes, mais Yamada connaissait des points sensibles, *à l'intérieur* du corps. Il était gynécologue, vous comprenez ?

Sa nature de flic poussa Olivier à demander :

— Hormis votre instinct de psy, vous avez des preuves de ce que vous racontez ? Ayumi était peut-être une adolescente perturbée et...

— La preuve est dans sa gorge.

— Je ne comprends pas.

— Ayumi n'est pas muette de naissance. Son père lui a ligaturé les cordes vocales pour l'empêcher de hurler.

Il songea à la manière dont Diego avait été réduit au silence. S'il avait encore besoin de preuves, cette mutilation était comme une signature de la Japonaise.

— La douleur est devenue son seul repère, continua l'analyste. Quand elle a connu Naoko, ces valeurs ont changé. Tout à coup, son amie est devenue sa nouvelle famille, fondée cette fois sur la complicité et la douceur. Au bout de plusieurs années, Naoko est partie en Europe et Ayumi est retombée dans les griffes de son père. Cette chute a été d'autant plus douloureuse qu'elle se sentait trahie.

Passan avait plus ou moins pressenti cette partie de l'histoire.

— Ensuite ?

— Elle a tenu le coup. Elle a réussi le concours d'entrée à l'université de Tokyo. Elle a touché une bourse et accédé à une nouvelle indépendance. Elle voulait être gynécologue. Le modèle familial, toujours. Compte tenu de son handicap, elle a pu passer ses examens mais pas exercer comme un médecin ordinaire. Elle s'est orientée vers la recherche. Des années plus tard, Naoko s'est manifestée et lui a demandé de l'aide, à propos de son problème de procréation.

Passan devinait la suite – il n'avait pas le temps d'en demander les détails. Il voulait surtout resituer sa femme dans cet écheveau.

— Elles ont eu des relations homosexuelles ?

— Non. Seulement des liens d'affection intenses, tissés à un âge où l'amitié n'est pas un vain mot.

— Les saloperies du père, Naoko était au courant ?

— Ayumi m'a toujours juré que non. Je la crois. Votre femme ignorait ce versant de la vie de son amie. Tout comme elle ignorait la gravité de son état psychique. Sinon, elle n'aurait jamais fait appel à elle.

Le flic marqua son accord et repassa à l'attaque :

— Vous n'avez jamais pensé à dénoncer Yamada ?

— Déontologiquement, il m'était impossible de témoigner. J'ai tenté une dénonciation anonyme, ça n'a rien donné. Au Japon, on lave son linge sale en famille. Par ailleurs, Yamada était une sommité, pas un bonhomme qu'on accuse à la légère. Vous connaissez sans doute l'importance de la hiérarchie dans notre société. Il aurait fallu des preuves…

— Il y avait les cicatrices de sa fille.

— J'ai écrit à la police. Plusieurs fois. J'ai aussi essayé de convaincre Ayumi de porter plainte. Elle ne voulait pas en entendre parler. C'est difficile à comprendre pour un Occidental mais…

D'un geste, Passan l'arrêta : il n'avait pas envie d'entendre la sempiternelle « excuse japonaise ».

— Et vos soupçons de meurtre ?

— Quand ma conviction s'est établie, Yamada était incinéré depuis des semaines. De toute façon, je ne voulais pas livrer Ayumi mais la soigner. À l'évidence, elle avait gravement rechuté.

— Vous l'avez contactée ?

— Je lui ai écrit. Là encore plusieurs fois. Sans résultat. Dans mon domaine, on ne soigne pas les gens contre leur gré.

— Pourquoi ne l'avez-vous pas internée ?

— Ce n'est pas si facile. Ayumi a toujours réussi à donner le change. Elle aurait trompé facilement des experts. N'oubliez pas non plus son handicap. Cette difficulté aurait joué le rôle d'un camouflage supplémentaire.

— Vous diriez qu'elle est psychopathe, comme son père ?

Ueda se leva et se tourna vers la baie vitrée. À travers le verre, on distinguait plusieurs lanternes qui répandaient un halo lumineux dans le jardin, à la manière de lucioles géantes. Le goutte-à-goutte de la pluie scandait le temps qui fuyait… 22 h 05…

— Pas du tout, lâcha-t-il enfin, en nouant ses mains dans le dos. Un psychopathe est un manipulateur. Un prédateur qui n'éprouve aucun sentiment humain. Ayumi est exactement le contraire : un être de passion, déchiré par ses émotions. Tout ce qu'elle fait aujourd'hui, c'est par excès de cœur.

— C'est une façon de voir les choses.

Le psychiatre se retourna : son reflet dans la vitre dessinait un autre Takeshi, plus grand, plus fort. Une sorte de double supérieur et autoritaire.

— Ayumi est psychotique. Quand elle portait vos enfants, elle avait l'illusion de créer une nouvelle famille. Pourtant, chaque fois, Naoko est repartie avec le bébé. C'était le *contrat*. Je la récupérais alors anéantie et révoltée. J'ai sous-estimé son ressentiment qui peu à peu s'est mué en psychose.

C'était maintenant l'ombre d'Ayumi qui grandissait sur les parois de papier *washi*, montait à la manière d'un reptile immatériel et silencieux, au point que sa tête touchait le plafond et que ses épaules couvraient toute la pièce.

Passan revit le kimono croisé à l'envers, le masque Nô. Un être de mort et de destruction : aucun doute.

Le flic aurait aimé poser d'autres questions à Ueda mais il n'en avait plus le temps. En signe de conclusion, il se leva et se posta face à lui :

— Pourquoi avoir attendu tant d'années pour tuer son père ?

— Les mystères de la psyché humaine. Sa haine a mûri comme un cancer. Je ne l'ai pas anticipée. C'est mon erreur de praticien.

Il trouvait en effet que le psy n'avait pas vu venir grand-chose. Mais il était mal placé pour lui faire la leçon. « Même les singes tombent des arbres », disent les Japonais.

Le médecin reprit la main et désigna les photos, pêle-mêle sur le bureau :

— Que redoutez-vous maintenant ?

Passan ramassa ses clichés et livra ses nouvelles craintes. Le rendez-vous sur l'île. L'hypothèse d'un duel à mort. Une conclusion sanglante et sans merci. Takeshi ne fit aucun commentaire : son silence était un assentiment.

Olivier se dirigea vers le shoji. Shigeru se leva à son tour. Il ressemblait à un arbitre qui n'avait pas vu passer le match.

— Auriez-vous un dernier élément qui pourrait nous aider ?

— Je vous conseille d'appeler la police, c'est tout. La vraie. Je veux dire, la nôtre.

Olivier eut un rictus involontaire.

— Si je le fais, vous témoignerez ?

— Vous connaissez ma réponse.

— Alors, vous connaissez la mienne.

88

— Je viens avec toi.

— Quoi ?

— Nagasaki. Je viens avec toi.

— Pas question. C'est une affaire personnelle.

22 h 20. Ils avançaient au pas de course, en quête d'un taxi. La pluie s'était renforcée, s'écoulant à travers les venelles comme une rivière en crue. Des feux écarlates explosaient à sa surface, reflets des lanternes suspendues aux portes.

— Naoko est ma sœur. Ça me concerne aussi.

— J'ai dit : pas question.

Le flic s'arrêta et se tourna vers son beau-frère. Le déluge n'apportait aucune fraîcheur. Au contraire, les bourrasques charriaient des milliers de particules tièdes qui éclataient sur leurs visages.

— Ce voyage est une connerie, ajouta-t-il un ton plus bas. En France, les conneries, on les fait seuls.

Il n'était pas sûr que Shigeru ait tout capté – la pluie couvrait ses paroles. Mais il avait saisi au moins l'intention : régler ses comptes en solitaire, se sacrifier pour l'autre, tout ça devait parler à un Japonais.

Passan repartit plus vite encore. Shigeru ouvrit son parapluie et tenta de le rattraper. Toujours pas de taxi en vue. Olivier dut se rendre à l'évidence : il ne savait pas où aller. Il s'arrêta aux abords d'une rivière, traversée par un pont en dos-d'âne. Des saules pleureurs ployaient sous l'averse et semblaient contempler leur propre reflet chaviré. Une « japoniaiserie », aurait dit Naoko...

Shigeru le doubla et se mit à courir à travers les ruelles, suivant un mystérieux fil d'Ariane. Passan lui emboîta le pas. 22 h 40. Son avion décollait dans une heure. Il fallait compter trente minutes pour rejoindre l'aéroport d'Haneda. C'était encore jouable, à condition de trouver une voiture dans l'instant.

— Olivier-san !

Le Japonais l'attendait devant la portière ouverte d'un taxi couleur petit pois. Passan tomba lourdement sur son siège. La froideur de la climatisation lui parut plaquer un film de gel sur ses vêtements gorgés d'eau. Face à la propreté de l'habitacle, odeur d'eucalyptus et napperons brodés, il se fit l'effet d'un hippopotame s'imposant dans un délicat salon bourgeois.

Le chauffeur repartit sans traîner – Shigeru lui avait sans doute expliqué l'urgence. Passan se retourna et observa le quartier qui s'estompait sous les cataractes. Les toits bruns et cornus, les banderoles de vapeur, les lanternes qui s'obstinaient çà et là... Soudain, des enseignes « McDonald's » et « Starbucks » jaillirent aux quatre coins d'un carrefour. Flèches de lumière, néons en forme de kanji : ils étaient de retour dans le Tokyo moderne.

Passan se tassa et rumina les dernières infos. Chaque élément l'éloignait un peu plus de Naoko, de son

516

mariage, des années qu'il avait cru vivre avec elle. Les coulisses de son existence lui étaient enfin révélées. Des coulisses japonaises. N'aurait-il pas dû s'en réjouir ? Pour l'heure, tout ce qu'il voyait, c'était ce projet absurde d'un combat à l'arme blanche.

— Il ne faut pas t'étonner, intervint Shigeru, comme s'il suivait ses pensées.

— De quoi ? rétorqua-t-il dans un ricanement. Que ma femme ait fait porter mes enfants par une cinglée ? Qu'elle ne m'en ait jamais parlé ? Ou qu'elle s'apprête à l'affronter au sabre sur une île de la mer de Chine ?

— Je suis autant choqué que toi, Olivier-san.

— Non, tu ne l'es pas. C'est ça le plus dingue. On marche sur la tête et tu as l'air de trouver ça normal.

— C'est le bushidô, rétorqua Shigeru d'un ton grave. La « voie du guerrier ».

Passan éclata de rire. Le code d'honneur des samouraïs. Une philosophie de la servitude et de l'honneur, portée à un degré d'aveuglement absolu.

— Tu es en train de me dire que Naoko va agir selon le bushidô ?

— C'est l'option qui lui est venue naturellement.

Olivier voulut rire à nouveau mais son intention s'étrangla dans sa gorge. Il se pencha vers Shigeru. Une bouffée d'air chaud s'éleva de ses vêtements trempés. Il puait la sueur, la tourbe urbaine. Il puait la peur et l'égarement.

— J'ai vécu dix ans avec Naoko, fit-il entre ses dents. Tu ne vas pas m'apprendre qui est ta sœur. S'il y a une personne au monde qui a définitivement tourné le dos aux valeurs traditionnelles, c'est elle.

Shigeru avait posé les mains sur ses cuisses. Il se tenait très droit, la nuque raide, le regard fixé sur la

517

route. Il retrouvait en cet instant une posture solennelle, à des années-lumière du personnage décontracté qu'il cultivait d'habitude.

— Elle peut dire ce qu'elle veut, ces valeurs coulent dans ses veines.

Passan se fit l'avocat du diable, reprenant les propres arguments de Naoko :

— Le *Bushidô* est un vieux grimoire totalement dépassé. Un truc que les militaires des années 30 ont remis au goût du jour en le dévoyant pour fasciner les foules. Une arnaque qui a coûté la vie à plus de deux millions de jeunes soldats.

Le Japonais rajusta ses lunettes puis répliqua, imperturbable :

— La question, ce n'est ni l'âge ni la légitimité de ce code. La question, c'est : pourquoi a-t-il marché à ce point ? Pourquoi le peuple japonais s'est-il jeté sur ces vieilles règles comme les Hébreux sur les Dix Commandements ? Parce que nous avons ça en nous, Olivier-san. Depuis des siècles. Depuis toujours. Nous sommes enfantés par des corps, définis par des gènes, mais plus profondément encore, nous sommes créés par des idées.

C'était donc ça. Lui qui avait rêvé au credo des samouraïs, il était toujours resté un étranger, un curieux face à ces consignes. Naoko, qui les avait toujours rejetées, en était imprégnée au plus profond d'elle-même. Et son réflexe aujourd'hui était de laver son honneur dans le sang de son adversaire. *Dément.*

— Elles vont s'affronter jusqu'à la mort, confirma Shigeru. Il y a une mère de trop dans cette histoire.

Le flic se raccrocha à des détails pratiques :

— Il faut encore qu'elle trouve un sabre.

518

— Mon père lui en a offert un pour ses quatorze ans. Une pièce ancienne, qu'il conservait soigneusement dans son bureau.

DÉMENT.

— Elle l'a emporté ?

— C'est la première chose que j'ai vérifiée à notre retour du bar.

Il n'y avait plus rien à ajouter. Le bruissement de la pluie les enveloppait, curieusement réconfortant. Passan se sentait à la fois exposé et à l'abri, au fond de lui-même, presque immunisé.

Au bout d'un long moment, il demanda :

— Tu crois qu'elle a ses chances ?

— Je n'en sais rien. Tout dépend si Ayumi a continué l'entraînement.

Le corps de Sandrine était la réponse. En la tuant d'un seul coup de lame, Ayumi avait fait preuve d'une expertise implacable. En revanche, Naoko n'avait pas touché un *bokken* depuis au moins dix ans. Il devait absolument rejoindre Nagasaki avant le bain de sang. Il était sa seule chance.

Cette idée en appela une autre : le *kaïken* qui n'était plus dans le tiroir de la chambre.

Peut-être que Naoko avait le bushidô dans le sang. Peut-être que son père avait déliré en lui offrant une arme meurtrière. Mais lui ne valait pas mieux avec ses cadeaux à la con.

89

Nagasaki, 1 heure du matin. À mille kilomètres de Tokyo, la météo ne montrait aucun signe d'améliora-tion. Quand Passan sortit de l'aérogare, la pluie était si forte, si obstinée qu'elle évoquait un rideau vivant.

Il avait réussi à convaincre Shigeru de rester à Tokyo. Maintenant, il lui fallait trouver un taxi. Il croisa quelques passagers sous leur parapluie, qui ne paraissaient ni choqués ni effrayés par la tourmente. Il avait déjà connu cette placidité en Inde, en Afrique : la mousson fait partie des meubles. Juste une source de fatigue parmi d'autres.

Soudain, il aperçut une voiture orange qui faisait gicler des gerbes autour d'elle. Il éprouva un élan de reconnaissance pour cette couleur criarde, seul repère dans l'obscurité. Le temps de lever la main et la por-tière s'ouvrit toute seule, comme actionnée par un fan-tôme. Il plongea dans le taxi et ne parvint à dire qu'un mot : « hôtel ». Cela parut suffire au chauffeur.

Passan était déjà venu à Nagasaki. Il en conservait deux souvenirs. Le premier : la ville portuaire était la sœur oubliée d'Hiroshima. Elle avait subi une attaque atomique le 9 août 1945 mais l'histoire n'avait retenu que le nom de la première cible. L'autre souvenir était que l'agglomération, du moins son centre, avait été entièrement reconstruite selon le style traditionnel. Il se rappelait encore, au fond de la baie, une vallée de toits retroussés, de tons rouges et chocolat, de jardins de pierre.

Pour l'instant, il ne voyait rien. Nagasaki était plongée dans les ténèbres comme en plein couvre-feu. Le chauffeur naviguait à la seule lueur de ses phares. Passan se pencha vers sa fenêtre et plissa les yeux. La voiture serpentait sur une route en surplomb. En dessous, les rues, les immeubles, les maisons se chevauchaient, en escaliers, en degrés, en terrasses, comme des rizières de tuiles, de bois, de ciment.

Ils s'enfoncèrent dans un enchevêtrement de ruelles. Enfin, au fond d'une impasse en pente, un hôtel apparut. Un bâtiment à un étage, tout en longueur, dont le rez-de-chaussée distillait une lumière de beurre, chaleureuse. Peut-être était-ce ce ruban de clarté électrique, ou le fait que l'édifice était en contrebas, mais Passan eut l'impression d'entrer dans un périmètre de sécurité, où il pourrait dormir quelques heures.

Il paya le taxi. La pluie avait cessé, vidant le ciel de ses nuages. Il aperçut la lune qui, comme dans les haïkus, ressemblait à un fruit frais, coupé net. Mais l'air était toujours aussi brûlant. Une chaleur liquide baignait chaque élément du monde, saturait chaque pore de la peau. Il plongea dans l'hôtel comme il se serait glissé dans un réfrigérateur.

Le hall d'accueil, moquette épuisée, murs peints en beige, était aussi froid qu'une morgue. On n'économisait pas l'électricité ici. Derrière le comptoir, une femme sans âge paraissait l'attendre. Peau grise, tavelée, tirée sur des pommettes en saillie. Elle portait une sorte d'uniforme, noir et bordeaux, hésitant entre la veste de steward et le tablier de cuisine.

Passan lâcha trois mots en anglais, présenta son passeport, paya d'avance, en espèces. Mesure de précaution absurde. La Japonaise le guida jusqu'à son refuge, sans un mot ni même un regard étonné sur sa gueule brûlée. La chambre était monacale : un lit, une penderie, une salle de bains – rien d'autre. L'hôtesse disparut. Il entendit dehors, dans la rue, des éclats de voix, des pas croître et décroître. Puis plus rien, comme si l'extérieur s'ajustait au vide de son antre.

2 heures. Il ne pouvait rien faire avant le lever du jour.

Sans allumer, à tâtons, il trouva sa trousse de toilette et s'accorda une douche. Il revêtit tee-shirt et caleçon, se lava les dents. Régla la climatisation à fond et s'écroula sur le lit. Recroquevillé en chien de fusil, sous le drap, il eut l'impression de ramasser sa propre énergie, sa propre solitude.

Comme force d'action, il ne disposait que de ce corps fourbu. C'était l'opération policière la plus minimale qu'il ait jamais menée.

90

L'aube pointait derrière les lourdes rayures de l'averse. Naoko était à l'abri dans le sanctuaire, au sommet de la colline. Un simple pavillon de cyprès d'une quarantaine de mètres carrés, ouvert sur ses quatre côtés. Des piliers vernis, un toit en tuiles d'écorce, un plancher de madriers noirs. Au centre, une cloche de bronze, sa grosse corde striée, des bassins pleins d'eau. Rien d'autre. Les sanctuaires shinto sont toujours vides : il faut les remplir avec les prières, les méditations – elle remplissait celui-ci avec sa peur.

Elle avait pourtant dormi d'un sommeil organique, sans rêve ni à-coups, bercée par les soupirs des grands pins. Drapée dans un kimono, elle avait eu l'impression de vivre la mue d'une chrysalide, mais inversée. La veille, elle était encore un papillon, une Européenne, une femme libre. Elle était à présent une chenille, prisonnière de son biotope, de son cycle naturel. Une vie parmi des millions d'autres, obscure, docile – *une Japonaise*.

Elle fouilla dans son sac et trouva une portion de riz, enroulée dans du plastique. Elle la mangea à mains nues, avec avidité. C'était froid, gluant, vitalisant. Une part d'elle-même reconnaissait ce signal. Des années de gastronomie occidentale n'y faisaient rien : sa mémoire génétique était fondée sur des siècles de repas accroupis, au pied d'une pagode, dans la fraîcheur des rizières.

Elle avait atteint Utajima dans la soirée. Le pêcheur qui l'y avait amenée pour dix mille yens lui avait laissé son numéro de portable – en cas de retour, si tout se passait bien. Ils avaient accosté sur une plage de sable noir, côté ouest. Les pins semblaient l'attendre, les lanternes de pierre aussi, plantées au pied des arbres. Un vrai décor de cinéma – pour un de ces vieux films de sabre où tout le monde est virtuellement mort dès les premières images.

Elle avait rejoint le sanctuaire, sur les hauteurs de l'île. Personne ne venait jamais ici à l'exception de jardiniers et de balayeurs, une fois par semaine. Avec un peu de chance, leur jour était passé. Elle s'était aussitôt entraînée dans les ténèbres. Les douze techniques du *itto seiho*. Le résultat n'était pas fameux. On ne rattrape pas des années d'oubli en quelques gestes d'échauffement. De plus, elle n'avait jamais pratiqué avec un véritable sabre – trop dangereux.

Elle se leva et s'habilla. Pantalon de survêtement, *yukata* de coton aux pans croisés, baskets. L'ensemble, de couleur sombre, rappelait l'uniforme obligatoire des femmes durant la Seconde Guerre mondiale, qui leur permettait de courir et de s'activer, à la différence des kimonos. Elle noua autour de sa taille une ceinture de tissu et y glissa son sabre. Puis elle fourra dans sa poche de pantalon le *kaïken – son plan B*.

524

Plus que jamais, elle se sentait stupide, un peu comme si Passan était parti pour une opération policière en tenue de mousquetaire. Mais elle éprouvait aussi un sentiment d'équilibre. Une impression d'osmose avec une tradition qui la portait et l'imprégnait tout à la fois. D'ailleurs, Passan n'aurait pas non plus trouvé absurde de suivre, dans son métier, les valeurs de d'Artagnan. Au fond, c'était ce qu'il avait toujours fait.

Plutôt que de descendre le chemin principal qui menait à la plage, elle s'achemina vers l'est : elle se souvenait d'une avancée qui lui permettrait d'inspecter une autre plage, située à l'arrière de l'île. L'entrée dérobée du site...

La pluie ne cédait pas une once de terrain, transformant chaque dalle du chemin en miroir. Elle songeait à Ayumi. Elle ne la craignait pas. Ses crimes, sa folie ne parvenaient pas à supplanter les souvenirs de jadis. Sans se l'avouer, Naoko espérait encore parvenir à un accord...

Elle trouva la terrasse. Tout de suite, elle comprit que ce poste d'observation ne lui servirait à rien. Soit Ayumi n'était pas encore arrivée et elle pouvait aussi bien accoster de l'autre côté. Soit elle était déjà là et mieux valait ne pas être acculée sur ce sommet, dos au vide.

Elle revint sur ses pas et descendit vers l'ouest, évitant volontairement l'intérieur de l'île. Pas question de s'enfouir dans cette jungle qu'elle ne connaissait pas. Autant s'installer sur la plage principale et attendre.

À présent, elle ne pensait plus à rien. À quelques heures, peut-être à quelques minutes du combat, elle avait la tête vide. Elle n'était qu'immersion, coïncidence avec la nature, chenille enfouie dans la grande étreinte du ciel et de la terre. Elle fusionnait avec la pluie, l'accueillait, s'en nourrissait. Exactement comme la forêt elle-même, qui recevait ce matin plus de vie qu'elle n'en donnait…

La plage n'offrait aucune perspective. Les nuages ressemblaient à de gigantesques pierres ponces. Les flots étaient en goudron. Une fumée d'eau s'échappait des rouleaux, renforçant l'illusion d'un asphalte brûlant. Un rideau de plomb voilait l'horizon.

Soudain, elle fut prise d'un vertige. Tout chavira. La mer s'inclina. Le sol bascula. Le temps qu'elle retrouve son équilibre, la sensation était passée. Elle tenta de comprendre ce qui lui arrivait mais aussitôt, le bouleversement recommença. Plus fort, plus violent. Cette fois, elle chuta et comprit qu'elle ne rêvait pas.

Un tremblement de terre.

Depuis le dernier séisme, des secousses plus ou moins puissantes survenaient chaque semaine. On ignorait si ces répliques annonçaient une nouvelle catastrophe ou s'il s'agissait au contraire de la fin de la partie – la queue de la comète. Une légende racontait que le Japon s'appuyait sur le dos d'un poisson-chat géant qui ne cessait de s'agiter. Nul ne savait s'il était en train de se réveiller ou de se rendormir.

À genoux dans le sable noir, Naoko sourit. Cette secousse était un avertissement.

Peut-être pas la fin du monde mais la fin de son monde…

91

Passan se réveilla en sursaut pour découvrir qu'il était tombé du lit. Dans le cadre de la fenêtre, le paysage tremblait comme une image de télévision déréglée. Nouvelle secousse. Les rideaux se décrochèrent. Le ventilateur au plafond se mit à grincer, oscillant dangereusement sur sa suspension. À quatre pattes, il sentait distinctement le plancher tanguer sous ses mains et ses genoux.

Le calme revint. Mais lui tremblait de tous ses membres. Quand plus rien ne tient debout, que reste-t-il ? La terre sous nos pieds. C'était l'ultime repère, le dernier refuge qui s'effondrait. Une troisième convulsion s'empara des murs. Le plâtre se répandit sur le lit, le sol, comme du sucre glace sur un gâteau. L'hôtel entier claquait des dents. Le flic se souvint que la première consigne de sécurité dans ces cas-là était de se planquer sous une table.

Sa chambre n'en comportait pas. Il revenait vers le lit quand le ventilateur se décrocha. L'engin rebondit sur le matelas avant d'atterrir sur le sol, tournoyant à la façon d'une toupie furieuse. Passan recula dos au mur, l'évitant de justesse. Il demeura ainsi, couvert de plâtre, attendant que les pales cessent leur rotation et que la Terre reprenne la sienne. *Le juste retour des choses.*

Les secondes passèrent. Dilatées. Interminables. Était-ce vraiment fini ? Ou la vibration reprenait-elle son élan ? Il entendit maugréer dans le couloir. Sans doute la tenancière qui se plaignait des dégâts causés par la trépidation matinale. Son ton n'avait rien d'alarmé, comme s'il s'agissait d'une nouvelle bêtise du chat.

Passan se remit debout et s'ébroua avec incrédulité. Un tremblement de terre, il ne manquait plus que ça. Il avait lu des centaines de témoignages sur les séismes japonais mais c'était la première fois qu'il vivait le phénomène. Coup d'œil à sa montre. 6 h 30. Il était temps de partir. Il regroupa ses affaires.

La porte glissa sur le côté. L'hôtelière apparut, dans son tablier couleur de framboise sombre. Elle riait, râlait, geignait, multipliait les intonations et les grimaces contradictoires. La seule constante dans son visage était sa couleur : le gris avait viré au livide, presque au verdâtre.

— *Sumimasen…*

Elle partit dans une nouvelle litanie, en découvrant le ventilateur décapité. Passan boucla son sac et la salua sans se retourner.

Dehors, l'agitation ne cadrait ni avec l'horaire ni avec la pluie. On riait, on se lamentait sous l'averse, on était heureux d'avoir échappé une fois encore à la colère de la Terre. En écho, les oiseaux s'égosillaient sur les câbles électriques.

Olivier remonta la ruelle en quête d'un taxi. La chaleur avait gagné encore plusieurs degrés. Même à cette heure, on se serait cru dans une lessiveuse en surchauffe.

Il tourna à droite dans une artère plus large. Des enseignes étaient tombées. Les climatiseurs et les antennes penchaient. Des poubelles étaient renversées. Il héla une voiture. Il avait eu le temps d'acheter un dictionnaire à l'aéroport de Roissy. Il chercha rapidement la traduction de « port de pêche ».

— *Gyokoo*, ordonna-t-il.

L'homme lui fit répéter une bonne dizaine de fois avant de prononcer lui-même le mot et d'acquiescer avec surprise, comme si les syllabes, enfin, recouvraient tout leur sens.

Le taxi serpenta dans les ruelles. Passan retrouvait la cité de son souvenir. Un déferlement de toits bruns, de jardins de pins, de sanctuaires de pierre… Du gris, du vert, de l'éternité. Les tuiles brillantes de pluie ressemblaient à des écailles de poisson. Les angles des maisons formaient des vagues retroussées, qui évoquaient une mer maussade à l'écume sombre. Nagasaki, ville maritime : aucun doute.

Il repéra un marchand de brochettes, fit stopper le taxi et courut jusqu'au grill. Il en commanda cinq, qu'il dévora à l'abri d'un auvent, écoutant le ruissellement des caniveaux, se demandant si ces quelques minutes de répit étaient raisonnables. Mais y avait-il vraiment urgence ? L'affrontement aurait-il lieu ce matin ? Demain ? Dans trois jours ?

Nouveau départ. Après dix minutes de route, au détour d'une corniche, la baie apparut, surmontée par le pont de Megami. Le port rassemblait des milliers de bateaux qui oscillaient et croisaient leurs mâts sur le rideau de l'averse. Entre les coques, les vagues lentes, lourdes, semblaient broyer du noir.

Côté terre, on perdait tout exotisme : blocs sans fioriture, entrepôts, grues... Tout était uniformément gris. Nagasaki est réputé pour ses fermes perlières. L'idée lui vint que le site était lui-même en nacre. Chaque toit, chaque façade, chaque coque avait été enveloppé, durci par cette fine substance. La baie s'ouvrait comme un gigantesque coquillage, miroitant d'eau de mer et de lumière saline.

Passan chassa ces rêveries et se fit arrêter à la capitainerie. Un marché aux poissons battait son plein. Il traversa au pas de charge des armées de crabes, des montagnes d'huîtres, des éventaires de thons et de morues. Les odeurs iodées l'assaillaient. Des visages camus lui souriaient. Des petites vieilles ratatinées, comme marinées dans du gros sel, flairaient les poissons à hauteur d'étal. Jamais on n'aurait pu croire qu'une demi-heure auparavant, la terre tremblait sur ce rivage.

Sac à l'épaule, il parvint à l'embarcadère. Il arpenta le quai, en hurlant le nom d'Utajima auprès de chaque pêcheur. À la cinquième tentative, un gaillard à casquette de baseball s'inclina et mitrailla des *haï* en rafales. Vingt mille yens pour le voyage. Passan paya sans broncher. Il n'avait ni le temps ni la force de négocier.

Le moteur pétarada, le pilote manœuvra entre les bateaux. L'averse redoublait. Un crépitement nerveux faisait frissonner les vagues. Quand ils sortirent de la rade, la houle s'amplifia d'un coup, comme une respiration qui s'approfondit. Ils flottaient maintenant sur des poumons aux dimensions de caverne, sombraient dans des fossés noirs, émergeaient sur des crêtes mousseuses, suivant un cycle sans fin.

Cramponné à l'avant, Passan sentait la coque de fibre de verre claquer sur les lames. Il ne voyait rien. Il pressentait seulement un mur de pluie, qui semblait reculer toujours, les éclaboussant durement avant de leur échapper. Au bout d'une demi-heure, le pêcheur modifia sa vitesse. Le bruit du moteur descendit d'une octave. La bateau épousa le rythme des vagues. Enfin, Passan mit sa main en visière et vit jaillir au ras des flots une tache brun et vert.

— *Utajima !* hurla le pilote.

On aurait dit un nuage tombé du ciel. Une concrétion d'humeurs posée à fleur d'eau. La plage volcanique avait une couleur cacao alors que la colline offrait un vert éclatant, comme lavé, purifié par l'orage. Le détail énigmatique était un point rouge au pied de la forêt : un *torii*, ce portique de bois laqué qui marque le seuil d'un sanctuaire. L'île entière devait être un territoire sacré, hanté par des kamis, les esprits de la religion shinto.

Le pêcheur parvint à accoster au plus près de la plage. Passan sauta à terre et salua le marin, après avoir enregistré son numéro de portable. Puis il se tourna vers la forêt. Sous le *torii*, un sentier grimpait vers le sommet de la colline. Il passa sous l'arche inversée et entreprit l'ascension. Sur les bas-côtés, certains troncs étaient entourés par une corde, qui signale que ces arbres sont habités par des kamis. Plus il montait, plus il avait l'impression de pénétrer dans une forêt féerique, une sorte de Brocéliande des antipodes.

Comme une confirmation, au sommet, apparut le sanctuaire. Une pagode ajourée, un toit cornu posé sur des piliers de bois foncé. Dans l'ombre, il distinguait la cloche de bronze, le bassin, l'autel des offrandes…

Il gravit les marches et repéra, au pied d'une colonne, le sac de Naoko. Une espèce de besace multipoche en tissu imperméable dont elle vantait toujours les qualités : espace, étanchéité, fonctionnalité…

Ce simple objet lui serra le cœur. Elle était bien là. L'autre l'avait-elle trouvée avant lui ?

Une seule certitude : la chasse avait commencé.

92

Depuis l'onde de choc, elle n'avait pas bougé, à genoux dans le sable. Elle n'aurait su dire combien de temps était passé ainsi. Quelques minutes, une heure, plusieurs…

La plage s'était creusée de millions de trous d'épingle, à la manière d'une gigantesque peau d'orange. Des feuilles arrachées par le vent constellaient le sol. Les rouleaux claquaient. L'écume crissait inlassablement sur le sable. Elle ne savait plus si elle allait mourir noyée sous l'averse ou engloutie sous ces vagues qui paraissaient s'avancer pour l'aspirer.

Soudain, mue par un pressentiment, elle releva la tête. Les rais de l'averse lui cinglèrent les yeux.

Elle était là.

Toujours avec sa frange de caniche et ses yeux trop fendus. Elle avait ramené ses cheveux en un chignon de sumo. Elle portait un *keikogi* noir, la veste d'entraînement, et un *hakama* de même ton, ce pantalon-jupe spécifique aux samouraïs. Ses sabres, le katana et le *wakizashi*, étaient glissés dans sa ceinture, tranchant tourné vers le ciel. Les deux fourreaux de magnolia laqué se croisaient sur sa hanche, comme dans les vieux films de Toshiro Mifune.

C'était absolument comique. Mais Naoko n'avait aucune envie de rire.

Prudemment, elle se mit debout et faillit retomber aussi sec. Ses jambes ankylosées ne la soutenaient plus. Elle avait perdu l'habitude de vivre au ras du sol.

Elle retrouva son équilibre et articula distinctement, entre les lignes de pluie :

— On peut encore s'entendre.

L'instant d'après, l'épée était dans la main d'Ayumi. Naoko ne l'avait même pas vue dégainer. Elle en déduisit, simultanément, deux vérités. La muette n'avait jamais arrêté l'entraînement. Elle n'avait donc aucune chance contre elle.

Lentement, Ayumi abaissa sa lame à l'oblique. D'un geste, elle traça dans le sable plusieurs caractères kanji. Le folklore jouait à plein.

Naoko suivit les arabesques et lut : « Trop tard. »

La meurtrière rengaina, en respectant le mouvement traditionnel : pouce et index de la main gauche pinçant légèrement la lame à mesure qu'elle filait dans le fourreau. Naoko s'en souvenait : ses armes dataient du XVIIe siècle, de l'ère Genroku, période Edo. Un don de son père. Son sabre à elle n'avait pas la même valeur : soi-disant hérité de la famille paternelle, il n'était pas aussi ancien et sa ligne de trempe ne pouvait être comparée aux chefs-d'œuvre d'Ayumi.

L'ennemie désigna un rocher sombre en forme d'obélisque. Elles prirent ensemble cette direction, séparées d'une cinquantaine de mètres et accédèrent à une clairière de sable, délimitée sur la droite par des blocs noirs et sur la gauche par les pins de la forêt.

534

Naoko suivait docilement : elle comprenait, sans surprise, qu'Ayumi avait tout prévu. Elles ne pouvaient s'affronter qu'ici, sur cette terre où elles avaient, jadis, mêlé leur sang au nom d'un pacte d'amitié irréversible.

Ayumi s'arrêta. L'ombre du granit absorbait sa chevelure et ses vêtements. Seul son visage se détachait à la manière d'un caillou blanc, coupé dans son tiers supérieur par la frange. Alors, elle eut ce geste que tous les samouraïs effectuent dans les films : dans sa main droite, une lanière se matérialisa. Elle en mordit une extrémité puis fit passer le cordon autour de ses deux épaules afin de maintenir ses manches retroussées.

Elles dégaînèrent à la même seconde, s'assirent sur leurs talons puis dressèrent leurs sabres comme pour toucher leurs pointes. Depuis combien d'années Naoko n'avait-elle pas effectué ces gestes ?

Elles restèrent quelques secondes ainsi, lame contre lame. D'ordinaire, ces instants sont l'occasion de jauger son adversaire mais cela faisait vingt-cinq ans que Naoko jaugeait Ayumi – et elle s'était complètement trompée.

Elles se relevèrent dans le même mouvement. Le temps du *kamaé* – la garde, qui n'était pas attente mais déjà combat sous l'immobilité de surface. Ayumi commença à se déplacer latéralement. Naoko pivota, suivant l'axe de son adversaire. L'enseignement du *niten* est clair : au seuil du combat, l'épée devient une sorte d'antenne vibratoire, pressentant l'attaque, son angle, sa portée, son esquive…

In extremis, elle brandit son sabre et para le coup, plus soudain qu'une détonation. Puis un autre. Et un autre encore. L'instant suivant, elles étaient de nouveau en garde, à trois mètres de distance. Naoko comprit, rétroactivement, qu'elle n'était ni morte ni même touchée. L'éclat des épées avait explosé devant ses yeux. Les gouttes de pluie s'étaient transformées en étincelles. Elle n'avait rien anticipé. Rien analysé. Seuls ses réflexes l'avaient sauvée. La mémoire des muscles, des nerfs…

Ayumi avait repris son lent mouvement circulaire, mais cette fois le sabre armé, les deux mains au-dessus du crâne. Elle ressemblait à un juge, prête à départager les vivants et les morts. Naoko suivait la rotation, garde baissée. Elle éprouvait une chaleur, une sorte d'espoir à l'idée d'avoir survécu au premier assaut. Peut-être pouvait-elle résister mieux qu'elle aurait cru…

La muette esquissa un pas, Naoko recula : le signal. Elle libéra sa force. Elle sentit son *ki* partir du ventre et des hanches, fuser le long de ses bras jusqu'à saturer la lame d'intensité. Un coup. Deux coups. Trois coups. On ne pratique jamais plus de trois attaques : on n'a que deux jambes.

Elles reculèrent ensemble. L'odeur de l'acier chaud imprégnait l'air. Ayumi ne bougeait plus, toujours garde levée. Son silence était terrifiant. Au *kenjutsu*, on hurle. Le cri, le *kiaï*, est fondamental : il frappe au même titre que la lame. Mais Ayumi ne pouvait crier et cela lui donnait, paradoxalement, une force supplémentaire.

Ayumi bondit. Attaque au flanc. *Dô*. Recul. Autre attaque – deux fois à gauche, une fois de face. Attaque au front. *Men*. Naoko parait chaque coup. Sa dextérité revenait. Ayumi frappait comme l'enseigne Musashi, visant les points vitaux : veine jugulaire, veine du poignet, cœur, larynx, foie…

Elle recula. Naoko passa à l'offensive – elle ne voulait plus lâcher le contact, le combat, la danse de mort… Elle voulait épuiser son adversaire, mais aussi ses propres chances de survie. Se risquer au bord du gouffre… Une attaque. Deux attaques. Trois attaques…

Ayumi fit encore un pas en arrière. À moins que ce ne soit Naoko. L'épuisement les séparait, la pluie les achevait. Naoko n'était pas blessée mais elle savait lire entre les lames : elle ne pouvait pas gagner. Elle pouvait juste *tenir* – et se battre jusqu'au bout, pour ses enfants.

Nouvel assaut. Elle sentait ses doigts vibrer sur le cuir tressé de la poignée. Elle était hors d'haleine. Ses yeux pleuraient. Son sang brûlait sous sa chair. Elle sentait monter en elle une ivresse. Celle des samouraïs, qui meurent dans une transe d'honneur et de destruction.

Elle hurla et visa le flanc. Recula et esquiva une attaque frontale. Ayumi armait de nouveau. Naoko frappa. Ayumi ne laissait rien passer. Elle semblait survoler le combat.

À bout de forces, Naoko perdit l'équilibre et se rattrapa de justesse contre le grand rocher noir. Malgré la pluie, elle sentit que sa paume poissait. Du sang. Déjà Ayumi se ruait sur elle.

Le choc des lames fit vibrer ses os sous sa chair. C'était la fin. L'acier venait de se briser. On dit que la ligne de trempe d'un sabre ne reflète qu'une chose : l'amour de son propriétaire. Naoko n'avait jamais entretenu le sien – et cette indifférence allait lui coûter la vie. Elle balança son katana et chercha dans sa poche le *kaïken*.

Elle fit un bond de côté. Juste à temps pour éviter un assaut mortel.

Ayumi avait dégainé son deuxième sabre et fit siffler les deux lames. *Le style spécifique de Miyamoto Musashi.* Sa vélocité était sidérante. Naoko se retrouva par terre : elle ne parvenait pas à se dépêtrer de sa veste, de sa poche.

Elle se réfugia à quatre pattes dans une cavité entre deux rochers. La lame la suivit, provoquant un horrible couinement contre le granit. Naoko songea au *jan-ken-pon* : la pierre bat les ciseaux, la feuille bat la pierre, les ciseaux battent la feuille… Elle sentit qu'on la tirait par les pieds. Dans une convulsion, elle se retourna et vit le visage d'Ayumi. Ses yeux n'étaient plus que deux marques d'ongle dans un masque de chair.

Sans réfléchir, Naoko se mit à battre des jambes mais l'autre la tenait toujours par les chevilles. Quand elle se retrouva à l'air libre, elle réalisa qu'Ayumi avait dû laisser tomber ses sabres pour l'attraper. Elle lui sauta au visage, lui mordant la joue. L'autre lui tira violemment les cheveux et la força à lâcher prise dans une cambrure douloureuse.

Naoko se trouva projetée contre la pierre volcanique. Le choc lui fit fermer les yeux. Quand elle les rouvrit, Ayumi avait récupéré son katana. Naoko se jeta sur le *wakizashi* et se redressa sabre en main.

Même si la fin était proche, elle ne devait rien regretter.

Elle avait fait le maximum.

93

Passan rôdait autour du sanctuaire quand il perçut de lointains claquements d'acier. Le vent venait de tourner. Il tendit l'oreille pour identifier leur direction : le bas de la colline, la plage. Lui-même en venait : comment avait-il pu les manquer ?

Il se mit à courir, dévalant le sentier, son visage s'écorchant aux aiguilles de pin. Des cris maintenant. Il accédait à la plage quand les hurlements changèrent de nature. Des sons atroces, des déchirements de gorge. Il lança un regard circulaire et ne découvrit qu'un paysage de noirceur. Sous le ciel de suie, les rouleaux éclataient sur le sable, l'écume sifflait entre ses milliards de bulles, grise et terne comme un crachat.

Personne. Les cris avaient cessé. Il remarqua, sur la gauche, des rochers dont les formes évoquaient des sculptures votives. D'instinct, il prit cette direction. Il se glissa entre les blocs en s'attendant à découvrir une cérémonie chamanique, un rituel de sorcellerie.

Deux formes humaines, disloquées par la pluie, s'agitaient sur fond de pins déchaînés. L'une était à terre, l'autre, silhouette noire, brandissait un sabre.

— NON !

L'ombre tourna la tête. Au-dessus d'elle, le ciel s'ouvrit en deux. L'éclair parut jaillir des eaux pour trancher les nuages. Passan reconnut le visage. Sa pâleur exprimait une froideur, un poli de pierre sans expression. Le plus frappant était son regard. Noir comme du carbone, il paraissait brûler d'un éclat vénéneux. Une phrase de Musashi lui revint : « Un esprit exalté est faible. » Ayumi ne lui paraissait pas faible du tout.

Il attaqua en hurlant, armé de ses seuls poings. Le coup de bluff réussit. Ayumi tourna les talons et s'enfuit dans la forêt comme un fauve effrayé. Passan se précipita sur Naoko. Du sang tachait sa veste. Sa petite poitrine pointait sous le tissu trempé. La même scène qu'au Pré-Saint-Gervais, mais sans la moindre aide aux alentours.

Dénouant avec précaution le *yukata*, il découvrit le pansement de la première blessure, imprégné de rouge. Dans la lutte, la plaie s'était rouverte. La marque de sang dessinait un cachet de cire sur le bandage. Naoko était une miraculée – à moins qu'Ayumi n'ait jamais eu l'intention de la tuer.

Passan murmura des paroles apaisantes. Au milieu d'une flaque, il repéra un sabre brisé et, du côté des rochers, une lame plus courte coincée dans une faille. Il songea au *kaïken*. Il fouilla les plis de la tunique, les poches du survêtement. Fourreau de jacquier noir, poignée d'ivoire : il était là.

Il se releva, poignard au poing. Naoko saisit le pan de sa veste – ses yeux étaient injectés de sang, ses lèvres frémissaient. Elle balbutia des mots qu'il ne comprit pas – sans doute une mise en garde.

De sa main gauche, il attrapa son portable, composa le numéro du pêcheur et plaça l'appareil dans la paume de Naoko.

— Le type qui m'a amené ici, souffla-t-il. Dis-lui de revenir. (Il ajouta plus fort.) Dis-lui de se magner !

Sans attendre de réponse, il partit à la poursuite de l'ennemie, parmi les pins chahutés.

— Ayumi-san !

Son cri s'éteignit comme une chandelle sous la pluie. Il trouva un nouveau sentier. Ni pierres flottantes ni terre compacte : seulement une boue grise qui s'effaçait au profit d'une latérite rouge dans laquelle ses pieds s'enfonçaient jusqu'aux chevilles. Ses vêtements pesaient des tonnes. Il fallait qu'il la trouve. Il fallait qu'il la tue…

Il grimpa, traversant les marigots, pataugeant sans ralentir.

— Ayumi-san !

Plus il montait, plus la pluie s'acharnait. Son champ de vision se limitait à quelques mètres. Il allait hurler de nouveau quand il atteignit une trouée. D'un coup, le ciel. D'un coup, le grondement sans limite de l'orage. En contrebas, une rivière bouillonnait. Ses flots oscillaient comme des chairs amples, sensuelles, repues. Au-delà, une île, longue de quelques centaines de mètres, ressemblait à une épave couchée.

Il en eut la certitude : la muette l'attendait là-bas.

Il descendit la pente puis s'engagea dans les eaux tièdes. Il s'apprêtait à nager mais il eut pied tout du long. Parvenu de l'autre côté, il glissa le *kaïken* dans sa ceinture et attrapa des touffes d'herbe denses comme une chevelure pour se hisser à terre. Il se retrouva sur un étroit chemin qui longeait la berge, encadré par les hampes des roseaux. Il s'ébroua et se redressa.

Ayumi se tenait sur le sentier, à cinq mètres devant lui. Elle brandissait son sabre, la lame barrant son visage en forme de lune glacée. Sa position rappelait les innombrables films d'arts martiaux que Passan avait visionnés. Il ne put retenir un sourire. Il allait mourir selon ses désirs les plus fous.

Il pensa au *kaïken* dans sa ceinture. Que pouvait-il faire contre un sabre de près d'un mètre ? Il se jeta dans les buissons. Se coula sous les lianes, les feuilles, les aiguilles. Il parcourut ainsi quelques dizaines de mètres, sans se relever, sans se retourner. Il n'entendait que le clapotis de la pluie et le sifflement du sabre derrière lui. La lame était là, rapide, meurtrière. Elle miaulait, gémissait, soupirait… *Elle l'appelait.*

Enfin, il s'extirpa des buissons, trébuchant et tombant sur le sol. Par réflexe, il se retourna. Ayumi empoignait son katana comme un pieu, pour lui crever le cœur. Il roula sur lui-même, sentit la terre se dérober sous son poids puis la tiédeur de la rivière l'absorber.

Il poussa sur ses jambes pour s'éloigner de la rive. Il lutta contre le courant, visage tourné vers la surface, gesticulant pour rester complètement immergé. L'enjeu : retenir son souffle jusqu'à se placer hors de portée d'Ayumi – à moins que la meurtrière ne le suive dans l'eau, mais il n'y croyait pas.

Quand ses poumons furent sur le point d'éclater, il sortit enfin la tête. Il fut accueilli par le souffle du sabre. Il n'avait pas réussi à s'éloigner assez : Ayumi était toujours là. Il replongea et opta pour la stratégie inverse, rejoignant la berge, s'enfouissant parmi les roseaux. Ayumi frappait à l'aveugle, saccageant les joncs, les iris des marais. Il ne bougeait plus, immergé jusqu'au menton, cramponné aux végétaux.

Il empoigna le *kaïken*, se disant qu'il pouvait sortir de l'eau à mi-corps et atteindre son adversaire aux jambes. Non. Avant même de tendre le bras, il serait décapité. Il plongea au contraire, buvant la tasse. Le courant l'emportait. Les racines entravaient ses gestes comme les muscles d'un lutteur prêt à l'étrangler.

À cet instant, ses pieds furent aspirés dans une cavité latérale. Un trou dans le flanc de la rive. Le sabre franchit la barrière des feuilles et lui arracha un morceau de cuir chevelu. Ce fut comme un signal : il se laissa partir dans le tunnel, espérant refaire surface plus loin. Il se retourna et nagea. Au bout de quelques brasses, il paniqua. Il allait mourir noyé dans ce cloaque. Il s'arc-bouta, palpa les parois pour rebrousser chemin. Impossible : le boyau s'était resserré. Le courant continuait de le pousser en avant.

Il se raisonna : s'il y avait du courant, cela signifiait qu'il existait une issue. Il songea à des veines – une circulation phréatique sous la terre, un réseau qui allait le propulser à l'air libre. Il tenta d'accélérer. En vain. À chaque seconde, le noir lui paraissait plus dense, plus profond, plus *présent*...

Ses poumons se creusaient. Sa gorge se dilatait. La principale menace de l'apnée est la respiration réflexe. Passé un certain seuil, le système respiratoire se remet en marche, quelles que soient les circonstances.

Il allait ouvrir les lèvres...

Il allait...

Un rugissement explosa dans sa bouche. Une brûlure de vie déferla dans ses pectoraux. Le ciel. L'oxygène. Son cri se transforma en rire. Il se retourna et découvrit la berge de l'île, comme s'il était revenu à son point de départ. En réalité, il avait traversé la langue de terre *par-dessous* et avait gagné l'autre anse de la rivière.

Il se hissa et considéra le *kaïken* qu'il tenait toujours dans la main. Il s'enfouit de nouveau dans la forêt. Les plantes, les arbres, les lianes s'agitaient comme des algues sous la mer. Tout bruissait dans de grands drapés aquatiques. Lui-même se fondait dans ce monde vert et liquide. Il avait l'impression de ne pas être sorti de l'eau.

Il la découvrit de dos, qui découpait toujours la rive avec une obstination rageuse. Il ressentit une sourde jouissance à la voir ainsi, inconsciente du danger, en position d'infériorité absolue. Il s'approcha sans précaution particulière.

Cinq mètres.

Il tenait le *kaïken* braqué.

Trois mètres.

Il avait l'impression de percer chaque membrane végétale comme une épée déchire la chair de l'ennemi.

Un mètre.

Ayumi se retourna et arma son bras. Il n'eut que le temps de bondir en arrière. La lame s'abattit. Il fut éclaboussé de sang mais ne ressentit aucune douleur. Surtout : le *kaïken* n'était plus dans sa main. Il leva les yeux : la Japonaise ne bougeait plus, bras droit perpendiculaire au corps, lame parallèle au sol. Elle paraissait stupéfaite.

Un bouillon de sang jaillit de ses lèvres.

Le *kaïken* était enfoncé dans sa poitrine, au-dessus du sein gauche. Le temps qu'elle déploie son sabre,

Passan l'avait planté dans un mouvement réflexe. Il tomba à genoux et la regarda osciller au-dessus de lui avant qu'elle ne s'effondre à son tour. Le sang continuait de couler de sa bouche, de son nez, se mêlant à l'eau de pluie. Elle lâcha son sabre et tendit les mains vers lui. Il les saisit et songea qu'elle avait porté ses enfants. Il la retint ainsi : dos droit, nuque cambrée, assise sur ses talons. Position *seiza*.

Il discernait dans son regard des ténèbres inaccessibles, qu'aucune pluie ne pourrait jamais laver. En même temps, quelque chose d'enfantin perdurait sous la frange. Une détresse qu'il aurait voulu sauver du désastre. Le corps de la femme céda comme un arbre scié. Il serra ses doigts mais Ayumi s'affaissa dans une flaque de boue.

Il se releva. Sans réfléchir, il enjamba le cadavre, franchit le sentier et se glissa à nouveau dans la rivière. Lentement, il rejoignit l'autre rive. Il traversa la forêt, à l'aveugle, sans la moindre conscience du chemin qu'il prenait.

Au bout d'une éternité, il découvrit la plage. Naoko était toujours là, adossée au rocher.

Il perçut en même temps, à travers le grondement du ressac, le moteur du bateau qui revenait vers l'île. Hagard, il marcha jusqu'à sa femme et s'effondra à ses côtés. Il ne trouva rien à dire mais sa présence se passait de commentaire : il ne pouvait y avoir deux survivants au combat.

Naoko se redressa et le serra dans ses bras. La violence de l'étreinte le surprit. En même temps, il y discerna une douceur comme il n'en avait pas connu depuis des années.

— *Ie ni kaerimasyou*, murmura-t-elle.

Il n'avait jamais compris le japonais, il ne le comprendrait jamais. Pourtant, par un miracle inexplicable, il devina la signification de ces quelques mots.

Naoko avait dit, il en était certain :

— On rentre à la maison.

Jean Christophe Grangé
dans Le Livre de Poche

Le Concile de pierre   n° 17216

Un enfant venu du bout du monde dont le passé mystérieux resurgit peu à peu. Des tueurs lancés à sa poursuite. Une femme prête à tout pour le sauver. Un voyage jusqu'au cœur de la taïga mongole. Là où règne la loi du Concile de pierre...

L'Empire des loups   n° 37099

Anna Heymes souffre d'hallucinations et de crises d'amnésie. Grâce à l'aide d'une psychologue, elle découvre d'incroyables vérités concernant son passé... Vérités qui ne sont pas étrangères à l'enquête du capitaine Nerteaux sur la mort de trois femmes d'origine turque à Paris.

La Forêt des Mânes   n° 32207

Jeanne Korowa, juge d'instruction à la vie affective désastreuse, enquête sur une série de meurtres particulièrement sauvages. Elle fait installer des micros dans le cabinet d'Antoine Féraud, un psychanalyste...

La Ligne noire   n° 37149

Jacques Reverdi, professeur de plongée, est arrêté en Malaisie après avoir tué plusieurs jeunes filles. À Paris, Marc Dupeyrat, journaliste, sait qu'il tient là la matière d'un article sensationnel. En livrant petit à petit ses secrets, le tueur entraîne Marc en Asie du Sud-Est, sur les traces de ses meurtres et de sa folie…

Miserere   n° 31808

Décembre 2006. Un chef de chorale est retrouvé assassiné dans une église arménienne de Paris. Lionel Kasdan, un policier à la retraite, se lance sur la piste du tueur. Cédric Volokine, flic de la Brigade de protection des mineurs en pleine cure de désintoxication, s'intéresse également à cette affaire qui semble impliquer des enfants.

Le Passager   n° 32981

Je suis l'ombre. Je suis la proie. Je suis le tueur. Je suis la cible. Pour m'en sortir, une seule option : fuir l'autre. Mais si l'autre est moi-même ?…

Les rivières pourpres   n° 17167

Un cadavre suspendu dans les montagnes de la région grenobloise. La tombe d'un petit garçon « visitée », cependant que les dossiers le concernant disparaissent. Deux énigmes, que vont s'attacher à résoudre

Pierre Niémans, policier génial et peu orthodoxe, et Karim Abdouf, délinquant devenu flic...

Le Serment des limbes   n° 31292

Mathieu Durey, flic à la Brigade criminelle de Paris, apprend que son meilleur ami a tenté de se suicider et découvre que Luc travaillait en secret sur une série de meurtres sataniques aux quatre coins de l'Europe.

Le Vol de cigognes   n° 17057

Un ornithologue suisse est retrouvé mort d'une crise cardiaque... dans un nid de cigognes. Louis, qu'il venait d'engager, décide d'assumer seul la mission prévue : suivre la migration des cigognes jusqu'en Afrique, afin de découvrir pourquoi certaines ont disparu durant la saison précédente...

Le Livre de Poche s'engage pour
l'environnement en réduisant
l'empreinte carbone de ses livres.
Celle de cet exemplaire est de :
540 g éq. CO$_2$
Rendez-vous sur
www.livredepoche-durable.fr

PAPIER À BASE DE
FIBRES CERTIFIÉES

Composition réalisée par NORD COMPO

Imprimé en France par CPI
en novembre 2015
N° d'impression : 3014196
Dépôt légal 1re publication : mars 2014
Édition 04 - novembre 2015
LIBRAIRIE GÉNÉRALE FRANÇAISE
31, rue de Fleurus - 75278 Paris Cedex 06

18/3332/1